D1753298

MEUSER *EKTEN*

MEUSER*EKTEN*

MEUSER ARCHITEKTEN *BAUTEN UND PROJEKTE 1995 – 2010 / BUILDINGS AND PROJECTS 1995 – 2010*
ARCHITECTURE

A DOM publishers

Die gewachsene Stadt ist unser städtebauliches und
architektonisches Lehrbuch. Die Geheimnisse ihrer
Strukturen sind kaum über Bücher erfassbar.
Man muss sie reisend erforschen und von Stadt zu Stadt
und von Land zu Land vergleichen.

*The best textbook for planners and architects is a city
that has grown organically. Its structural secrets
cannot be fathomed by a printed book.
Travelling is the best education: go and explore, compare
city with city and country with country.*

Rob Krier

–

Der Mensch erblickt sich im Antlitz seiner Städte.

Man sees himself mirrored in his cities.

Karl Marx

–

Stadt ist eine Gesellschaft von Häusern,
die wissen, dass sie nicht alleine auf dieser Welt sind.

*A city is an assemblage of houses
that know they are not alone in this world.*

Hans Kollhoff

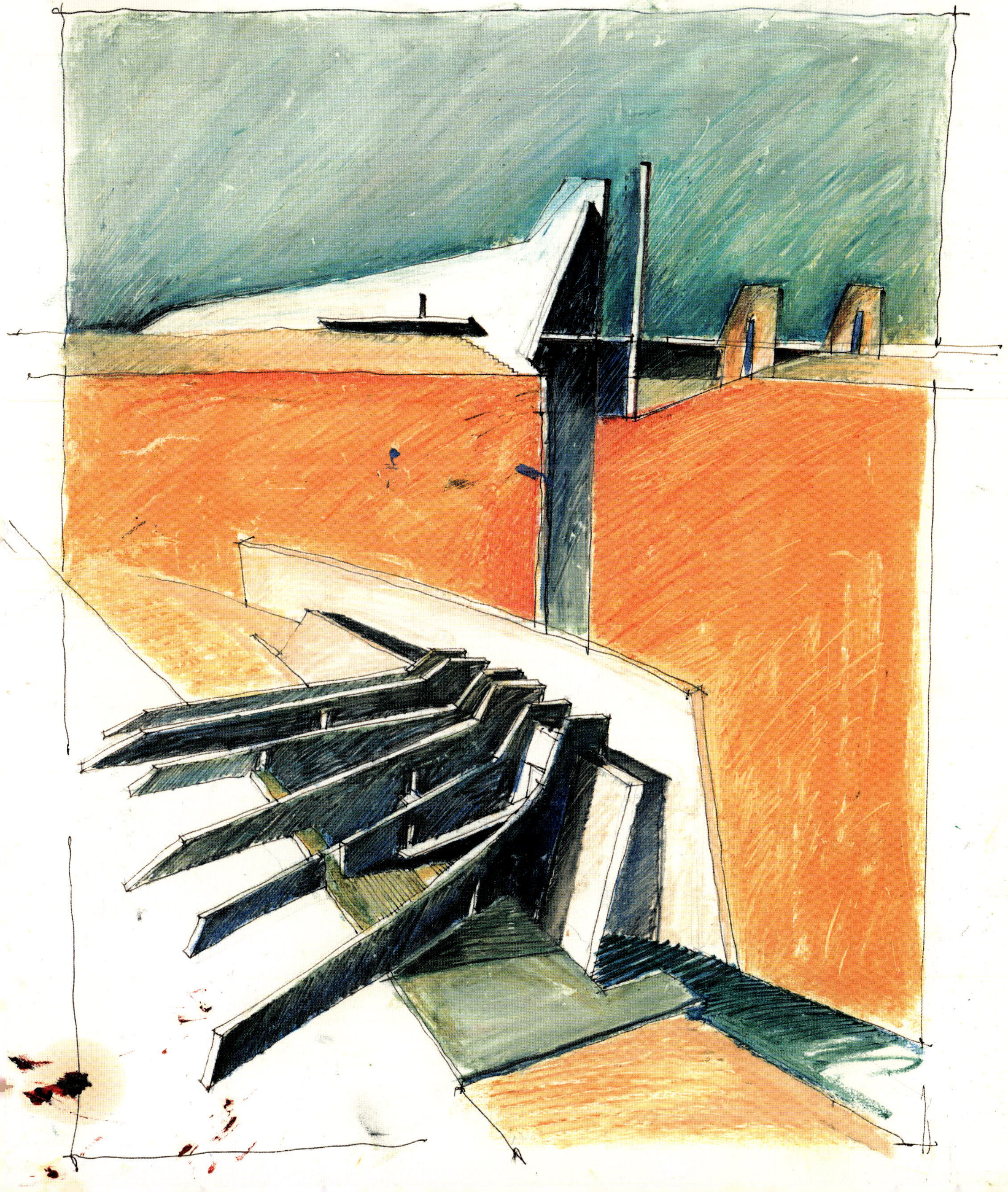

Architektur lässt sich nicht neu erfinden. Vielmehr geht es um die Transformation vorhandener Materialien, Ornamente und Typologien. Unsere gestalterische Arbeit ist geprägt von der Auseinandersetzung mit Geschichte und Theorie der Architektur. Wir wollen eine Architektur schaffen, deren Maßstab vom Menschen ausgeht, die sich in die urbane Struktur einfügt und sich nicht erklären muss.

Wir messen uns daran, einen eigenständigen Beitrag zur zeitgenössischen Baukunst zu leisten und den aktuellen Architekturdiskurs voranzutreiben. Modern zu bauen und zu denken heißt für uns, die Errungenschaften der Architekturgeschichte anzuerkennen und aus ihren Fehlern für die Zukunft zu lernen.

Architecture cannot be wholly reinvented. Instead, the challenge is to transform existing materials, ornaments, and typologies. A key feature of our work is our exploration of architectural history and theory. We want to create architecture on a human scale – architecture that blends in with the urban fabric and yet speaks for itself.

We are committed to making an independent contribution to contemporary architecture and to promoting architectural debate. We are architects who think modern and build modern; we acknowledge the achievements of architecture in the past and learn from its mistakes for the future.

Introduction	Über die Erziehung des Blicks *Training the Eye* Essay	16
Construction	Architektur und Stein *Stone Architecture* Essay	24
	Stadthaus am Friedrichswerder *Friedrichswerder Townhouse* Berlin	46
	Stadthäuser in der Oberwallstraße *Oberwall Townhouses* Berlin	62
	Palais an den Kronprinzengärten *Crown Gardens Palace* Berlin	72
	Neubau St. Petri-Kirche *St Petri New Church* Berlin	80
	Evangelisches Johannesstift *Protestant Charity Foundation* Berlin	88
	Stadtvilla Erlenstegen *Erlenstegen Residence* Nürnberg	98

Prefabrication

Ästhetik der Platte
Aesthetics of Prefabrication
Essay — 112

Typenprojekt Schule
School Prototype
Tscheboksary/Russische Föderation — 132

Typenprojekt Kindergarten
Kindergarten Prototype
Tscheboksary/Russische Föderation — 144

Hauptverwaltung Schleich
Schleich Headquarters
Schwäbisch Gmünd — 152

Siedlung im Altai-Gebirge
Altai Mountain Village
Ridder/Kasachstan — 168

Sicherheitsmodul für Büronutzung
Safety Module for Office Use
Havanna/Kuba — 180

Conservation

Weiterbauen heißt Erhalten!
To Build Is to Preserve!
Essay   186

Schloss Stolzenfels
Stolzenfels Castle
Koblenz   208

Vorderes Klausengebäude
Stolzenfels Hermitage
Koblenz   220

Außenstelle der Französischen Botschaft
Représentation de l'Ambassade de France
Almaty/Kasachstan   230

Annex

Natascha Meuser
Curriculum   242

Philipp Meuser
Curriculum   244

Veröffentlichungen
Publications   246

Projektverzeichnis
Chronology   250

Mitarbeiter seit 1995
Staff   254

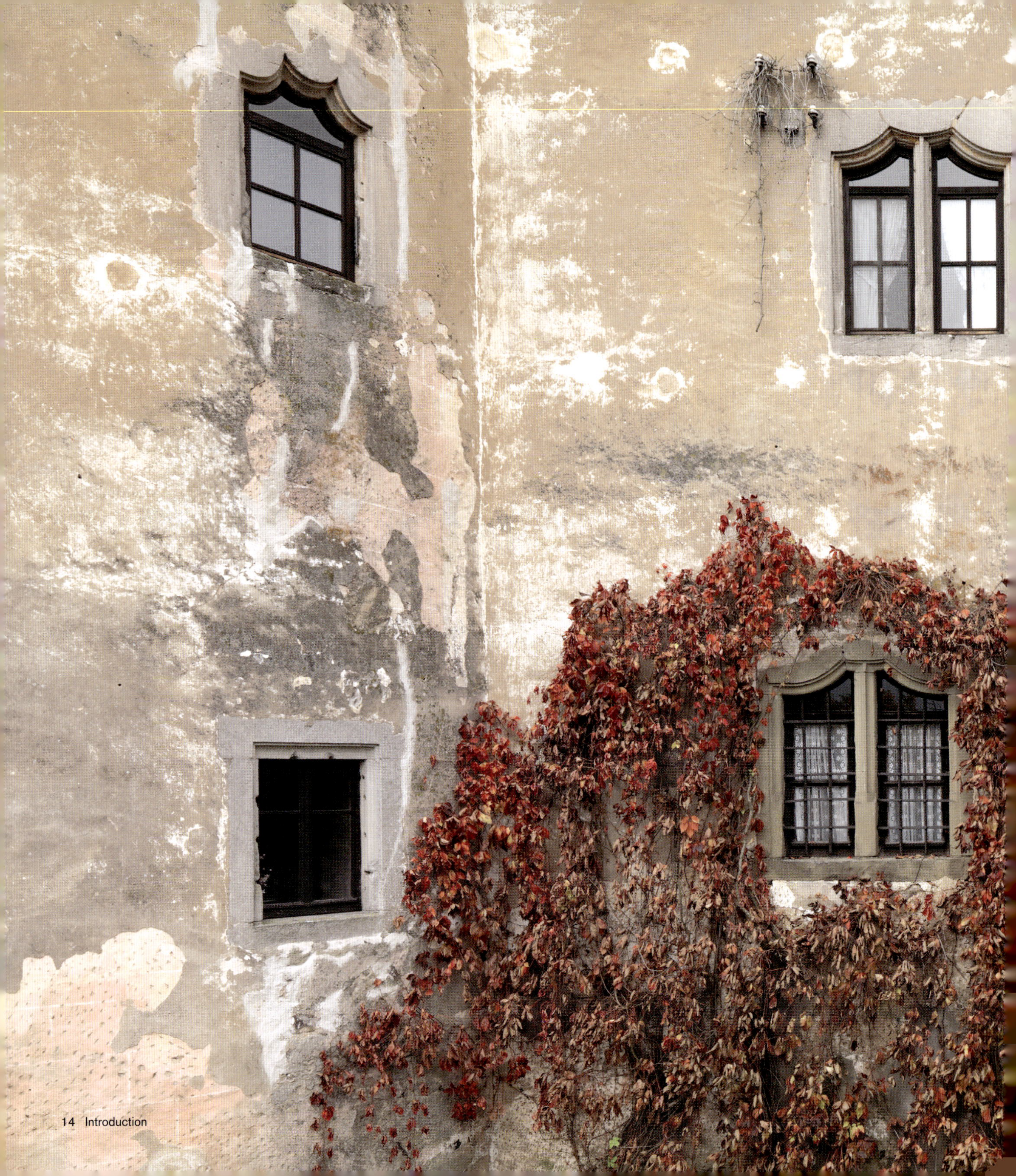

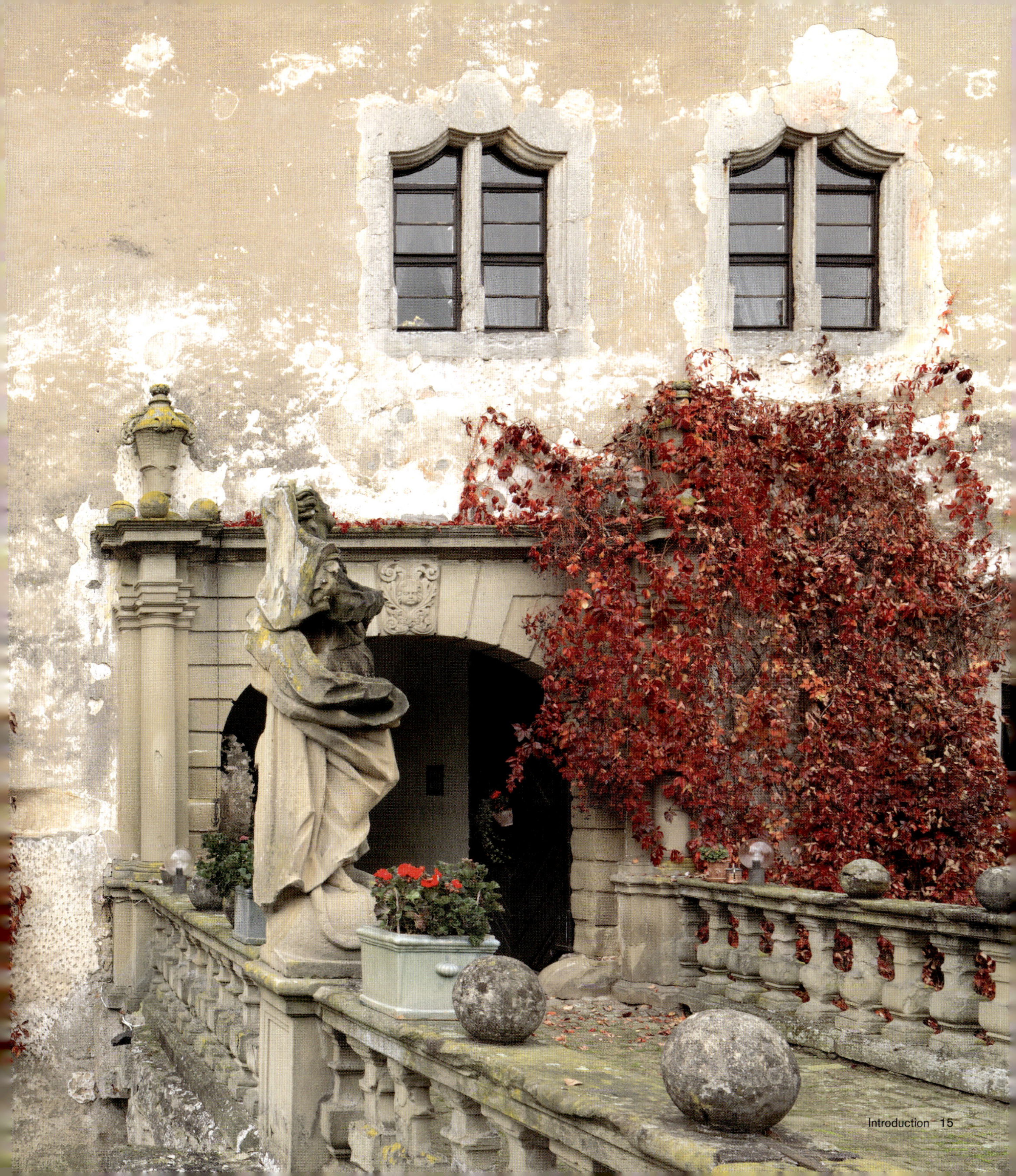

Über die Erziehung des Blicks
Training the Eye

Natascha Meuser

Schloss Breitenlohe,
1340 erstmals urkundlich erwähnt

*Breitenlohe Castle,
first recorded mention 1340*

Ein Kind sieht die Welt auf unverstellte, von keiner Reflexion gebrochene Weise: Die Geborgenheit in einer Familie, das Aufgehobensein im elterlichen Haus oder die Fülle der Natur – als Kind nimmt man all das als schön und selbstverständlich hin, ohne darüber nachzudenken, woran sich dieses Empfinden bemisst.
Ich begriff mit etwa zehn Jahren, freilich ohne je etwas von Ästhetik oder Harmonielehre gehört zu haben, dass es Unterschiede gibt. Es war im Schloss meines Großvaters, das mir schon immer als etwas Besonderes erschien. Dort wurde man anders empfangen, in den Räumen herrschte ein Zauber, dem sich keiner zu entziehen vermochte. Tante Gisela und Onkel Bodo, die jetzt im Schloss lebten, bespielten das alte Gemäuer wie ein vielstimmiges Instrument; jedes Zimmer hatte einen eigenen Klang, kein Gegenstand war unbedacht platziert; gleichzeitig wirkte alles vollkommen unangestrengt und natürlich. Der jahrhundertealte glänzende Boden, der Frühstückstisch in der Morgensonne, die einfachen Stühle im schattigen Schlosshof, die langen Korridore: Die Harmonie dieses Ortes war unvergleichlich. Heute könnte man sagen: Die Bewohner hatten das Schloss verstanden und ihr Bewusstsein und ihre Wahrnehmungsfähigkeit vom alten Stolz und dem Reichtum dieses Gebäudes schulen lassen. Die Komposition der Räume und Gänge, die Durchdringung von Innen und dem Außen, Architektur und Natur – all das erfasste ich damals nur intuitiv. Aber dieses Begreifen war ein Schlüsselerlebnis. Denn eigentlich lernte ich alles, was meine Auffassung von Raum und Schönheit prägt, hier. Im Schloss meiner Familie. Wie stark mich die Erinnerung an diese frühen Erfahrungen begleitete, erfuhr ich ausgerechnet in Chicago. Dort saß ich am IIT (Illinois Institute of Technology) in einer Vorlesung des Architekten Alfred Cadwell, der seinerzeit mit Ludwig Mies van der Rohe zusammengearbeitet hatte. Er beschrieb in seiner

A child's perception of the world is immediate, untainted by reflection. The security of a family, the sanctuary of the parental home, or the abundance of nature: a child perceives all these things as good and natural without thinking about what this perception is measured against.
I was about ten when I first realized, without of course ever having heard of aesthetics or the theory of harmony, that there were differences. I was in my grandfather's castle, which had always seemed special to me. It gave you a different kind of welcome, its rooms were pervaded by a magic that no one could resist. Aunt Gisela and Uncle Bodo, who lived in the castle, made the old walls resonate like a many-voiced instrument. Each room had its own sound, and every object had its place. Yet at the same time it all felt completely effortless and natural. The centuries-old polished floors, the breakfast table in the morning sun, the simple chairs in the shady courtyard, the long corridors: the harmony of this place was incomparable. Looking back today one might say the inhabitants had come to understand the castle and had allowed its ancient pride and riches to school their awareness and vision.
The arrangement of the rooms and corridors, the interpenetration of interior and exterior, of architecture and nature – at the time I grasped all this only intuitively. Yet it was a key experience. Everything that has shaped my understanding of space and beauty I learned here, in my family's castle. Later, in Chicago of all places, I realized how strong my memories of these early experiences were. I was sitting in a lecture given by the architect Alfred Cadwell at the IIT (Illinois Institute of Technology). Cadwell had once worked with Ludwig Mies van der Rohe. As he was describing the secret of a successful garden landscape, I had a kind of déjà-vu: Suddenly I was waiting in front of the

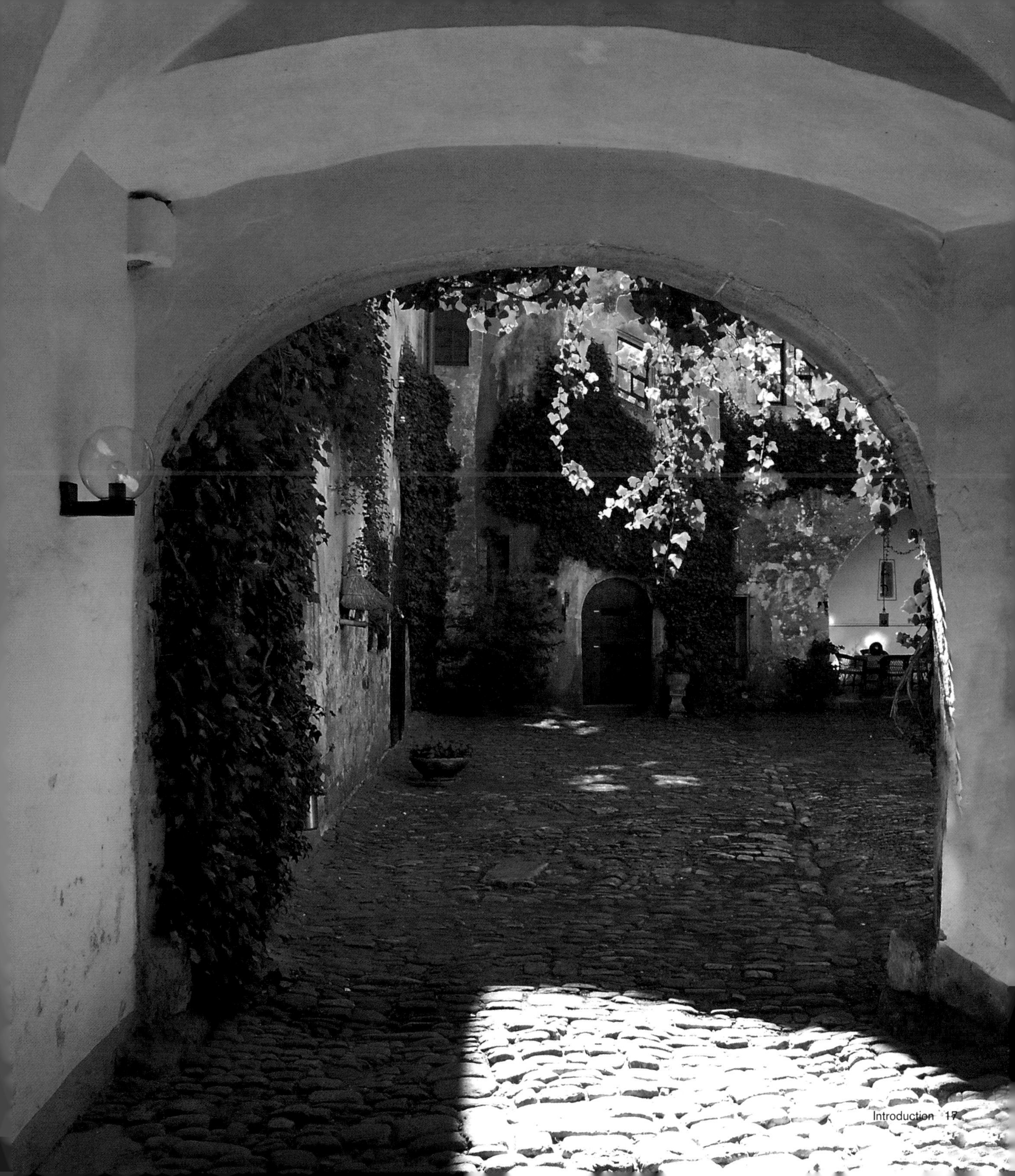

Tadao Ando:
Kirche des Lichts, Ibaraki/Japan,
1989–1990

Tadao Ando
The Church of Light, Ibaraki/Japan
1989–1990

Lehrveranstaltung das Geheimnis einer guten Gartenlandschaft, und ich hatte eine Art Déjà-vu: Ich stand daheim vor dem Schlosstor und wartete. Ich wartete, dass jemand genau 66 Stufen hinabsteigt, über den grob gepflasterten Innenhof eilt und das schwere Holztor öffnet. Was für eine Begrüßung! Der Blick des Besuchers reichte zuerst in den Schlosshof, wanderte dann nach oben und tastete das Gebäude ab. Die Schritte wurden über eine lange, steinerne Wendeltreppe in das zweite Geschoss gelenkt, wo sich die Wohnräume befanden. Der Weg dahin war für mich eine erhabene Passage; er erzeugte Spannung und Neugier auf das, was kommen sollte.

Im Hörsaal bei Cadwell erfuhr ich nun, dass diese kleine Szene eine sogenannte Sequenz ist, bei der sich der Blick mal weiten, mal verengen muss, auf Überraschungen trifft und sich ausruhen kann. Das, was ich als Kind für Magie hielt, war also nichts anderes als eine absichtsvolle Komposition, von Menschen gemacht? Spätestens jetzt war mir klar, dass ich endlich das gefunden hatte, was manche etwas hochtrabend als Berufung bezeichnen. Ich wollte mich fortan mit der Schönheit von Raum und Natur beschäftigen.

Wie komplex sich diese Arbeit ausnimmt, zeigte sich erst allmählich und war auch ein mitunter schmerzhafter Lernprozess, in dem mir klar wurde, dass der größte Fehler, den ein Architekt machen kann, darin besteht, dass Innen vom Außen getrennt zu betrachten. Gute Architektur entsteht mit dem Blick aufs Ganze; sowohl nach innen – in die Räume, auf kleine Details, den Lichteinfall, einen Türgriff – als auch nach außen – auf die Straße, einen Hof, Bäume, Dächer. Es war komischerweise eine kleine Anekdote, die mir die Bedeutung eines Blicks aus dem Fenster verdeutlichte. Der Regisseur Wim Wenders, schon von Berufs wegen ein Augenmensch, war an einer schönen, weitläufigen

castle gate again. Waiting for someone to come down exactly sixty-six steps, to hurry across the rough cobble-stoned courtyard, and open the heavy wooden gate. What a welcome that was. You would first catch sight of the castle courtyard and then your eyes would wander upwards, scanning the building. Your steps would be directed up a long, stone spiral staircase to the second floor, where the living quarters were. This was always a sublime passage for me, arousing excitement and curiosity about what was to come.

During Cadwell's lecture I learned that this little scene was what is called a sequence, in which the gaze alternately broadens and narrows, encountering surprises and then coming to rest. So what I as a child had taken for magic was simply the result of deliberate composition, and man-made? From that point on, if not before, it was clear to me that I had finally found what some people refer to rather pompously as a vocation. From then on I wanted to dedicate myself to the beauty of space and nature. How complex this work would turn out to be was something I learned only gradually in a sometimes painful process during which I realized that the greatest mistake an architect can make is to think about the interior and exterior of a building separately. Good architecture requires an eye for the whole, looking both inside – into the rooms, noticing small details, the way the light falls, a door handle – and outside, to the street, a courtyard, trees, roofs. Strangely enough it was a little anecdote that illustrated to me the significance of looking out of the window. The film director Wim Wenders, obviously a visual person by virtue of his profession, was interested in a beautiful spacious apartment in Berlin. He liked everything – the rooms, the fittings, the charm – until his gaze alighted on the house opposite. A nondescript, unremarkable 1960s building, devoid of character,

Introduction 19

Seiten 22/23:
Ausschnitt aus dem Kinofilm
2001: Odyssee im Weltraum
Regie: Stanley Kubrick, 1968

Pages 22/23:
Still from the film
2001: A Space Odyssey
Director: Stanley Kubrick, 1968

Carlo Scarpa:
Erweiterungsbau der Gipsoteca
Canova, Possagno/Italien
1955–1956

Carlo Scarpa
Gipsoteca extension
Canova, Possagno/Italy
1955–1956

Wohnung in Berlin interessiert. Alles gefiel ihm gut; die Räume, die Ausstattung, der Charme – bis sein Blick auf das gegenüberliegende Haus fiel. Ein unscheinbarer, belangloser Sechzigerjahrebau, charakterlos und nicht der Rede wert. Wegen dieser Aussicht nahm Wim Wenders die Wohnung nicht. Und ich konnte ihn verstehen.
Es dauert lange, bis der Blick so geschult ist, dass er die unsichtbaren, in keiner Baubeschreibung, in keiner Architekturkritik auftauchenden Qualitäten eines Ortes erfasst. Und es dauert noch viel länger, bis man als Architekt oder Architektin imstande ist, eine sinnlich erfassbare Harmonie, die das Ganze auszeichnet, aus dem Nichts zu planen, zu schaffen.
Es haben nur wenige überhaupt geschafft. Tadao Andos Kirche in Ibaraki (Präfektur Osaka) ist so ein Ort, aber auch die sakralen Museumsräume von Carlo Scarpa. Diese Architekten haben nicht nur mit Stein und Glas gearbeitet, sondern mit Sonnenstrahlen, dem Schattenwurf eines Spätnachmittags und der spröden Anmutung eines grob polierten Steins.
Doch auch jenseits des baumeisterlichen Kanons gibt es Beispiele für eine Schöpferkraft, die, von einer Idee beseelt, Großartiges schafft. Man muss kein Architekturdiplom haben, um die Kulissen von Ken Adam perfekt zu finden, in denen sich der unsterbliche Filmheld James Bond bewegt: Adams Entwürfe sind vielleicht das beste Beispiel dafür, wie Architektur »funktioniert«. Die Arbeit für ein neues Projekt beginne ich manchmal mit diesen alten Filmen, mit Büchern, Musik, Fotos oder Reisen. Und der Erinnerung an ein zehnjähriges Mädchen in einem alten Schloss.

not worth talking about. It was because of this view that Wim Wenders decided not to take the apartment. And I can see why. It takes a long time for the eye to become schooled enough to see the invisible qualities of a place that are never mentioned in building specifications or architectural critiques. And it takes longer still before an architect is able to design – to create from scratch – a sensually tangible harmony that gives distinction to the whole. Only few architects have succeeded in doing this. Tadao Ando's church in Ibaraki near Osaka is such a place, but also the churchlike museum rooms of Carlo Scarpa. These architects worked not only with stone and glass but also with sunrays, the shadows cast in the late afternoon, and the aloof charm of roughly polished stone.
Beyond the architectural canon, too, there are examples of a creative power that, swept along by an idea, is capable of producing great things. You don't need a degree in architecture to find Ken Adam's sets perfect – the sets through which the immortal film hero James Bond moves. Adam's designs are perhaps the best example of how architecture "works". My own work on a new project sometimes starts with these old films, or with books, music, photos, journeys. And with the memory of a ten-year-old girl in an old castle.

Introduction 21

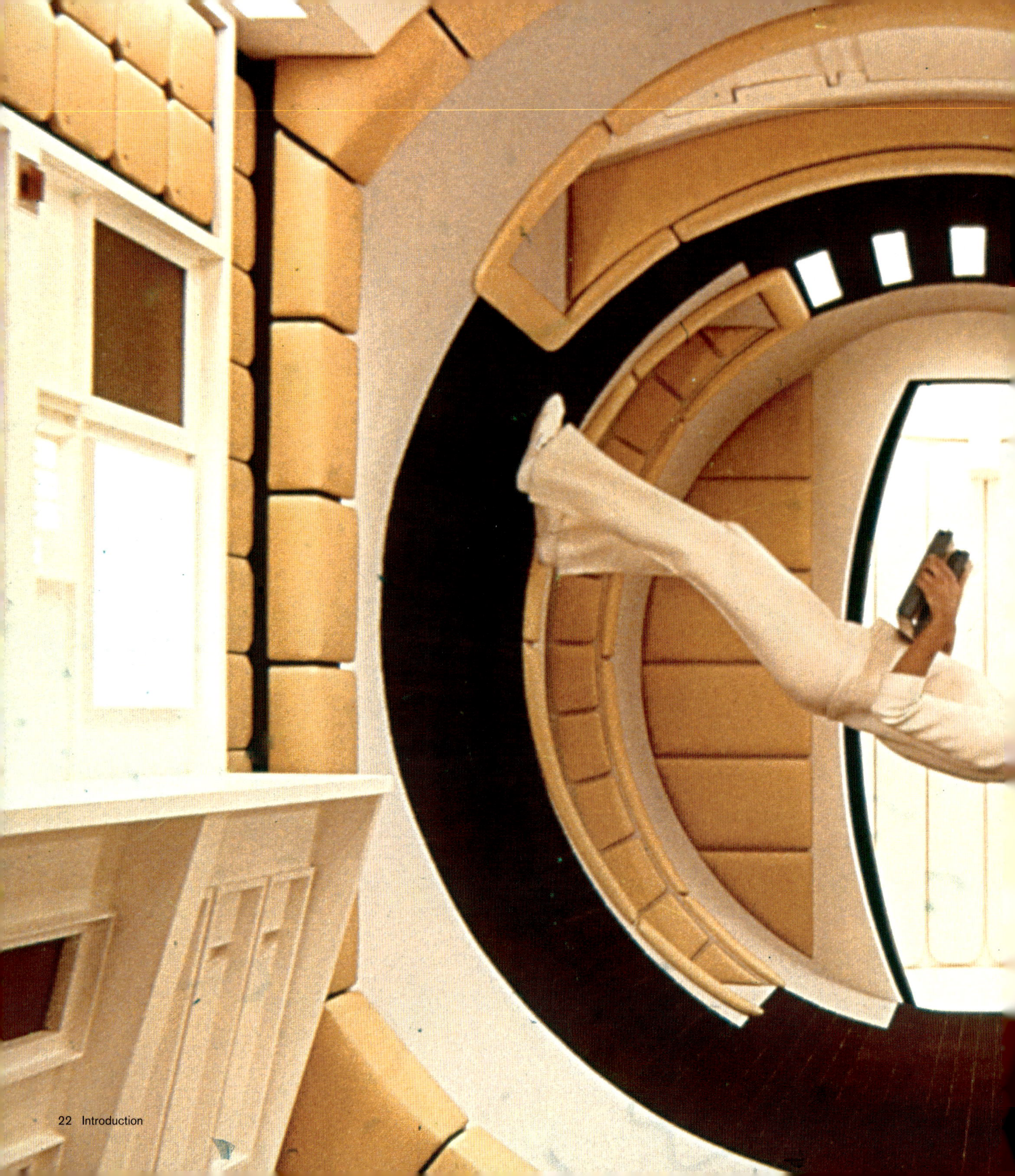

Introduction 23

Architektur und Stein
Stone Architecture

Philipp Meuser

Pyramiden in Gizeh/Ägypten,
Chephren-Pyramide,
erbaut um 2550 v. Chr.

*Pyramids in Giza/Egypt,
Pyramid of Khafre,
built c. 2550 BC*

Die Lust an der Last

Oswald Mathias Ungers, einer der bedeutendsten zeitgenössischen Architekten in Deutschland, hat die Architektur einmal auf drei Grundformen zurückgeführt: Parthenon, Pantheon, Pyramide. Mit diesen drei Bautypen sei, so Ungers, die gesamte Architektur umschrieben: der Parthenon (um 440 v. Chr.) – das Zelt, der Pantheon (um 120 n. Chr.) – die Höhle und die Pyramide (um 3000 v. Chr.) – der Monolith.
Diese Grundformen, auf die sich in Ungers' Verständnis die gesamte Entwicklung der Architektur zurückführen lässt, wurden alle in Stein errichtet; in Marmor, Granit, Sandstein. Das mag sich zunächst banal anhören. Doch es ist gerade die Angst vor dem Normalen, Banalen, unter der unsere Architektur heute leidet: Konventionelles gilt als »nicht vermarktbar«. Befeuert wird dieser fragwürdige Ehrgeiz auch und gerade von den auf spektakuläre Novitäten versessenen Redaktionen der Architekturzeitschriften und Feuilletons.
In der Rückbesinnung auf die wesentlichen Materialien der Architektur beschrieb der Schweizer Architekt und Publizist Werner Blaser die außergewöhnlichen Projekte des Portugiesen Eduardo Souto de Moura über die Eigenschaften der von ihm verwendeten architektonischen Basismaterialien Holz, Metall und Stein. Im Holz liegt Textur, im Metall liegt Konstruktion, im Stein liegt Masse. Holz formt, Metall erzieht, Stein ordnet.
Masse und Ordnung sind die Parameter des Steins. Und sie bilden gemeinsam mit Alter und Dauerhaftigkeit sowie mit Bodenhaftung und Schwerkraft die Grundkonstanten der Architektur. Der Begriff »Stein« hat seine Wurzel im indogermanischen *stāi-*, was soviel bedeutet wie »verdichten«, »gerinnen«, »hart werden«, und im weiteren Sinne Begriffe wie »immobil« und »unbeweglich«

A Happy Burden

*Oswald Mathias Ungers, one of Germany's foremost contemporary architects, once summed up the whole of architecture in just three basic structures: Parthenon, Pantheon, and Pyramid. In his view, these three building types could be said to encompass all architecture, the Parthenon (c. 440 BC) representing the tent, the Pantheon (c. AD 120) representing the cave, and the Pyramid (c. 3000 BC) representing the monolith.
What these fundamental structures, which Ungers regarded as the essence of all architectural development, have in common is that they were all executed in stone – be it marble, granite, or sandstone. At first glance, this may seem a banal point to make. But it is precisely our fear of the normal, of the banal, that is the worst enemy of architecture today. Conventional designs are branded as "unmarketable", while our dubious craze for all things unconventional is fuelled by the editors of architecture magazines and newspaper feature pages, where obsession with spectacular novelties reigns supreme.
The Swiss architect and publicist Werner Blaser, returning to the traditional materials of architecture, described the extraordinary projects of the Portuguese architect Eduardo Souto de Moura in terms of the basic materials of wood, metal, and stone that feature in his designs. Wood provides texture, metal provides structure, stone provides mass. Wood imparts form, metal imparts discipline, stone imparts order.
The parameters that define stone are mass and order. Together with age and durability, rootedness and gravity, they represent the fundamental constants of architecture. The word "stone" goes back to the Indo-European stāi-, which means to densify, to coalesce, or to harden. In its widest sense, therefore, the*

Architecture 25

Pantheon in Rom/Italien,
erbaut 118–125 n. Chr.

*Pantheon in Rome, Italy,
built AD 118–125*

Parthenon in Athen/Griechenland,
erbaut ab etwa 480 v. Chr.

*Parthenon in Athens, Greece,
start of construction c. 480 BC*

einschließt. Interessant ist in diesem Zusammenhang die Bedeutung des Begriffs in den slawischen Sprachen, die ihren Stamm auch im indogermanischen *stāi-* hat: im Serbokroatischen: *stena* = Felswand, Stein; und – weitaus interessanter – im Russischen: *stena* = Wand, Mauer. Die Wand, vulgo der Stein, trennt den Raum in Innen und Außen. Die Definition von Räumen sowie deren fixe, ortsfeste Verankerung sind zugleich die ursprünglichen Aufgaben der Architektur, die der Stein, die Wand in diesem Sinne praktisch vorwegnehmen.

Tektonik

Die Tektonik, also die Lehre vom Fügen der Bauteile, basiert auf zwei wesentlichen Parametern. Zum einen ist dies natürlich die konventionelle, mathematisch-physikalischen Gesetzen folgende Baukonstruktion, zum anderen aber – und das ist zugleich der Ursprung der Konstruktion – ist es die Natur selbst. Jede Konstruktion hat wie das Ornament seine Entsprechung im Formenreichtum der Natur. Ästhetische Qualitäten werden in der Regel an Erfahrungen gemessen. Daher ist das Empfinden von Schönheit ein historisch-kulturell differenzierter Prozess, denn das, was als schön gilt, ändert sich in Abhängigkeit von Ort und Epoche. Dies gilt auch für die Architektur, die aufgrund ihrer

word can encompass concepts such as immobility and steadfastness. It is interesting to examine the meaning of words in the Slavic languages which also derive from the Indo-European root *stāi-*. In Serbo-Croatian, *stena* = cliff or stone. Even more interestingly, in Russian, *stena* = wall. The wall, or more loosely the stone, is what separates space into an interior and an exterior. Defining spaces and giving them fixed, immobile moorings is also the original task of architecture – a task which is in a sense anticipated by walls and stone.

Tectonics

Tectonics, the science of joining structural components, is based on two fundamental parameters. The first, of course, is the structure of the building, which is subject to the conventional laws of mathematics and physics. The second, however – the one in which the structure has its roots – is nature itself. Like ornamentation, every structure, too, has its equivalents in the repertoire of shapes found in nature. We typically evaluate aesthetic qualities on the basis of experience. And so our perception of beauty is a process that is governed by historical and cultural factors, and what we regard as beautiful varies depending on time and place. The same applies to architecture, the prominent urban presence

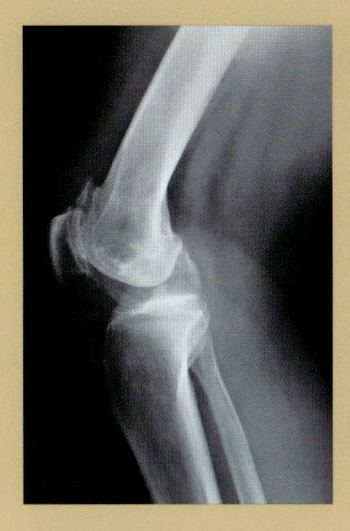

Detaillierte Röntgenaufnahme eines Kniegelenks

Detailed x-ray of a knee joint

Typisches Holzhaus im Kanton Graubünden/Schweiz

Typical wooden house in the Canton of Graubünden, Switzerland

Peter Behrens: AEG-Turbinenhalle in Berlin, erbaut 1908–1909

Peter Behrens: AEG turbine hall in Berlin, built 1908–1909

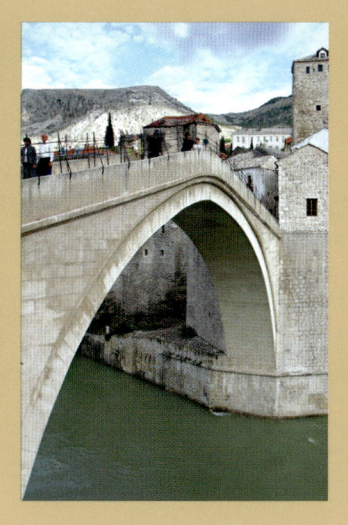

Brücke von Mostar/Bosnien und Herzegowina, erbaut 1556–1566 (Rekonstruktion 1996–2004)

Bridge of Mostar, Bosnia and Herzegovina, built 1556–1566 (reconstruction: 1996–2004)

Präsenz im Stadtraum von jeher dem diskursiven Zugriff der Öffentlichkeit in besonderem Maße ausgesetzt ist. Obwohl Architekten das Stadtbild prägen wie keine andere Berufsgruppe, ist der Begriff der Form für die meisten ein Tabu. Schönheit sei, wie viele Baukünstler offen eingestehen, immer ein Ergebnis, niemals Ziel. Dass die Form neben der Funktion und der Konstruktion ein integraler Bestandteil der Architektur ist, wird immer wieder verdrängt. Dabei ist der Architekt der Einzige auf dem Bau, der für die Schönheit des Gebäudes in die Pflicht genommen werden kann. Doch da im Laufe der Architekturgeschichte Formen immer wieder als politische Symbole missbraucht wurden, findet ein differenzierter, rein ästhetischer Umgang mit Form heute kaum mehr statt.

Die Entwicklung architektonischer Formen hat Gottfried Semper Mitte des 19. Jahrhunderts einmal mit der Evolution verglichen. Wie im Naturgedanken entwickelten sich Harmonie, Eurythmie, Proportion und Symmetrie gegenseitig aus sich heraus. Schönheit sei, wie der Baumeister und Theoretiker anfügte, das Zusammenwirken einzelner Formen zu einer Totalwirkung. Die abstrakte Form, die aus neuen Materialien, Konstruktionen und einem Kunstwillen heraus generiert werde, dürfe daher niemals dem Zufall überlassen werden. Schönheit, Funktion und Festigkeit bilden Semper zufolge immer eine konzeptionelle Einheit.

of which has always been particularly conducive to triggering public discourse. Although architects are in a better position than any other professional group to shape and define the appearance of cities, most of them shy away from engaging with the concept of form.

Indeed, many architects freely admit that beauty can only be a result and never a goal. That form, like function and structure, is an integral element of architecture is an idea that they frequently push aside and ignore, even though the architect is the only person on a construction site who can be held accountable for the beauty of the building. However, as form has so often been abused in the history of architecture as a political symbol, the discipline today rarely deals with form as a more differentiated, purely aesthetic phenomenon.

In the mid-nineteenth century, Gottfried Semper compared the development of architectural forms to evolution. Just as one natural process develops out of another, so harmony, eurhythmy, proportion, and symmetry develop out of one another, while beauty was the interaction of individual forms to create an overall effect. For this reason, the process of new materials, constructions, and artistic intentions generating abstract forms should never be left to chance. According to Semper, beauty, function, and strength always form a conceptual whole.

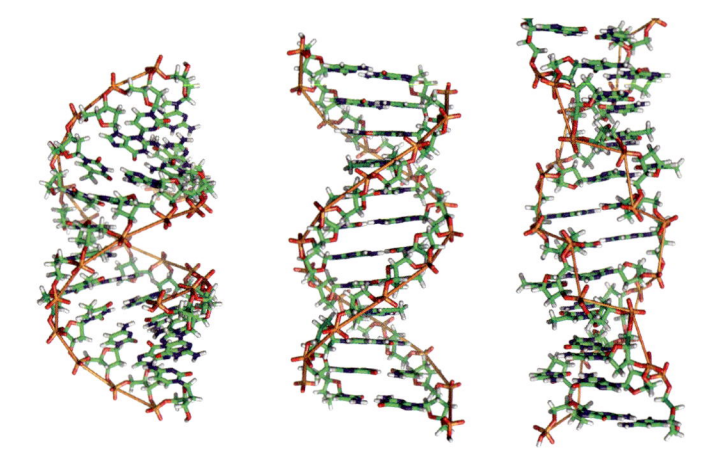

Desoxyribonukleinsäure (DNA):
Strukturmodelle mit Stickstoff (blau),
Sauerstoff (rot) und Kohlenstoff (grün)

*Deoxyribonucleic acid (DNA): Model
showing nitrogen (blue), oxygen (red),
and carbon (green)*

Übertrüge man die Gedanken Sempers auf die heutige Architektur, so müsste man wohl eingestehen, dass sich durch computerunterstützte Entwurfsmethoden bislang unbekannte Formen bei gleicher statischer Belastbarkeit realisieren ließen. In einer Zeit, in der die Perfektionierung der Natur durch künstliche Einflussnahme und Genoptimierung die wissenschaftliche Herausforderung schlechthin darstellt, kann man diesen Gedanken durchaus nachvollziehen. Doch auch wenn die Architektur derzeit eine Phase der Transformation durchlebt, muss man die Auflösung eines traditionellen Formenkanons noch lange nicht gutheißen. Denn wenn sich die Architektur ganz von der künstlerischen Evolution losgelöst haben sollte und sich nunmehr allein auf die digitale Schöpfungskraft des Computers verlässt, der folglich als eine Art Genmanipulator der Architektur dient, ist der Verlust der Form unaufhaltsam. Schönheit ist dann nicht mehr das Zusammenwirken der Formen im Semper'schen Sinne, sondern unterliegt dem Drang, sich wie in einer Retorte fortzupflanzen; sie bedient sich wie in einem Genlabor des nach Gusto benutzten Erbguts ihrer Vorfahren. Diese Architektur hat jedoch keine Fähigkeit zur eigenständigen Weiterentwicklung, sondern ist wie kernloses Obst, mit dem zwar der Sieg der Wissenschaft über die Natur gefeiert wird, das evolutionär allerdings in eine Sackgasse geraten ist. Architektur als perfekte digitale Züchtung

Applying Semper's reasoning to architecture today, one would have to acknowledge that computer-assisted design methods now allow us to come up with previously unimaginable shapes that still retain the same level of structural stability. In a time when the ultimate challenge to science is to improve on nature through artificial intervention and genetic engineering, it is hard not to regard this as just another logical development. But the mere fact that the discipline is currently going through a transformative phase does not oblige us to condone the dissolution of the traditional canon of architectural forms; if architecture were to break free completely from artistic evolution and put all its faith in the digital creative powers of the computer – which would then become architecture's answer to the genetic manipulation lab – we would be on the road to an irrevocable loss of form. If we allow this to happen, beauty will no longer be the interaction of forms that Semper described. Instead, the urge to propagate will confine it in a test tube with genetic material borrowed from past generations and mixed and matched to taste, generating a laboratory architecture incapable of independent development and growth. This architecture would be like seedless fruit – a victory of science over nature that is an evolutionary cul-de-sac. The flawless, digitally bred strains of modern architecture have become so completely stylized into an art form and are afflicted

Hans Kollhoff: Geschäftshaus
Potsdamer Platz 1 in Berlin,
1995–1999

*Hans Kollhoff: Office building on
Potsdamer Platz 1 in Berlin,
1995–1999*

Turmspitze des Freiburger Münsters,
erbaut etwa 1200–1513

*Spire of Freiburg Cathedral,
built c. 1200–1513*

ist so sehr zur Kunstform stilisiert und auf sich selbst fixiert, dass sie nicht weitergebaut oder weitergedacht werden kann, ohne dass sich ihre Form dabei auflöst. Für den realen Kontext, in dem sie sich dann wie ein Alien geriert, wird die extreme Bildhaftigkeit dieser Architektur immer eine Art Fremdkörper darstellen.
Man muss keine neuen Materialien erfinden, um das abstrakte Vokabular moderner Baukunst in echten Gebäuden zu realisieren. Selbst solche für die Architektur atypischen Begriffe wie Transparenz und Dynamik lassen sich mit traditionellen, das heißt mineralischen Materialien hervorragend übersetzen. Transparenz zeigen zum Beispiel die gotischen Kathedralen des europäischen Mittelalters wie das 1377 begonnene Ulmer Münster, aber auch moderne Bauten wie das Hochhaus am Potsdamer Platz 1 in Berlin von Hans Kollhoff (1999). Das Prinzip der Dynamik verkörpert überzeugend das Berliner Shell-Haus von Emil Fahrenkamp (1932) – eine Welle aus Travertin.

Steinerne Manifeste

»Jede Bauform ist aus der Konstruktion entstanden und sukzessive zur Kunstform geworden. Es kann daher mit Sicherheit gefolgert werden, dass neue Zwecke und neue Konstruktionen neue Formen gebären müssen.« (Otto Wagner, 1896).

with so great a degree of self-fixation that they cannot be taken a step further, either on the construction site or in the imagination, without dissolving their forms. In real-world contexts, where this kind of architecture inevitably looks alien and extraterrestrial, the radically eidetic nature of these designs means that they will always have the character of foreign bodies.
There is no need to invent new materials to employ the abstract vocabulary of modern architecture in real buildings. Even concepts that are atypical in architecture, such as transparency and dynamism, can be expressed using traditional – in other words, mineral-based – materials. Transparency, for example, can be observed in the Gothic cathedrals of the European Middle Ages, such as the cathedral of Ulm, and in such modern buildings as the high-rise at Potsdamer Platz 1 in Berlin designed by Hans Kollhoff (1999). The principle of dynamism is vividly illustrated by the Shell House in Berlin. Designed by Emil Fahrenkamp in 1932, the house resembles a wave carved in travertine.

A Manifesto in Stone

"Every building shape arose through the exigencies of construction before it gradually became an artistic form. We can therefore conclude with absolute certainty that new purposes

30 Architecture

Emil Fahrenkamp:
Shell-Haus in Berlin,
1929–1932

Emil Fahrenkamp:
Shell Building in Berlin,
1929–1932

Das von Wagner errichtete Postsparkassenamt Wien (1906) steht beispielhaft für diese These. Er war der erste Architekt, der die technische Konstruktion der Steinfassade bewusst ästhetisierte und den Vorhang aus dünn geschnittenem Naturstein sichtbar mit den Halterungen verband. Er schuf eine Synthese aus Technik und Gestaltung, indem er das unterschiedliche Formenvokabular der Epochen unter anderem als Zusammenwirken statischer Erkenntnisse, vorhandener Werkzeuge und ästhetischer Empfindungen definierte – und trotzdem die Regeln von Proportion, Symmetrie und Harmonie einhielt.
Ein prominentes Beispiel für diesen Ansatz ist auch der Deutsche Pavillon auf der Weltausstellung in Barcelona (1929), entworfen von Ludwig Mies van der Rohe: eingeschobene Wände, die mit Natursteinplatten verkleidet sind, eine aus Stahlstützen bestehende Tragkonstruktion. Die Maserung des Onyx-Steins verleiht dem Raum einen nahezu ornamentalen Charakter. »Auf dem Gebiete des Bauens lieferte die sich entfaltende Technik neue Materialien und praktischere Arbeitsmethoden, die oft in scharfem Gegensatz zu unserer hergebrachten Auffassung von der Baukunst standen. Trotzdem glaubte ich an die Möglichkeit, mit diesen neuen Mitteln eine Baukunst zu entwickeln.« (Ludwig Mies van der Rohe). Auch er griff dabei auf das klassische Vokabular der Architekturgeschichte zurück.

and new constructions must give rise to new forms." (Otto Wagner, 1896). The Vienna Post Office Savings Bank building built by Wagner in 1906 is a textbook example of this philosophy: Wagner was the first architect who deliberately turned the technical construction of the stone façade into an aesthetic feature using visible rivets to install a curtain wall of thinly cut natural stone. He created a synthesis of technology and design by redefining the different formal languages of different eras as the interplay of structural issues, available tools, and aesthetic perceptions – while simultaneously adhering to the laws of proportion, symmetry, and harmony. Another conspicuous example of this approach can be seen in the German pavilion at the Barcelona World Expo (1929), designed by Ludwig Mies van der Rohe. Here we find slide-in walls panelled with stone within a load-bearing structure consisting of steel supports. The marbled texture of the onyx gives the space an almost ornamental character. "Advances in construction technology brought new materials and more efficient techniques that often stood in stark contradiction to our traditional ideas of architecture. Nevertheless, I believed in the possibility of developing a new architecture with these new methods," said Ludwig Mies van der Rohe. He too used the classical vocabulary of architectural history to develop his new language of architecture.

Ludwig Mies van der Rohe:
Deutscher Pavillon auf der Weltausstellung in Barcelona, 1929
(Rekonstruktion 1983–1986)

Ludwig Mies van der Rohe: Exhibition pavilion of the Deutsches Reich at the World Expo in Barcelona, 1929 (reconstruction: 1983–1986)

Otto Wagner: Fassadendetail des Postsparkassenamtes in Wien, 1904–1906

Otto Wagner: Detail of the façade of the Post Office Savings Bank in Vienna, 1904–1906

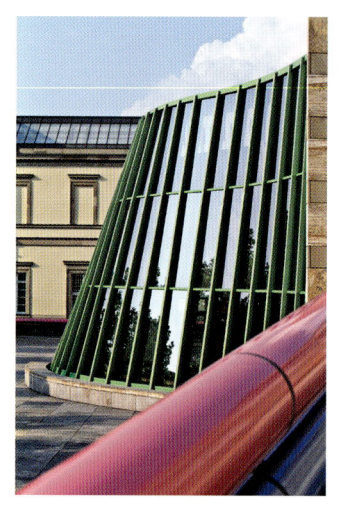

James Stirling: Erweiterungsbau der Alten Staatsgalerie in Stuttgart, 1977–1984

James Stirling: Extension to the Alte Staatsgalerie in Stuttgart, 1977–1984

In diese Reihe gehört auch die von James Stirling entworfene Staatsgalerie Stuttgart (1977–1984). Die Verwendung von gelbem Sandstein und die Konzeption des Gesamtareals als symmetrische Hofanlage führten in Deutschland zu einer der heftigsten Architekturdebatten der Nachkriegszeit, die als »Schlacht um die Postmoderne« in die deutsche Baugeschichte eingegangen ist. Stirling wurde gar einer restaurativen Gesinnung bezichtigt und in die Ecke faschistischer Architektur gestellt – ein Verständnis, das sich bis heute erhalten hat.

Experimente mit der Tradition

Mit dem Artikel *Die Provokation des Alltäglichen* des Architekturtheoretikers Vittorio Magnago Lampugnani, erschienen im Nachrichtenmagazin *Der Spiegel* 51/93, begann der Berliner Architekturstreit der Neunzigerjahre. Stein wurde in Berlin zum Synonym für eine scheinbar rückwärts gerichtete Architekturauffassung. Der Versuch, aus einer kritischen Analyse der Baugeschichte Formen für das zukünftige Berliner Stadtbild abzuleiten, wurde nach dem Abbau der Baugerüste unter Architekten und Kritikern nur zögerlich goutiert und wird – das dürfte das Groteske an der ganzen Debatte sein – als Ausdruck einer undemokratischen, weil nicht transparenten Gesellschaftsauffassung

Finally, James Stirling's Staatsgalerie Stuttgart (1977–1984) is another building that illustrates the same principles. The use of yellow sandstone and the symmetrical layout centred on a courtyard touched off one of the most heated architectural controversies in postwar Germany – a controversy that went down in the history of German architecture as the "Battle for Postmodernism". Stirling was accused of having a restorer mentality and was pigeonholed with fascist architecture – a label that continues to adhere to his work even today.

Experiments with Tradition

An article titled "The Provocation of the Mundane" ("Die Provokation des Alltäglichen") by the architectural theorist Vittorio Magnago Lampugnani, which was published in the magazine Der Spiegel 51/93, touched off the Berlin architecture debate of the 1990s. In Berlin, stone became synonymous for an allegedly retrogressive idea of architecture. Some of the architects of Berlin's new buildings had attempted to derive architectural forms from a critical analysis of architectural history, an attempt which, however, met with no more than reluctant approval from architects and critics and, in a grotesque twist, was even disparaged as the expression of an undemocratic and non-transparent

Nachrichtenmagazin *Der Spiegel*,
Heft 51/1993

*Weekly news magazine Der Spiegel,
issue 51/1993*

diffamiert. Begriffe wie Masse und Schwere, Monument und Tradition sind zu ideologisch-politisch aufgeladenen Reizworten verkommen, deren eigentliche architektonische Bedeutung verloren gegangen zu sein scheint. Selbst die Verwendung des Begriffes Tektonik – der Bestandteil der Archi-Tektonik schlechthin – kommt einer Provokation gleich. Machen Steinhäuser wirklich Steinherzen, wie Bruno Taut seinerzeit zuspitzend formulierte? Wohl kaum. Denn schließlich war auch niemand in Tauts Glashaus, das er 1914 für eine Ausstellung des Werkbundes in Köln errichtete, zum gläsernen Menschen geworden. Für die skandalgierige Öffentlichkeit ist dieser Disput bis heute äußerst unterhaltsam. Er passt in die publikumswirksame Strategie von Pro und Contra, treibt die Protagonisten allerdings so weit, dass sie sich am Ende für ein ideologisches Lager entscheiden müssen. Das hat mitunter zur Folge, dass sie mit dem Material des vermeintlichen Gegners kaum noch arbeiten dürfen, um nicht dem Verdacht der Ketzerei anheimzufallen. Spätestens an diesem Punkt kippt das Lächerliche dieser Debatte ins Tragische.

Fassade

Der Berliner Architekturstreit, der seine buntesten Blüten zwischen 1993 und 1995 trieb, konzentrierte sich auf die formale

idea of society. Concepts like mass and weight, monument and tradition have degenerated into ideologically and politically charged catchwords that appear to have lost their specifically architectural significance. Even using the term "tectonics" – which, after all, is a quintessential aspect of archi-tect-ure – has become a subversive act.

Do houses of stone really make hearts of stone, as Bruno Taut once claimed? Hardly. After all, neither did Taut's own glass house, which he built in 1914 for an exhibition by the Werkbund in Cologne, end up creating glass people. Even today, the scandal-hungry public is hugely entertained by this dispute, which has the audience appeal of the simple "for or against" strategy, but goes so far as to force the protagonists to choose one or the other ideological camp at the end. The result of this is that they find themselves almost unable to use the materials favoured by their ostensible "opponents" for fear of laying themselves open to charges of heresy. At this point the debate finally shifts from the realm of the ridiculous to the tragic.

The Façade

The Berlin architecture debate, which scaled the pinnacles of absurdity between 1993 and 1995, focused mainly on the

Blick entlang der Friedrichstraße
in Berlin, 2006

*View along Friedrichstrasse
in Berlin, 2006*

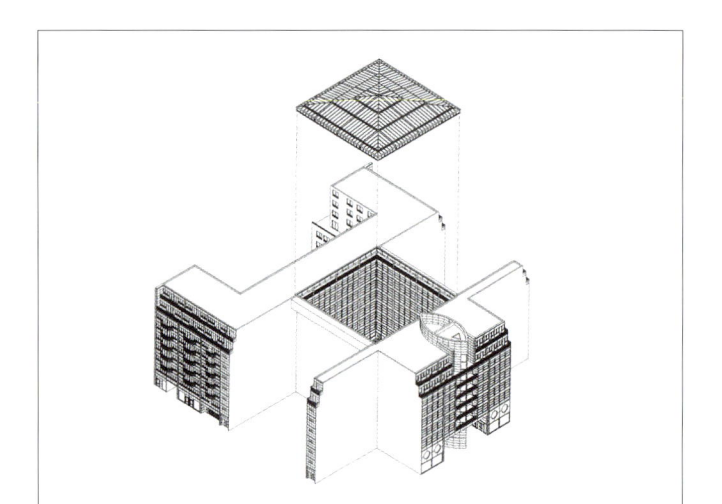

Josef Paul Kleihues:
Prinzip Baukasten, 1995

*Josef Paul Kleihues:
The Building Set Principle, 1995*

Gestaltung der meist steinernen Lochfassaden in der Friedrichstadt, wo nach der Wende die ersten innerstädtischen Großprojekte realisiert wurden. Im Fokus der Debatte stand die Fassade, weil sie in der blockartig bebauten Friedrichstadt die einzige Verbindung zwischen Haus und Straße darstellt. Denn das strenge städtebauliche Grundraster des Barock hat sich in der Stadterweiterung aus dem 18. Jahrhundert bis heute weitgehend erhalten. Im engen Straßenraum reduziert sich die Wahrnehmung eines Hauses somit auf die Zweidimensionalität seiner Fassade. Die architektonische Form wird im ästhetischen Sinne auf das »Gesicht« des Gebäudes zur Straße reduziert und vermittelt mit Gesimsen, Lisenen und Laibungen ein Bild des Tragens und Lastens – unabhängig davon, welche Konstruktionen und Funktionen sich hinter den Fassaden verbergen. »Nackt« sind die Gebäude ohnehin alle gleich: Stahlbetonkonstruktionen mit einem wirtschaftlich vorteilhaften Stützenraster und ökonomisch bemessenen Raumhöhen. Erst die Hüllen verleihen der Architektur ihren individuellen Charakter. Deshalb sind die feinen Unterschiede auch nur in der Qualität des Stoffs und der Verarbeitung seiner Nähte zu erkennen: schwere Mäntel aus Stein, leichte Kleider aus Metall oder transparente Überwürfe aus Glas. Vor allem die Befestigung der Kleider am Körper, also die Art der Bekleidung, lässt die feinen Unterschiede zum

perforated stone façades in the Friedrichstadt district. This was the area where the first major urban projects were realized after the fall of the Berlin Wall. The debate fixated on façades because these represent the only link between houses and streets in the densely built-up district. Friedrichstadt was built in the Baroque period as an extension to Berlin, and the original, rigid grid layout has survived largely intact from the eighteenth century to the present day. In the narrow streets of this grid, what the viewer chiefly notices about the houses are their two-dimensional façades: The perception of architectural form is reduced to the aesthetic impact of the part of the building that faces the street. Cornices, pilaster strips, and embrasures create an impression of load-bearing strength that is quite independent of the actual structures and functions that lie behind the façades. For in their "naked" state all the new buildings are equal, consisting as they do of reinforced concrete structures with a low-cost grid of supports and low-ceilinged rooms. It is the façades that give the buildings their individual appearance, and this is why the subtle differences can be detected only in the quality of the materials and the nature of the seams: heavy cloaks of stone, lightweight coats of metal, or transparent gowns of glass. It is in the attachment of the covering to the body – in the way, if you will, that each building wears its clothes – that the subtle

Architecture 35

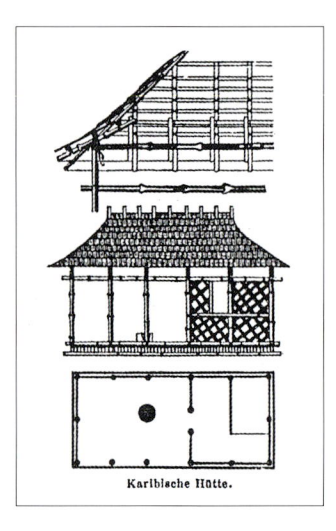

Gottfried Semper:
Karibische Hütte in Trinidad,
1879

Gottfried Semper:
Cabin in Trinidad,
1879

Vorschein kommen: sei es die geklebte Steinfassade, die nach außen das Bild der Solidität suggeriert, das Stein und Unterkonstruktion verflechtende Baukörper-Gewand, die massive Aufmauerung perfekt zugeschnittener Steinblöcke oder – als Gegenmodell – die scheinbare Auflösung der Fassade in ein transparentes Negligé.

So kommt es, dass die Friedrichstadt heute wie ein architektonisches Lehrbuch der Steinfassade gelesen werden kann. Drei wesentliche Prinzipien der tektonischen Fassade säumen die neuen Straßen: Wand und Gewand, die Konstruktion als Kunstform sowie die monolithische Fassade.

Wand und Gewand

So etwa erweckt Hans Kollhoffs tektonische Fassade mit ihren geklebten Lisenen und Gesimsen den Eindruck von Masse und Schwere. Kollhoff hat für das Eckgebäude an der Friedrichstraße und Französischen Straße wie bei fast allen seiner Bauten eine graue Granitverkleidung gewählt, deren Fugen nach dem Überlappungsprinzip verdeckt oder mit einem besandeten Dehnungskitt gedichtet sind – getreu den Worten Goethes, Kunst müsse nicht wahr sein, sondern lediglich wahr erscheinen. Die Fassade wirkt zwar massiv, ist in der Realität aber gerade

differences become apparent: in the glued stone façade projecting an air of solidity, in the dense weave of stone and substructure, in the solid masonry of perfectly cut stone blocks, or – on the opposite extreme – in the ostensible dissolution of a façade virtually en dishabille. Friedrichstadt in its contemporary appearance reads like an architectural textbook on stone façades, with the three fundamental principles of tectonic façades lining the new streets: wall and cladding; structure as an art form; and the monolithic façade.

Wall and Cladding

Hans Kollhoff's tectonic façade features glued pilaster strips and cornices that create an impression of mass and weight. Like almost all of Kollhoff's buildings, the house at the corner of Friedrichstrasse and Französische Strasse has a façade of grey granite panels, the seams of which are either hidden under overlapping sections of panel or filled with sand-surfaced expansion filler – after all, Goethe himself maintained that art does not have to be true as long as it appears to be true. While the façade gives the impression of mass, in reality it is only a scant three centimetres thick. In this building, Kollhoff gives us an example of Semper's theory that the façade is a decorative

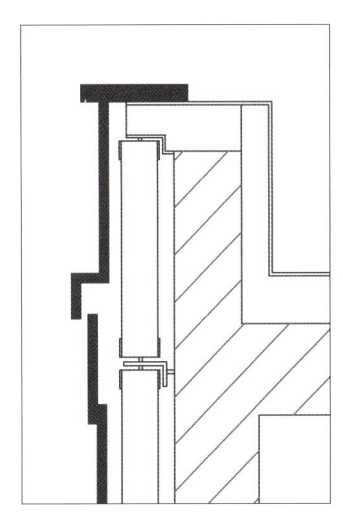

Hans Kollhoff: Geschäftshaus
Hofgarten am Gendarmenmarkt
in Berlin, 1996

*Hans Kollhoff: Office Building
Hofgarten am Gendarmenmarkt,
Berlin, 1996*

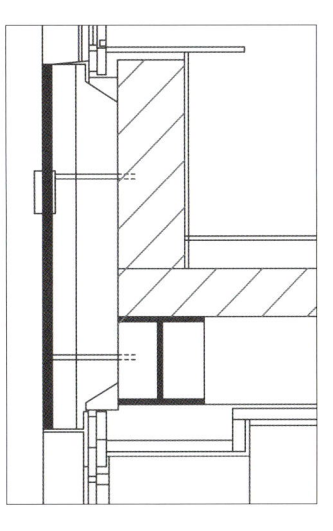

Klaus Theo Brenner:
Geschäftshaus *Kontorhaus Mitte*
in Berlin, 1997

*Klaus Theo Brenner:
Office Building Kontorhaus Mitte,
Berlin, 1997*

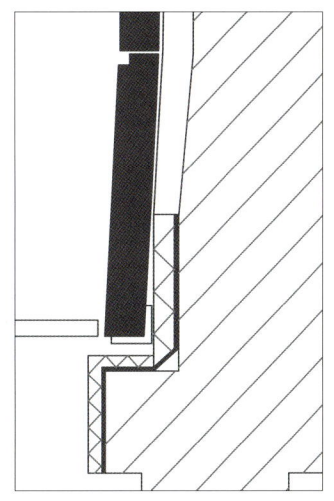

Christoph Mäckler:
Geschäftshaus *Lindencorso*
in Berlin, 1996

*Christoph Mäckler:
Office Building Lindencorso,
Berlin, 1996*

mal drei Zentimeter stark. Kollhoff bezieht sich hier auf Sempers Bekleidungstheorie, in der die Fassade ein schmückendes Element des Baukörpers darstellt: »Es erscheint mir wichtig, auf das Prinzip der äußerlichen Gestalt und Bekleidung des konstruktiven Gerüstes hinzuweisen. Jedes Kunstschaffen setzt eine gewisse Faschingslaune voraus.« (Gottfried Semper, 1860)

Konstruktion als Kunstform

Etwas weiter südlich, an der Ecke Friedrichstraße und Mohrenstraße, hat Klaus Theo Brenner bei seinem Bau ganz bewusst auf diese Verkittung verzichtet. Hervorstehende Aluminiumschwerter, die als Abstandshalter zwischen den offenen Fugen sitzen, geben der Steinfassade einen filigranen und nahezu eleganten Charakter. Es scheint, als habe der Architekt dem massiven Baukörper ein Gewand umgelegt, bei dem Stein und Aufhängemechanik textilartig ineinander verwoben sind, besetzt mit funkelnden Perlen. Die steinerne Gebäudehülle wird zu einem schmückenden Körperumhang, der die metallenen Rippen sichtbar lässt. Brenners Fassade erscheint so als eine moderne Interpretation des eingangs erwähnten Wiener Postsparkassenamtes von Otto Wagner. Im Berlin der Neunzigerjahre haben neben Brenner vor allem Josef Paul Kleihues und Max Dudler dieses

element of the building: "It seems important to me to point out the principle of the outer appearance and revetment of the structural frame. All artistic activity presupposes a certain carnival mood." (Gottfried Semper, 1860)

Structure as an Art Form

*Slightly to the south of Kollhoff's building, Klaus Theo Brenner deliberately refrained from using filler on the façade of the house at the corner of Friedrichstrasse and Mohrenstrasse. Here the stone façade is punctuated by protruding aluminium swords that serve as spacers in unfilled seams, creating quite an elegant filigree. It is almost as though the architect had clothed the massive volume in a cloak woven from stone panels and their suspension system and studded with glittering pearls. The stone façade emerges as an ornamental drapery that leaves the metal ribs exposed to view in a modern reading of Otto Wagner's Post Office Savings Bank building in Vienna.
In 1990s Berlin, the main proponents of this interplay of construction and art form were Brenner, Josef Paul Kleihues, and Max Dudler. Any visible metal stud on any natural stone façade proclaims loudly and clearly that they were there. Their façades are the antithesis of Kollhoff's wallpaper-like expanses of stone,*

Hans Kollhoff: Geschäftshaus
Hofgarten am Gendarmenmarkt
in Berlin, 1996

Hans Kollhoff: Office Building
Hofgarten am Gendarmenmarkt,
Berlin, 1996

Klaus Theo Brenner:
Geschäftshaus *Kontorhaus Mitte*
in Berlin, 1997

Klaus Theo Brenner:
Office Building Kontorhaus Mitte,
Berlin, 1997

Spiel aus Konstruktion und Kunstform perfektioniert. Überall dort, wo in den Natursteinfassaden ein Metallknopf zum Vorschein kommt, haben die Architekten eine markante Visitenkarte hinterlassen. Ihre Fassaden markieren das Gegenmodell zu Kollhoffs Steintapeten, die lediglich ein Bild der Schwere evozieren. In diesem Sinne könnte sich die Geschichte durchaus wiederholen. Denn bereits Otto Wagner wies auf den feinen Unterschied zwischen Schein und Wahrheit hin, indem er Sempers Theorie als unvollständig kritisierte. Semper habe sich lediglich mit der Symbolik der Konstruktion beholfen, anstatt die Konstruktion selbst als die Urzelle der Baukunst zu bezeichnen. Obwohl eine nähere Betrachtung dieser feinen Unterschiede geboten wäre, nimmt die Öffentlichkeit auf derartige Nuancen nur selten Rücksicht. Anstelle einer ruhigen, differenzierten Bewertung wird die Diskussion von Diffamierungen und politischen Lagerkämpfen beherrscht. Die Qualitäten der einzelnen Bauten spielen dabei nur selten eine Rolle.

Gravität und Schwere

Eine Sonderrolle in der Berliner Friedrichstraße nimmt Christoph Mäcklers *Lindencorso* ein, der einzige Neubau aus massiven Steinquadern. Damit brachte der Architekt seinen Entwurf nolens

which simply evoke an image of weightiness. And this is a story that could easily repeat itself. For the awareness of the subtle difference between appearance and truth in architecture goes at least as far back as Otto Wagner, who criticized Semper's theory as incomplete; in Wagner's view, Semper took refuge in the symbolism of the structure instead of acknowledging the structure itself as the germ cell of all architecture. But even though we would do well to examine these distinctions more closely, the public rarely pays attention to nuances as subtle as these. Any attempt to bring calm, discerning evaluation into play in architectural discourse is drowned out by defamation and political faction fighting in which the quality of individual buildings is rarely taken into consideration.

Gravitas and Weight

Among the buildings in Berlin's Friedrichstrasse, the Lindencorso is something of an exception to the rule. Designed by Christoph Mäckler, this is the only new building made of massive stone blocks. This choice of material was bound to evoke associations with the buildings of the 1930s and thus could not fail to spark a controversy. The Lindencorso echoes numerous motifs from the history of architecture, from the

38 Architecture

Seiten 40/41:
Stadthäuser am Friedrichswerder
in Berlin, 2009

Pages 40/41:
Friedrichswerder Townhouses,
Berlin, 2009

Christoph Mäckler:
Geschäftshaus *Lindencorso*
in Berlin, 1996

Christoph Mäckler:
Office Building Lindencorso,
Berlin, 1996

volens mit Bauten der Dreißigerjahre in Verbindung – und in die öffentliche Debatte. Im *Lindencorso* finden sich zahlreiche Motive aus der Architekturgeschichte wieder: Mächtige Fensterlaibungen aus Sandstein stoßen als dicke Umrahmung in den Straßenraum, ein steingeputztes Kranzgesims schließt die insgesamt 250 Meter lange Fassade nach oben hin ab. Das Haus und seine bis zu zwölf Zentimeter dicke Elmkalksteinfassade sind so wuchtig, dass die Stützen der Arkade auf den Bürgersteig einzuknicken drohen. Diese vertikale Kraft wird durch horizontale Kanneluren – einem Motiv aus der Antike, das auch Kleihues
bei seinen flankierenden Bauten am Brandenburger Tor umzusetzen wusste – zumindest optisch etwas aufgefangen.
Diese Beispiele stellen eine intelligente Verknüpfung von architektonischer Tradition und zeitgenössischer Technik dar. Sie wurzeln in der Geschichte und erheben nicht den Anspruch, etwas noch nie Dagewesenes, Neues zu verkörpern. Sie beanspruchen Dauerhaftigkeit, Langlebigkeit – mithin Kriterien des nachhaltigen Bauens. Was heißt das alles für heutiges Bauen? Es scheint so, als müsse Architektur nicht neu erfunden werden. Ihre Gesetze wurden im Laufe der Jahrtausende entwickelt; wir haben nur verlernt, diese Gesetze anzuwenden. Denn warum müssen wir mit großem technischen und wirtschaftlichen Aufwand eine neue Klimafassade erfinden, wenn ein Schulneubau in Berlin-Köpenick

imposing sandstone window embrasures that jut out beyond the building like enormous frames to the stone plaster cornice that tops the façade along its entire 250-metre-length. The façade is made of limestone from the Elm hills and is up to 12 centimetres thick. The mass of the house is so great that the supports of the arcade threaten to collapse onto the pavement. This vertical force is somewhat mitigated, at least visually, by horizontal fluting – a motif from classical antiquity that Kleihues, too, employed in his buildings on either side of the Brandenburg Gate.
All these examples display an intelligent relationship between architectural tradition and modern technology. All are rooted in history and make no claim to embody anything new or previously unheard-of. What they do claim to be is long-lived and enduring – two criteria of sustainable building. What can we conclude from all this for construction today? It would seem that there is no need to reinvent architecture from the ground up. The laws of the art were developed over millennia – the only problem is that we have forgotten how to apply them. Why, after all, should we go to vast technical and financial lengths to invent a new insulating façade when a new school building in Berlin Köpenick (by Christoph Mäckler) provides an object lesson in how 60-centimetre-walls can outperform even the

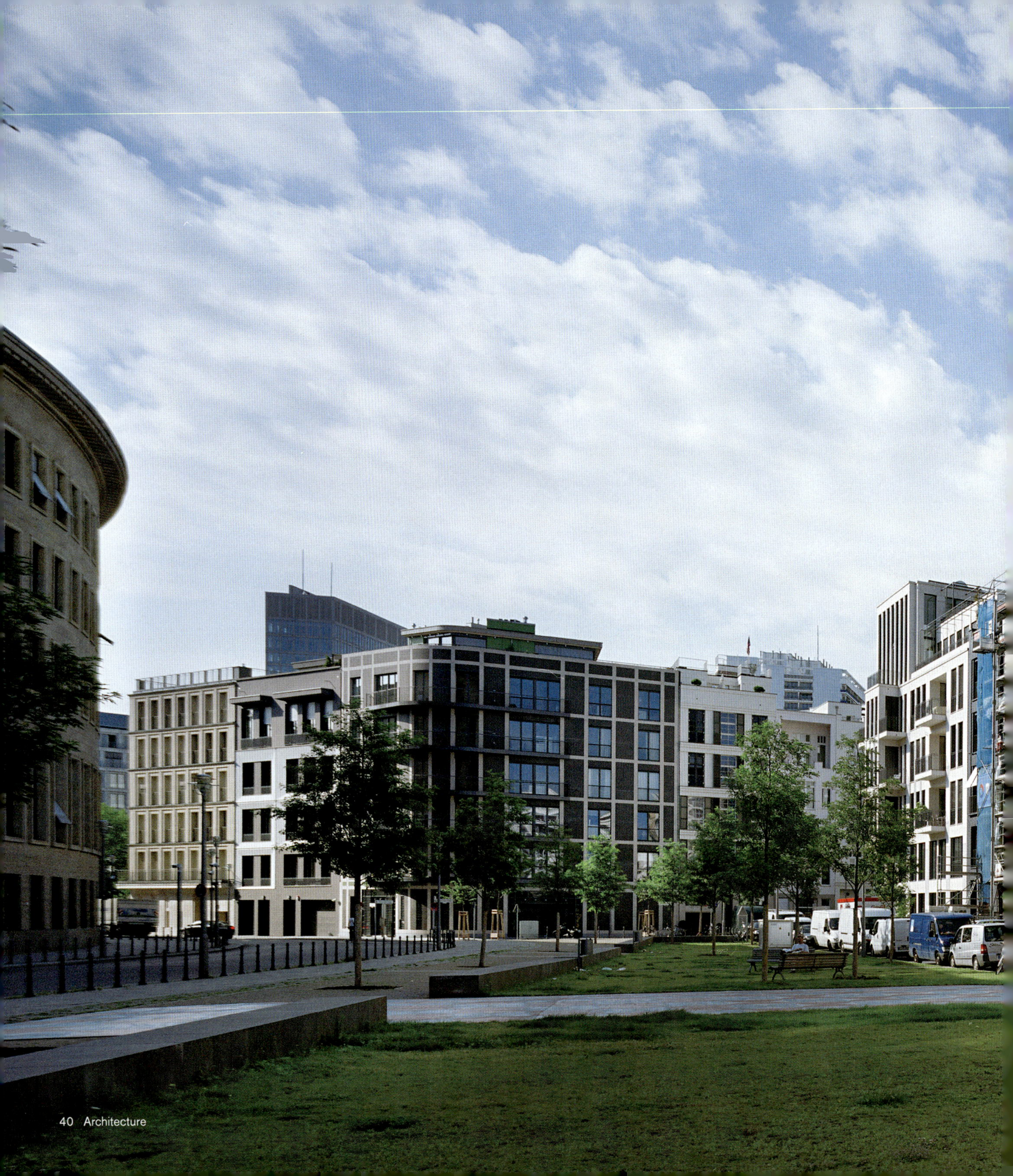

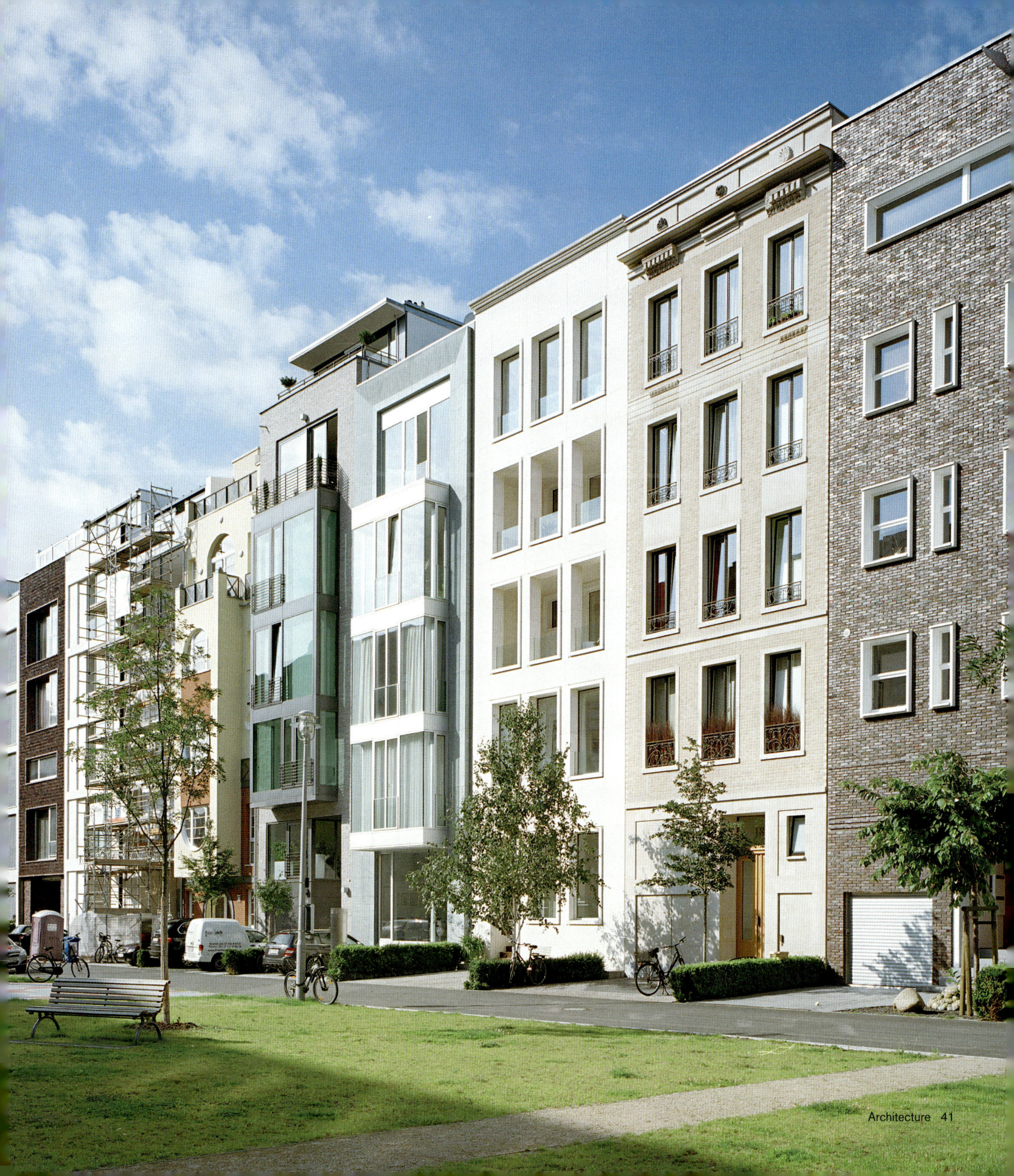

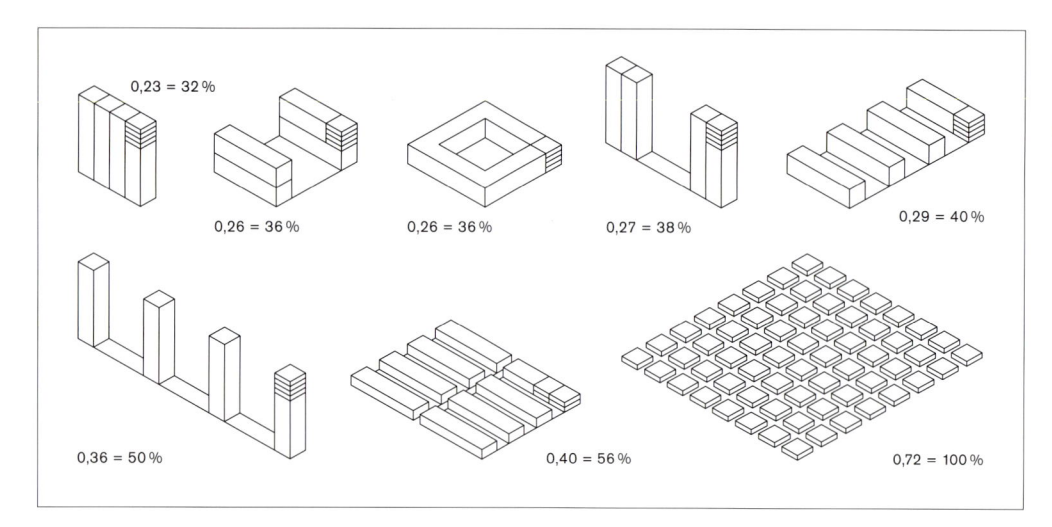

0,23 = 32%
0,26 = 36%
0,26 = 36%
0,27 = 38%
0,29 = 40%
0,36 = 50%
0,40 = 56%
0,72 = 100%

Verhältnis von Oberfläche (A) und Volumen (V) verschiedener Gebäudetypologien mit je 64 Wohneinheiten

Ratio between surface (A) and volume (V) of different building types, each with 64 apartments

rechts:
Peter Zumthor: Therme in Vaals/Schweiz, 1996

right:
Peter Zumthor: Spa in Vaals/ Switzerland, 1996

(Christoph Mäckler) vorführt, wie man mit 60 Zentimeter dicken Wänden jede noch so intelligente Fassade aussticht? Und warum pilgern Heerscharen von Studenten an die Stadtränder der Metropolen, um sich Reihenhäuser in Niedrigenergiebauweise anzuschauen, anstatt sich mit dem Thema einer kompakten Innenstadtverdichtung auseinanderzusetzen, die per se nachhaltiger ist als jedes noch so ehrgeizige Ökohaus an der Peripherie? Wirklich zeitgenössisch bauen heißt, auf die Defizite der Vorgänger zu antworten und den Faden der Geschichte weiterzuspinnen anstatt darüber nachzudenken, möglichst effekthascherische Gebäude zu ersinnen. Es geht nicht um die Plätze auf den Titelblättern von Hochglanzmagazinen. Wie sagt Jacques Herzog: »Seien wir ehrlich: Was uns wirklich bewegt, ist die Schönheit.«

most intelligent façades known to science? And why are students flocking in droves to the suburbs to look at low-energy terraced houses instead of studying the issue of compact urban densification, which is more sustainable than even the most ambitious ecological housing in the suburbs could ever hope to be?
Truly modern construction methods must address the deficits of previous generations of builders and continue to spin the thread of history rather than scheming to come up with sensational architectural gimmicks. There is more at stake than who gets to appear on the covers of glossy magazines.
In the words of Jacques Herzog: "Let's be honest. It is beauty that truly moves us."

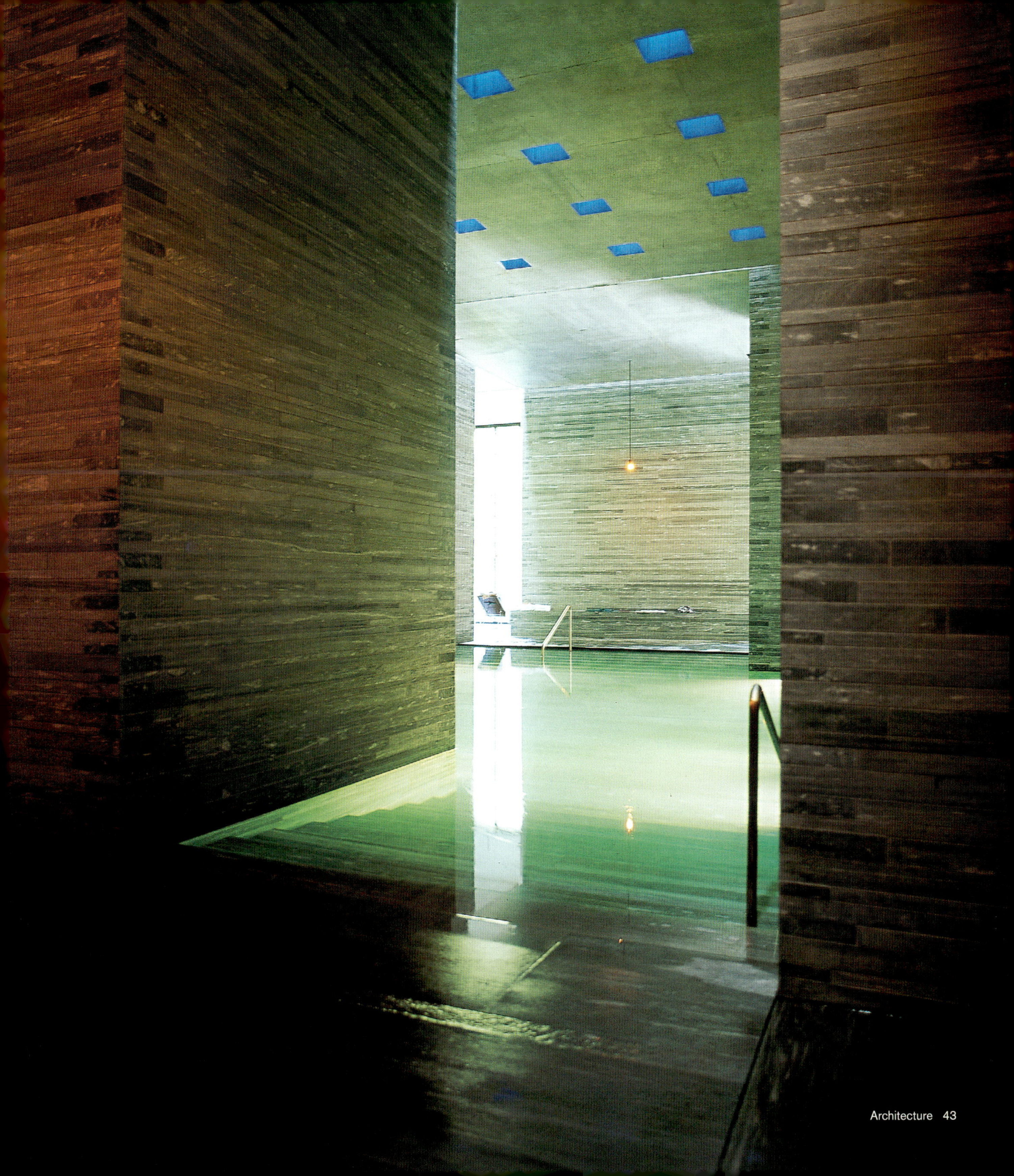

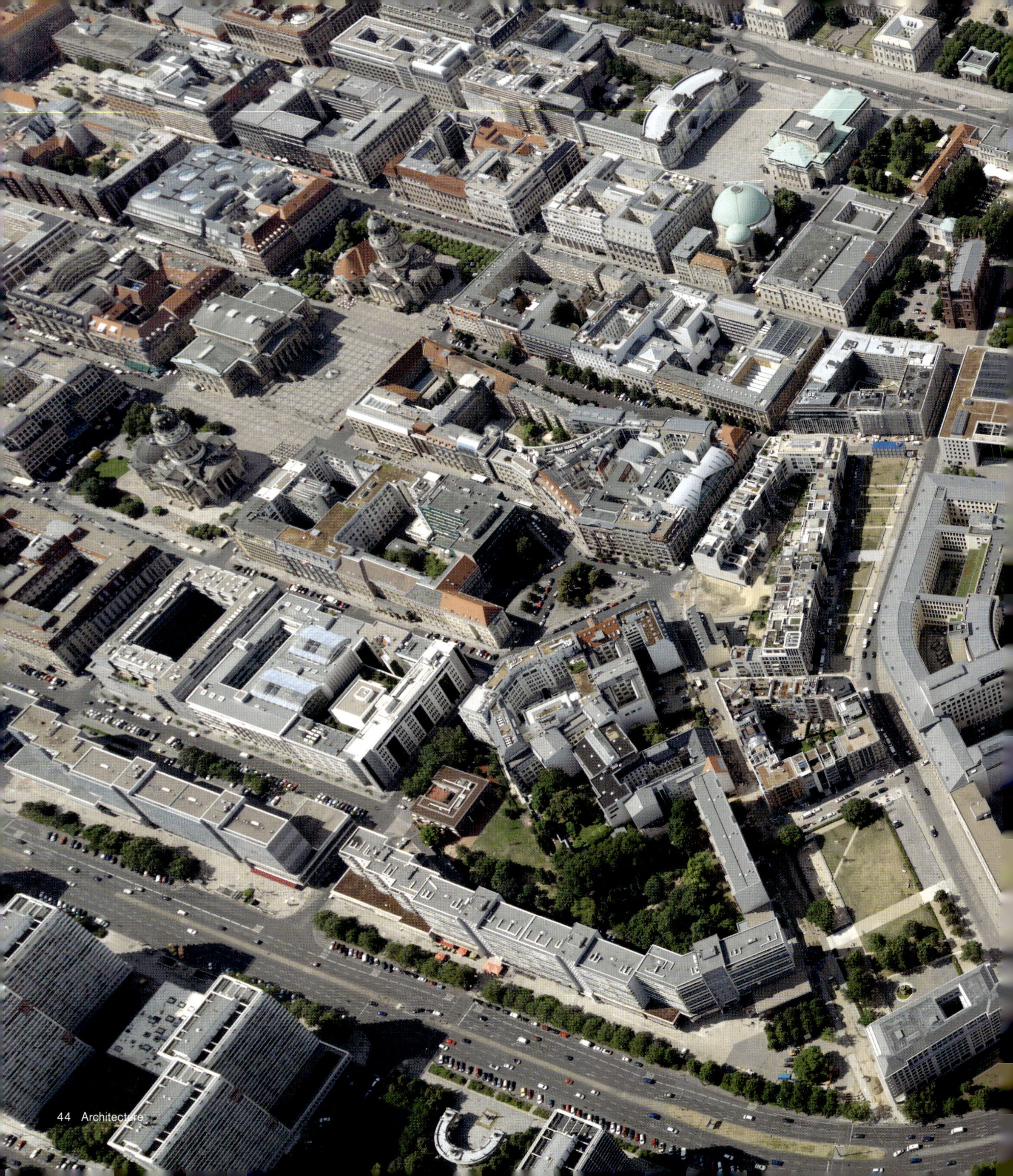

BER

BERLIN DAS HISTORISCHE ZENTRUM ALS PATCHWORK DER GESCHICHTE: MITTELALTER, STILVIELFALT DER NEUZEIT, ZERSTÖRUNGEN DURCH WELTKRIEG UND PLANUNG.

BERLIN THE HISTORIC CENTRE, A HISTORICAL PATCHWORK: MIDDLE AGES, MULTIPLE MODERN STYLES, WARTIME DESTRUCTION AND PLANNING DISASTERS.

Stadthaus am Friedrichswerder
Friedrichswerder Townhouse
Berlin

Projektadresse
Caroline-von-Humboldt-Weg 20
Berlin

Zeitraum
2004–2007

Der Typus des Stadthauses ist keine Neuerfindung, sondern ein prägender Baustein der europäischen Stadt. In Berlin steht das Stadthaus jedoch nicht nur für eine Rückbesinnung auf die klassischen urbanen Traditionen, sondern zugleich für eine stadtbürgerliche Eroberung des im Krieg zerstörten und dann über Jahrzehnte hinweg entseelten Zentrums. Die Verbindung von Wohnen und Arbeiten unter einem Dach, die den architektonisch vielfältigen Neubauten auf dem Friedrichswerder eigen ist, hat in ihrer Verdichtung ein neues Quartier hervorgebracht, dem die klassischen Tugenden der Stadt, also Verdichtung, Differenz und Zurückhaltung, eingeschrieben sind. Mit seiner geradezu beschaulichen Kleinteiligkeit bildet das Viertel einen lebendigen Kontrast zu dem abweisenden, introvertierten Komplex des gegenüberliegenden Außenministeriums. Im konkreten Fall fügt sich das neue Gebäude mit seiner hellen, harmonisch proportionierten Natursteinfassade in eine vielgesichtige, den Stadtraum prägende Front und will eigentlich nicht mehr sein als angenehmer, dezenter Nachbar. Das Zuhause einer Familie und innerstädtischer Arbeitsort zugleich.

The townhouse stands for traditional urban living. This is especially true in Berlin, where misguided postwar planning had turned the war-torn centre into a soulless desert. Its revitalization involved the resurrection of an architecture that unites living and working under one roof. The new townhouse with its harmonious façade of light-coloured stone fits elegantly into the row of buildings that gives this quarter its distinctive character. A discreet, attractive place, it provides a family with a home and the family company with workspace.

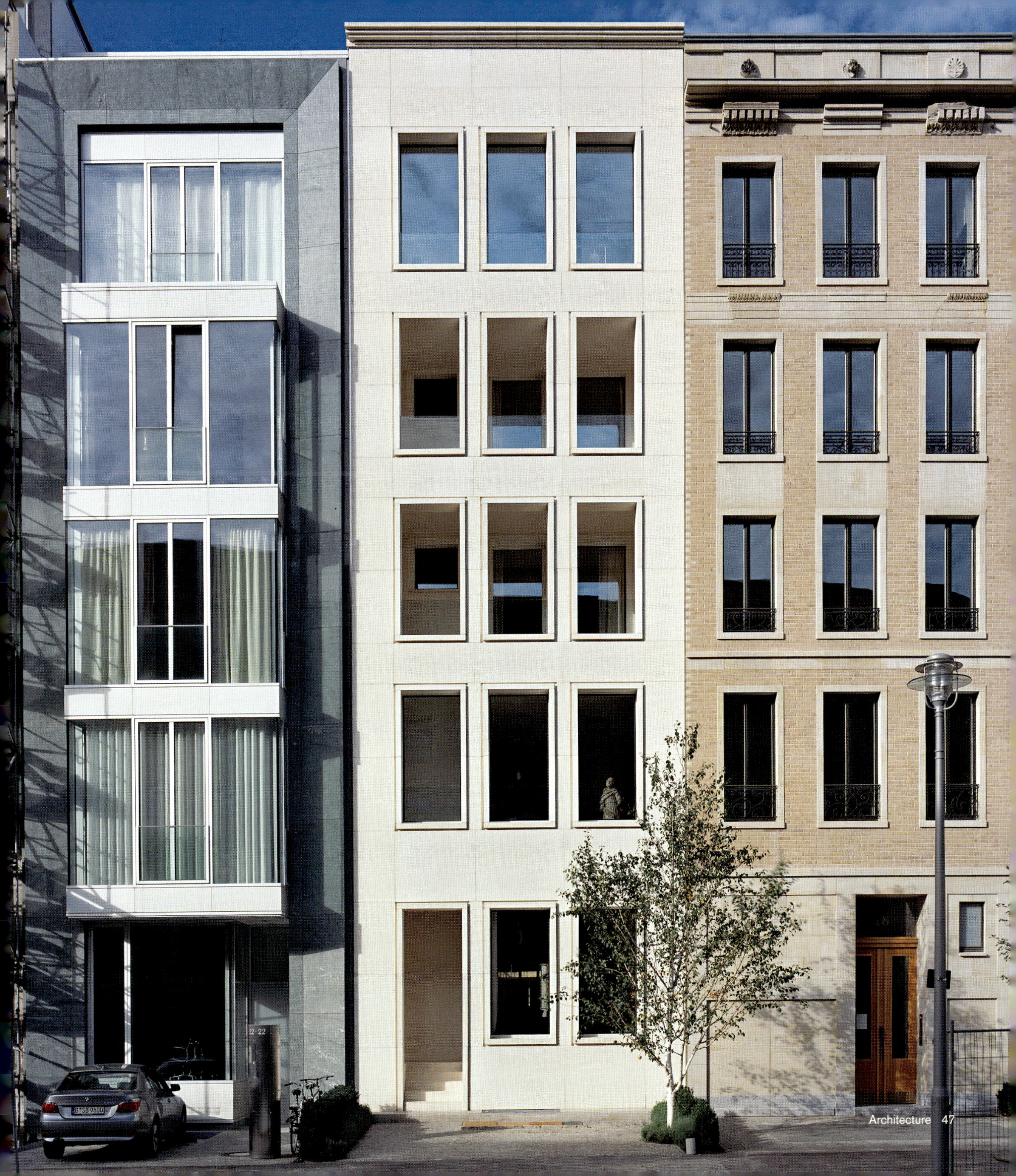

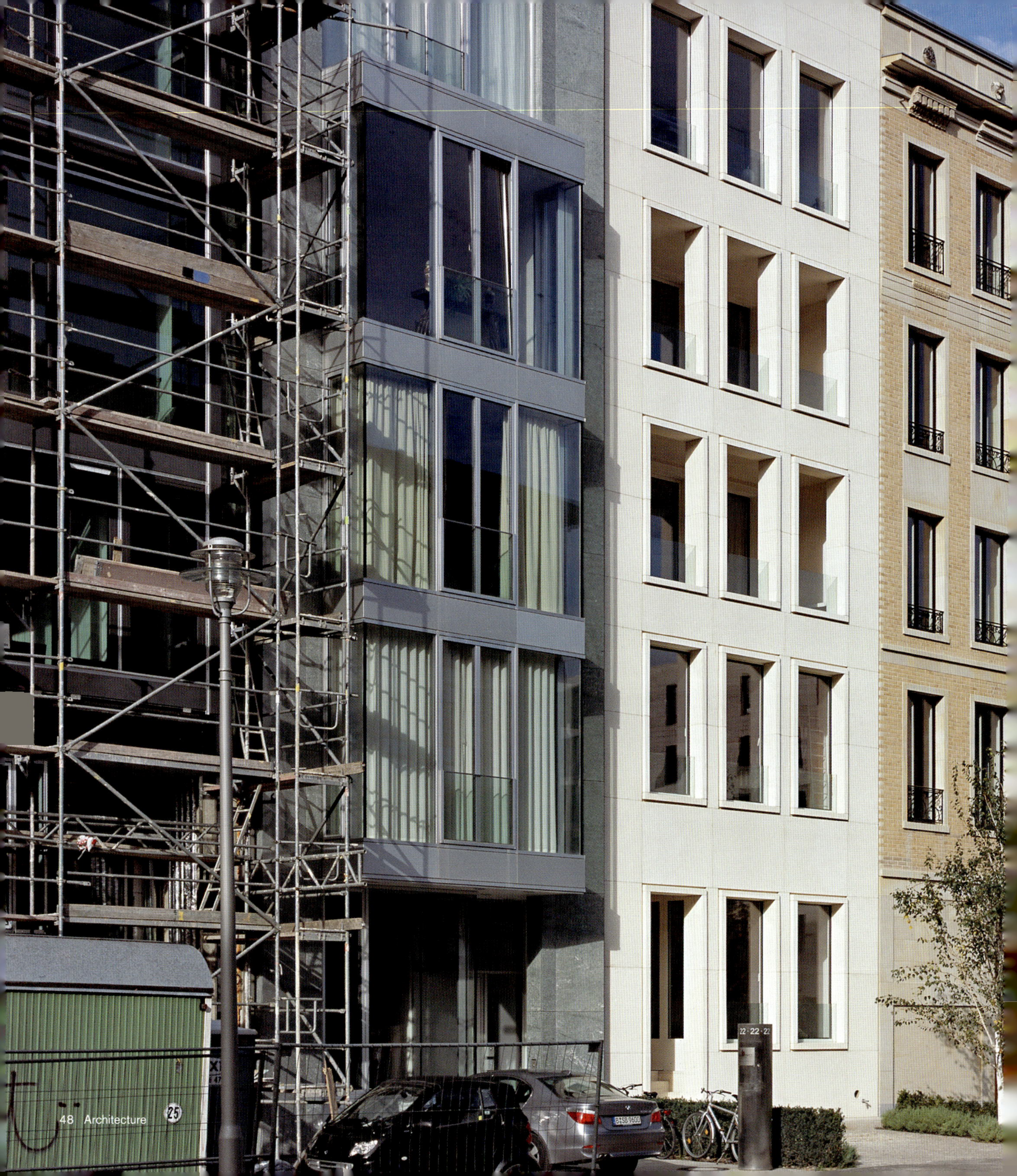

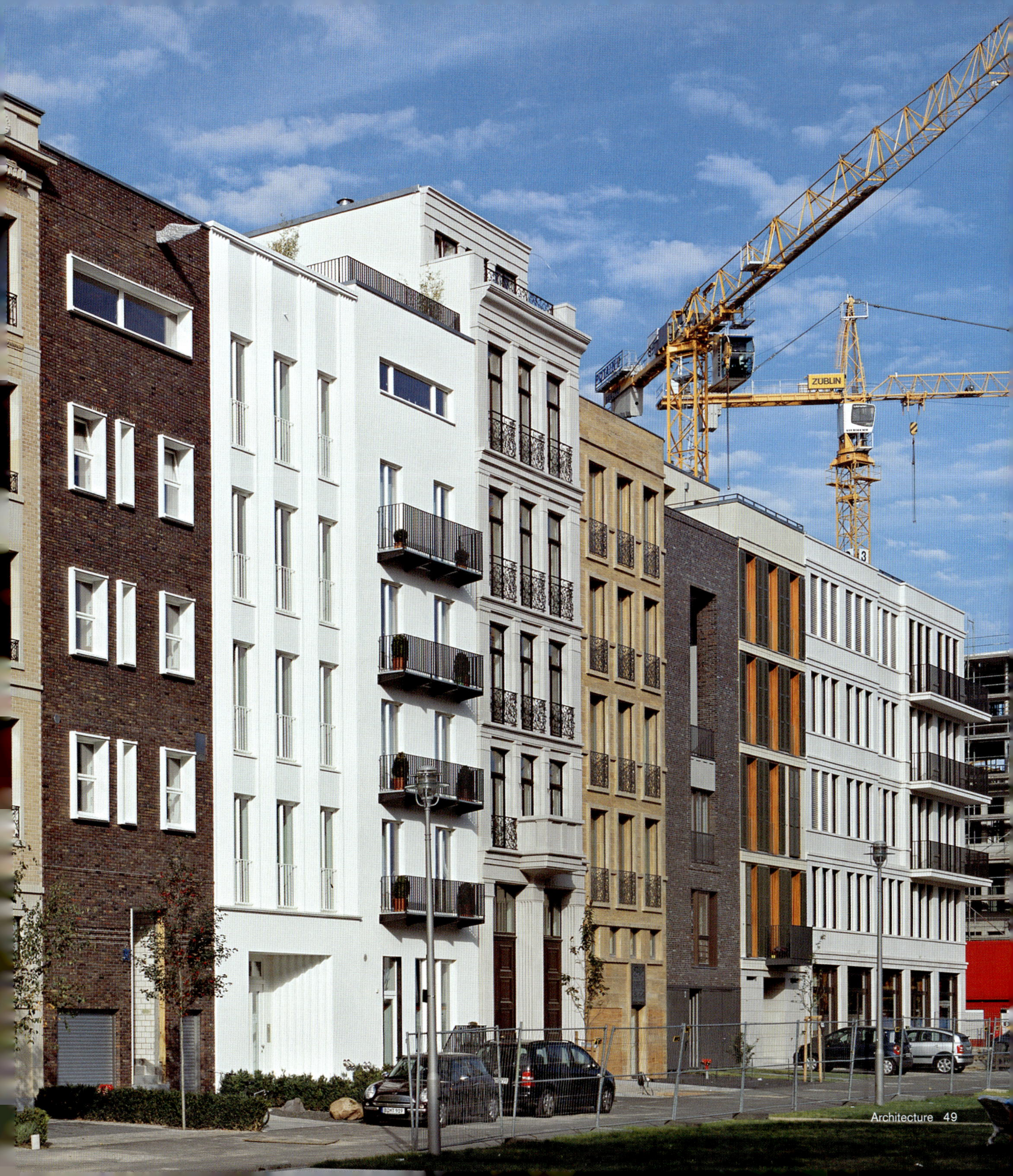
ZÜBLIN

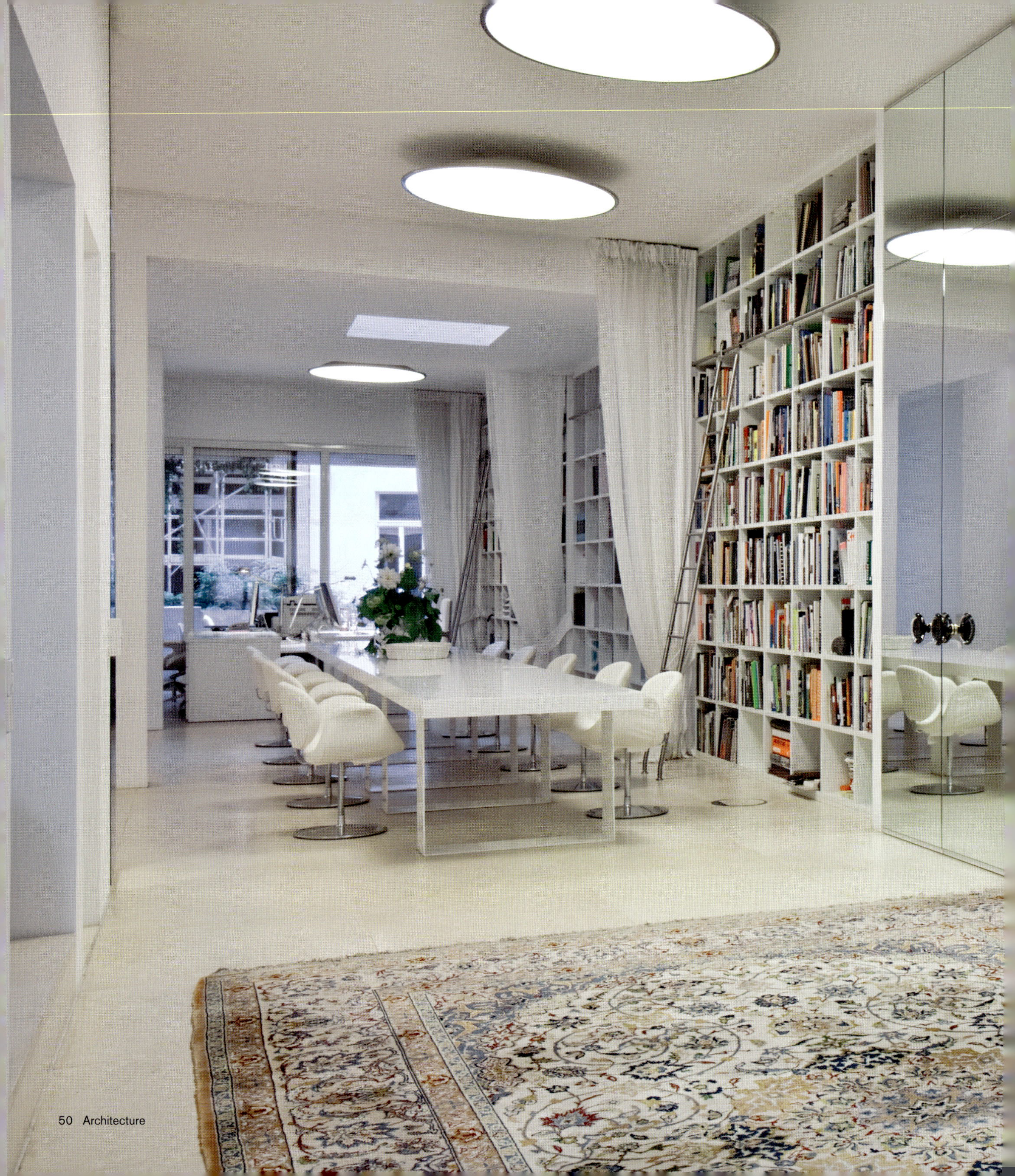

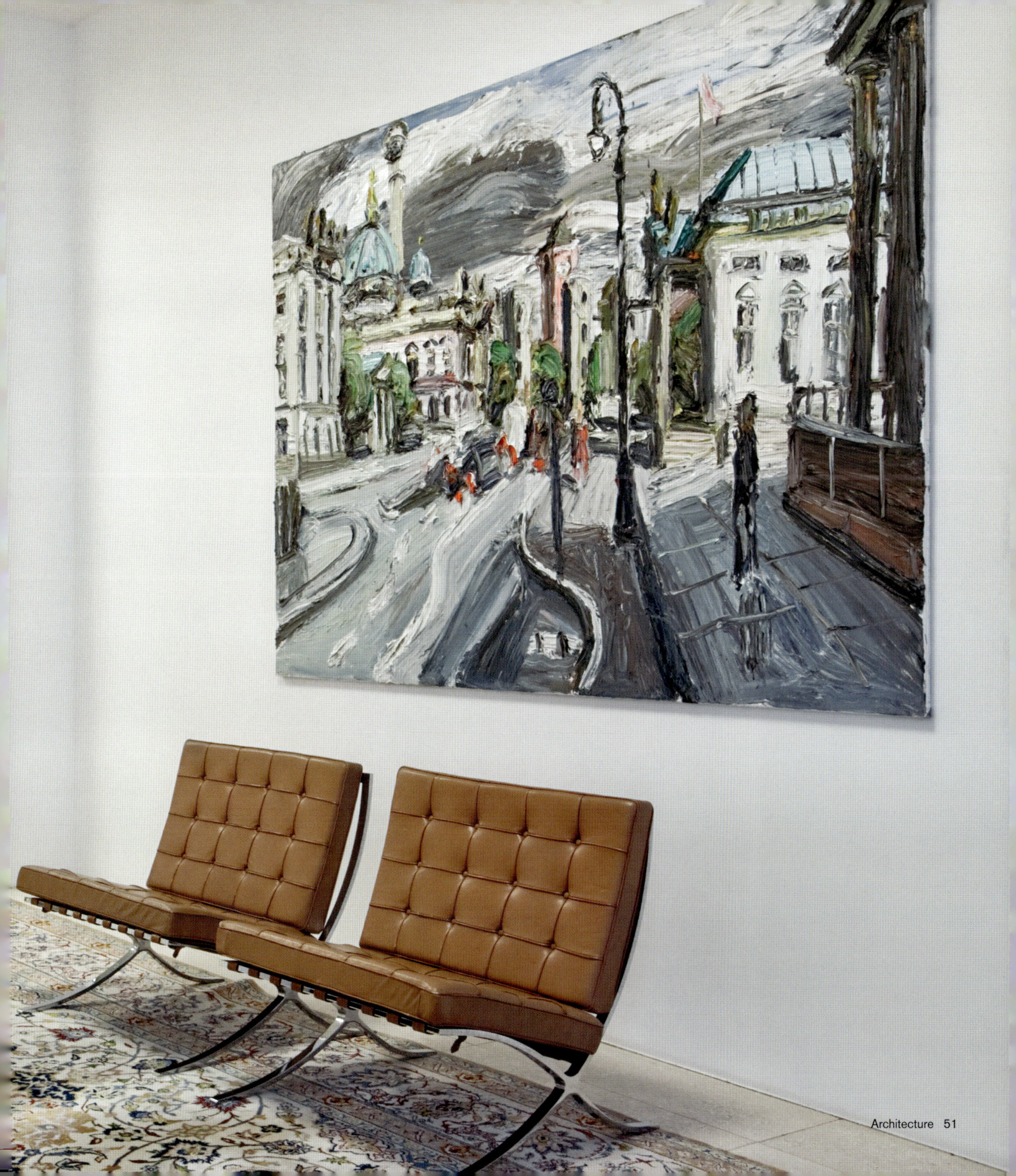

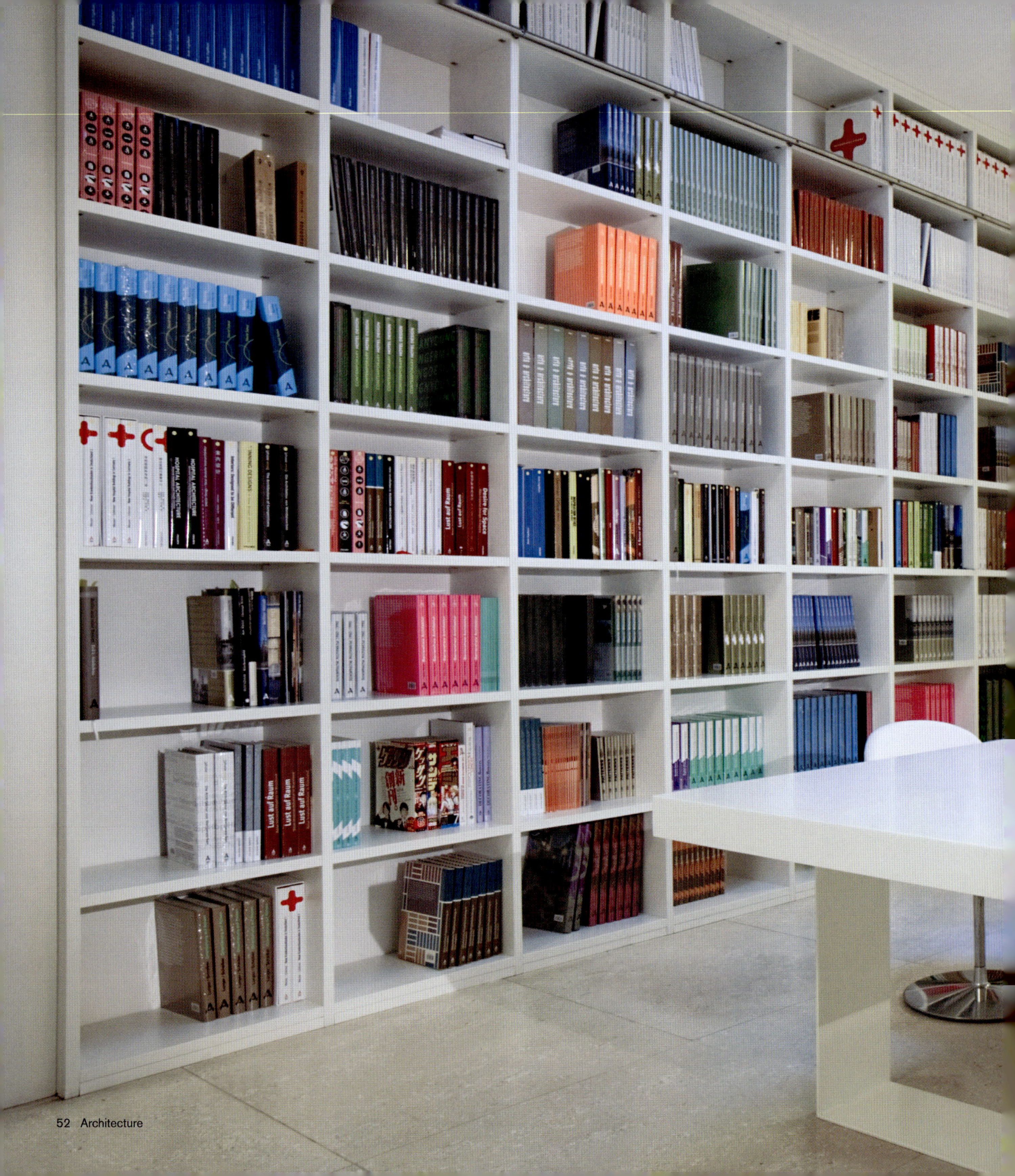

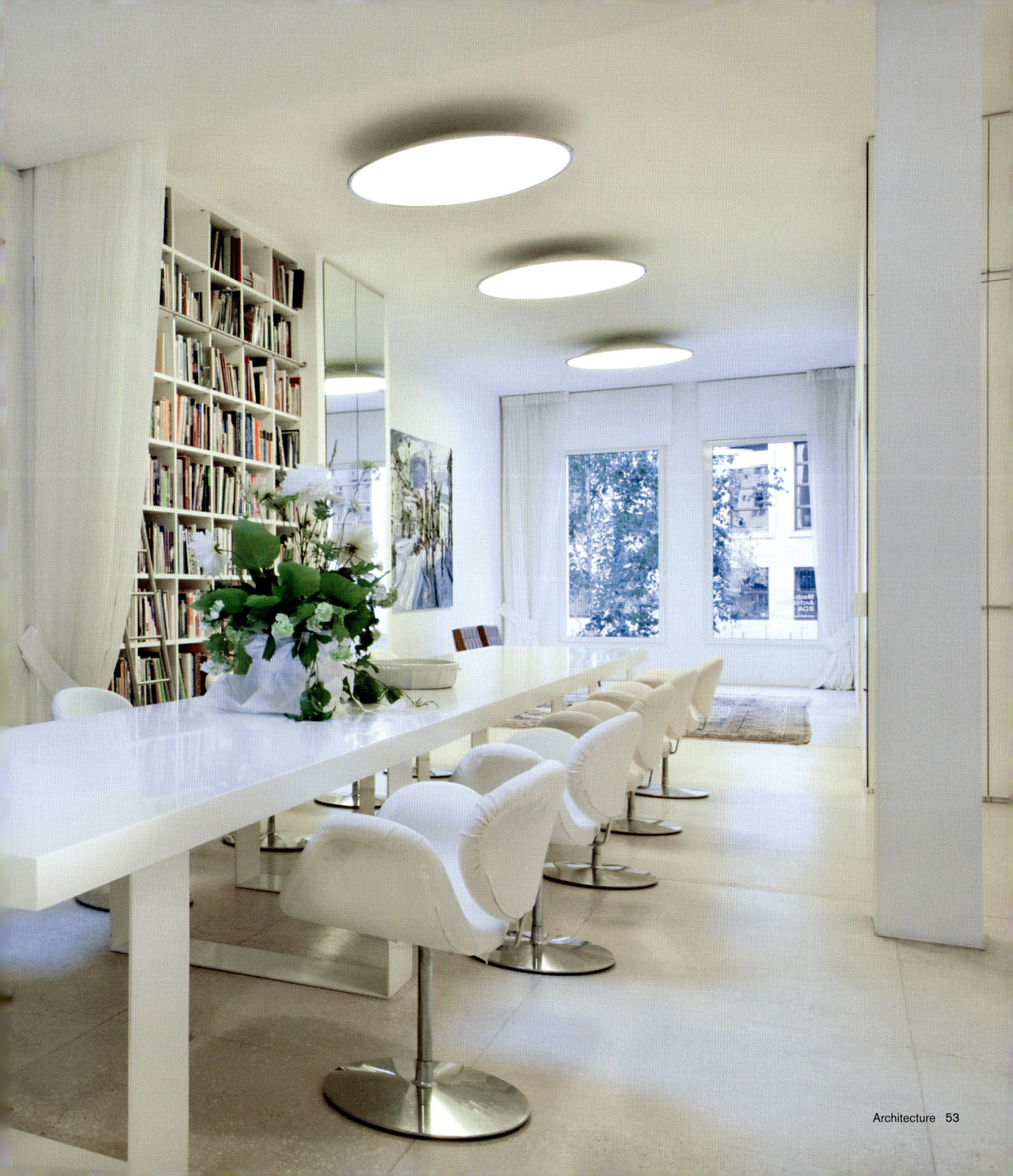

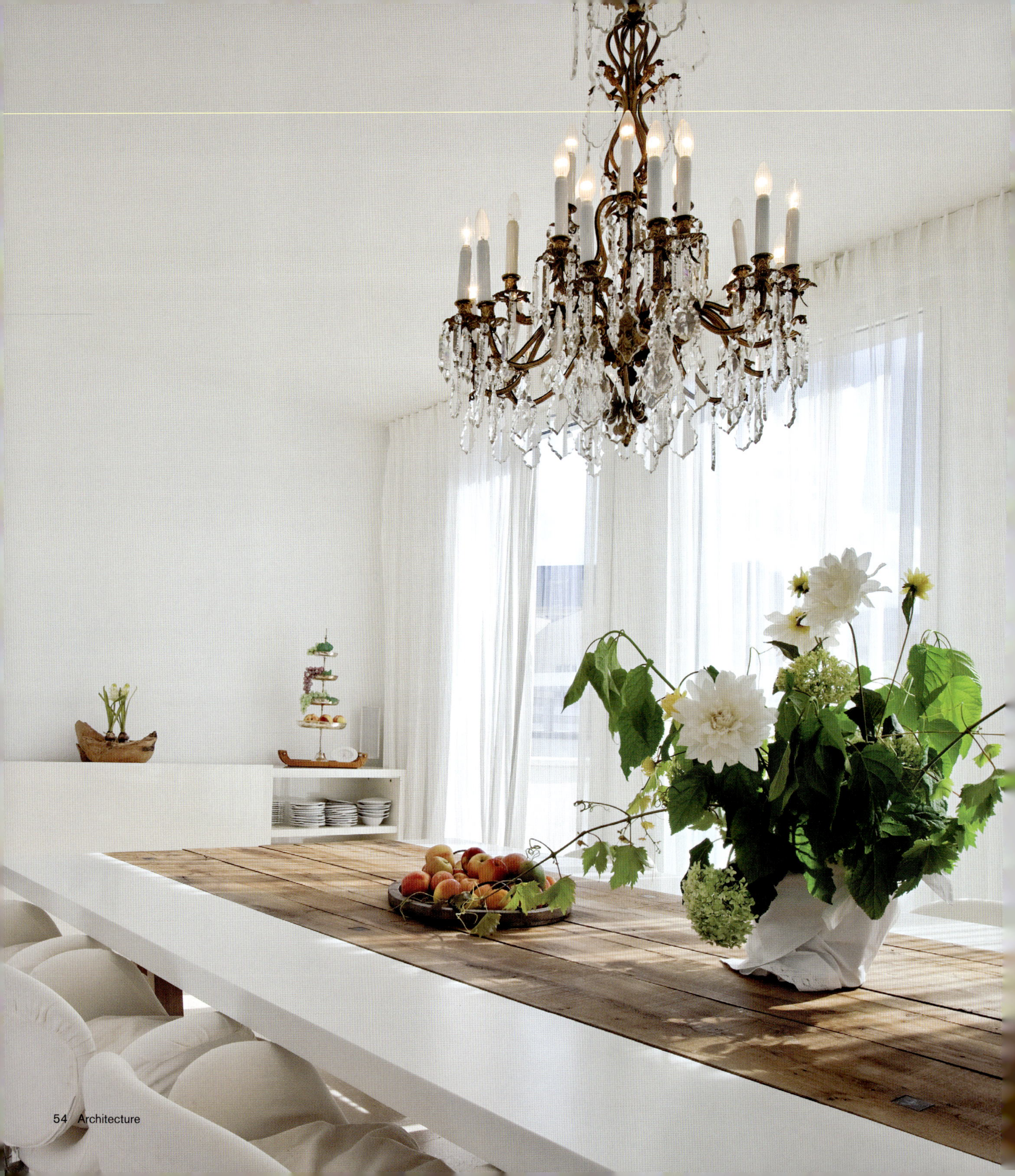

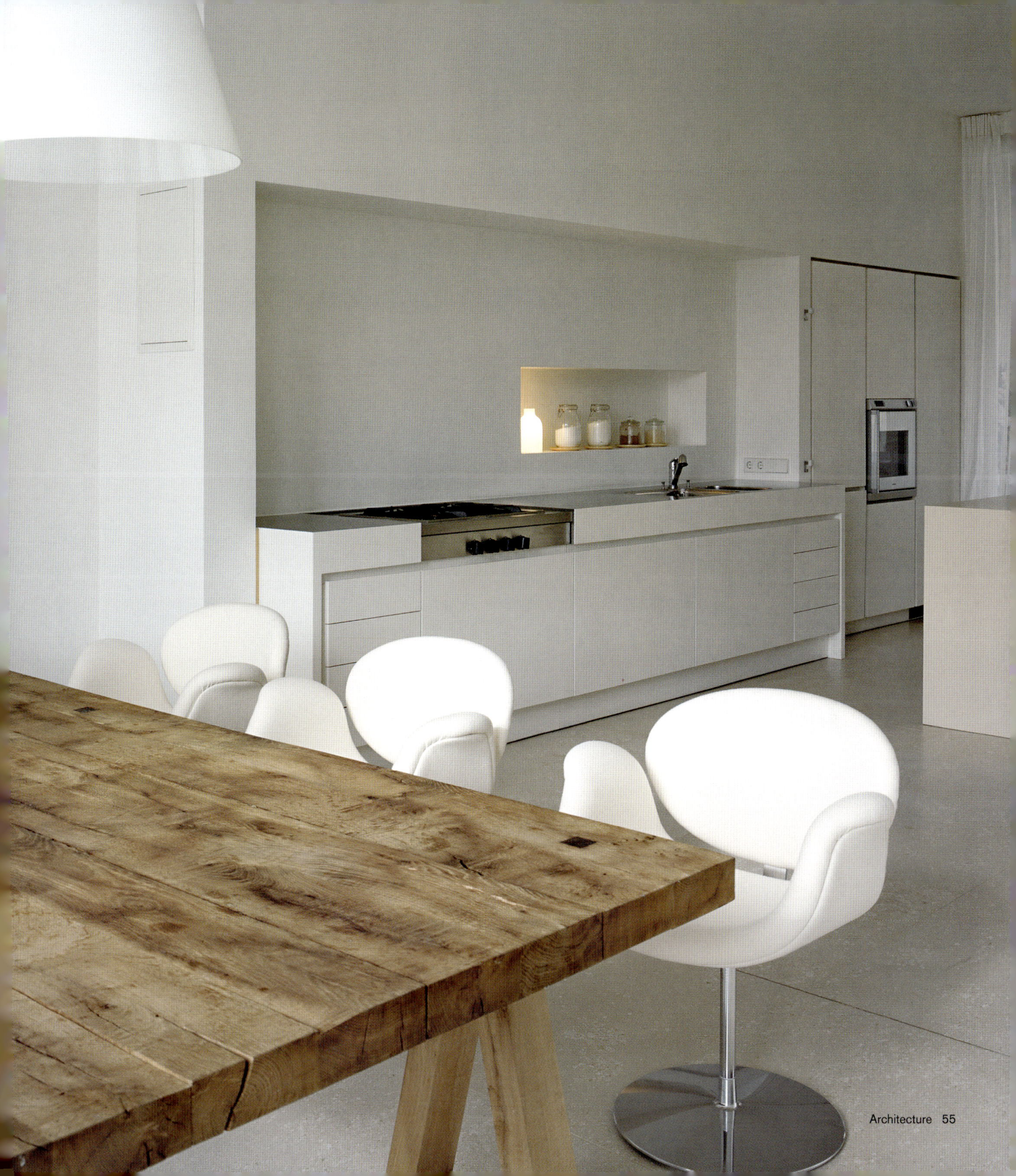

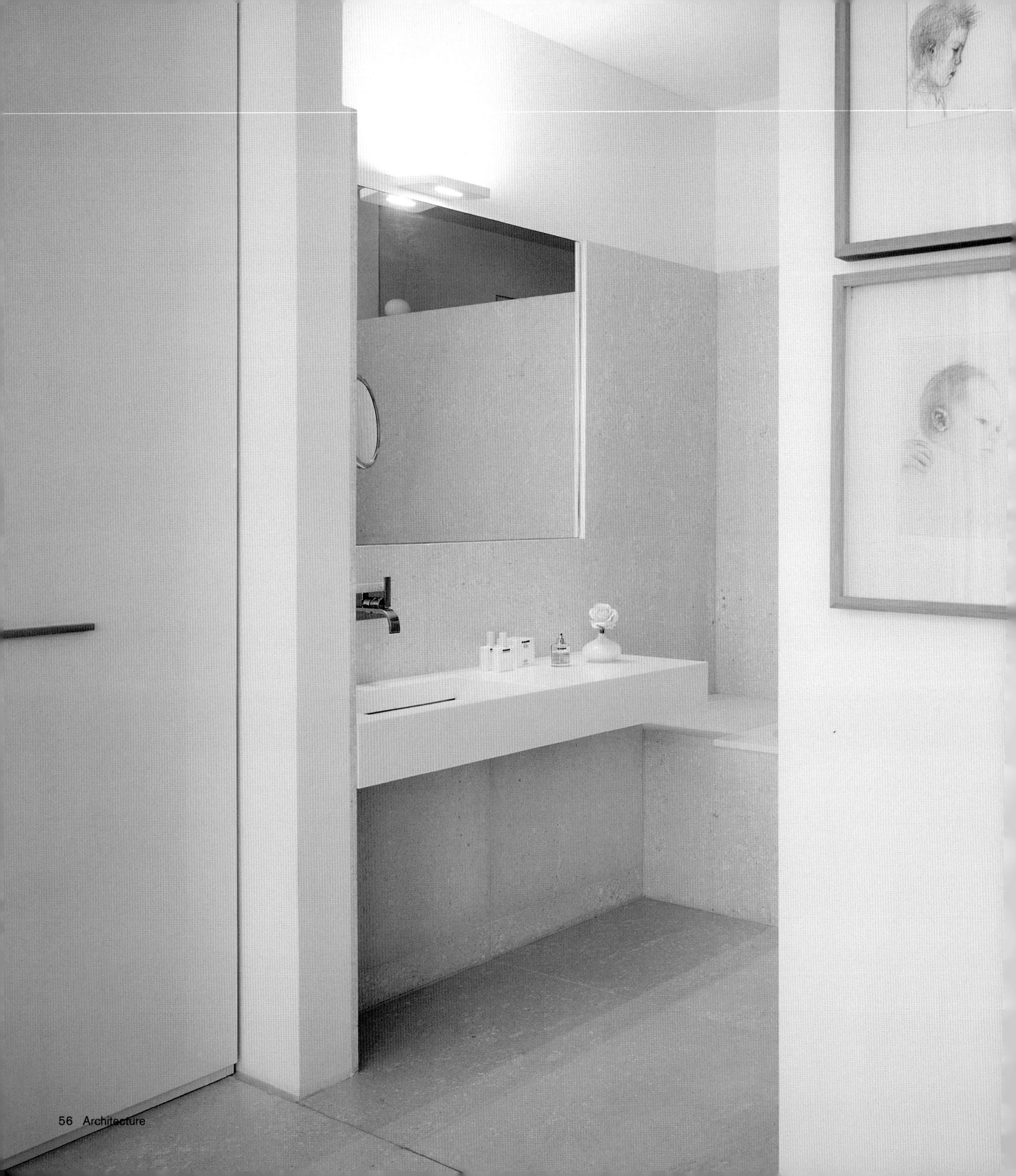

Architecture 57

Dreidimensionaler Schnitt durch
das Gebäude (oben)

Grundriss Erdgeschoss (rechts unten)
bis 4. Obergeschoss (rechts oben)

*Three-dimensional section of the
building (top)*

*Floor plans, from ground floor (bottom
right) to fourth floor (top right)*

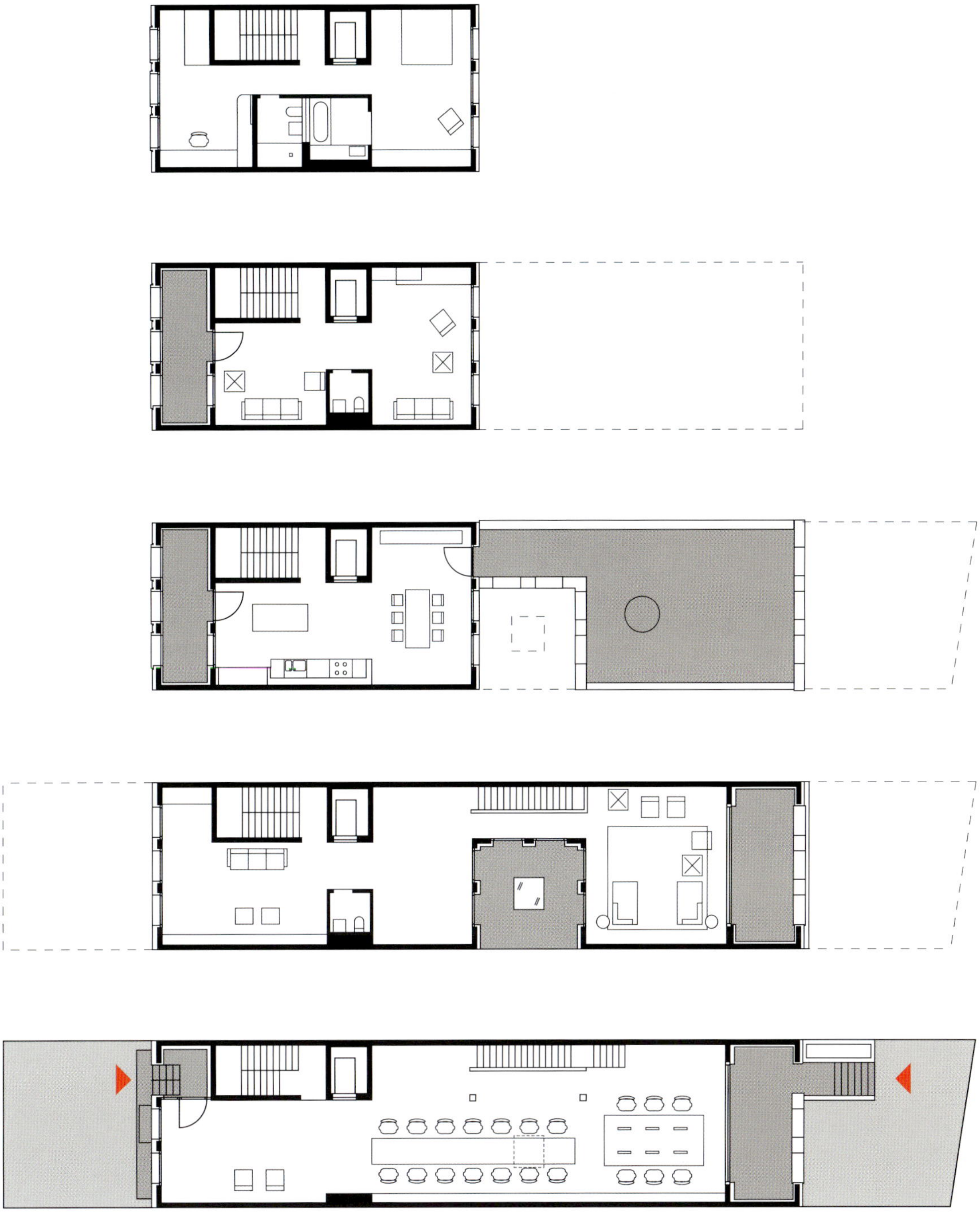

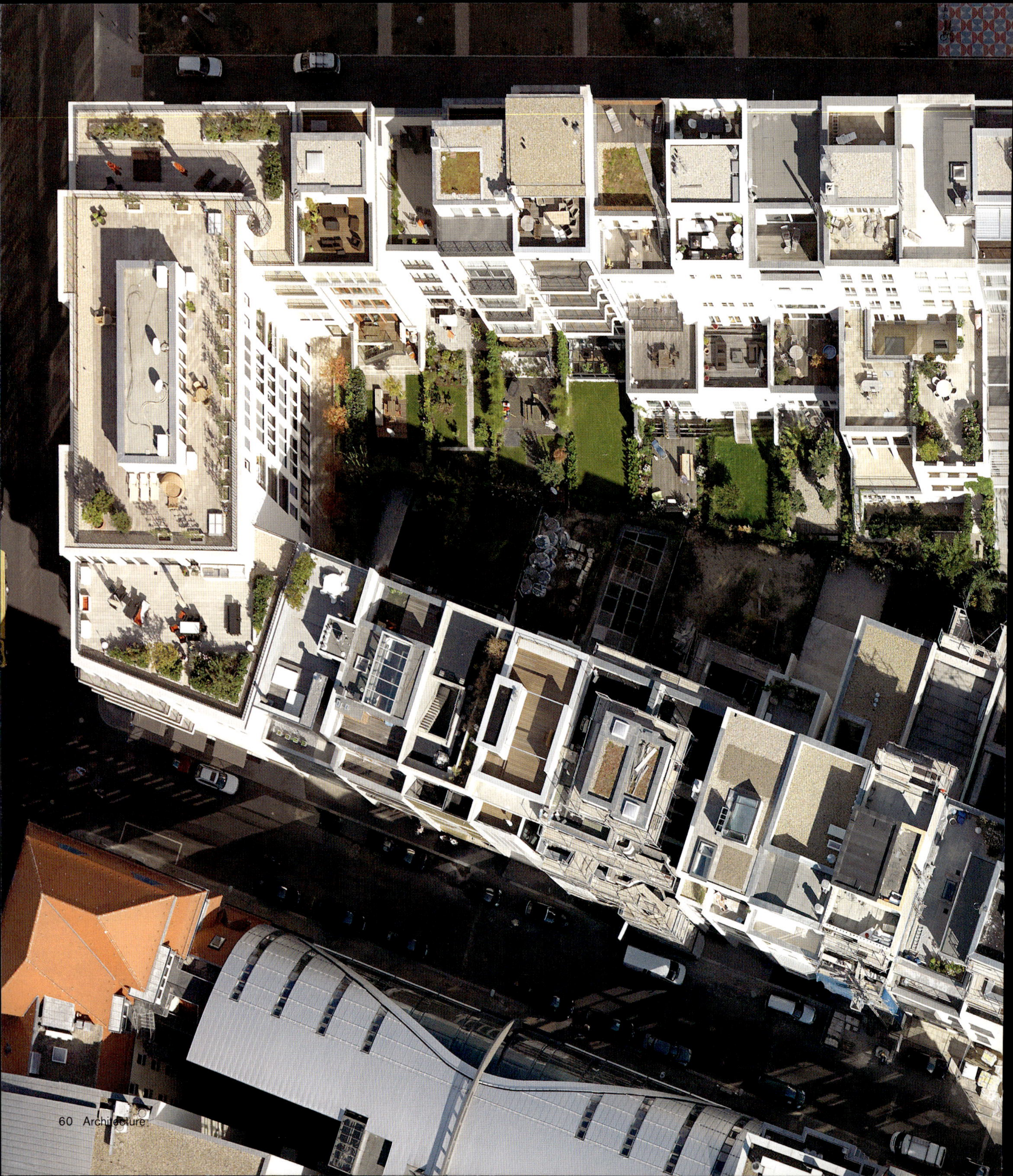

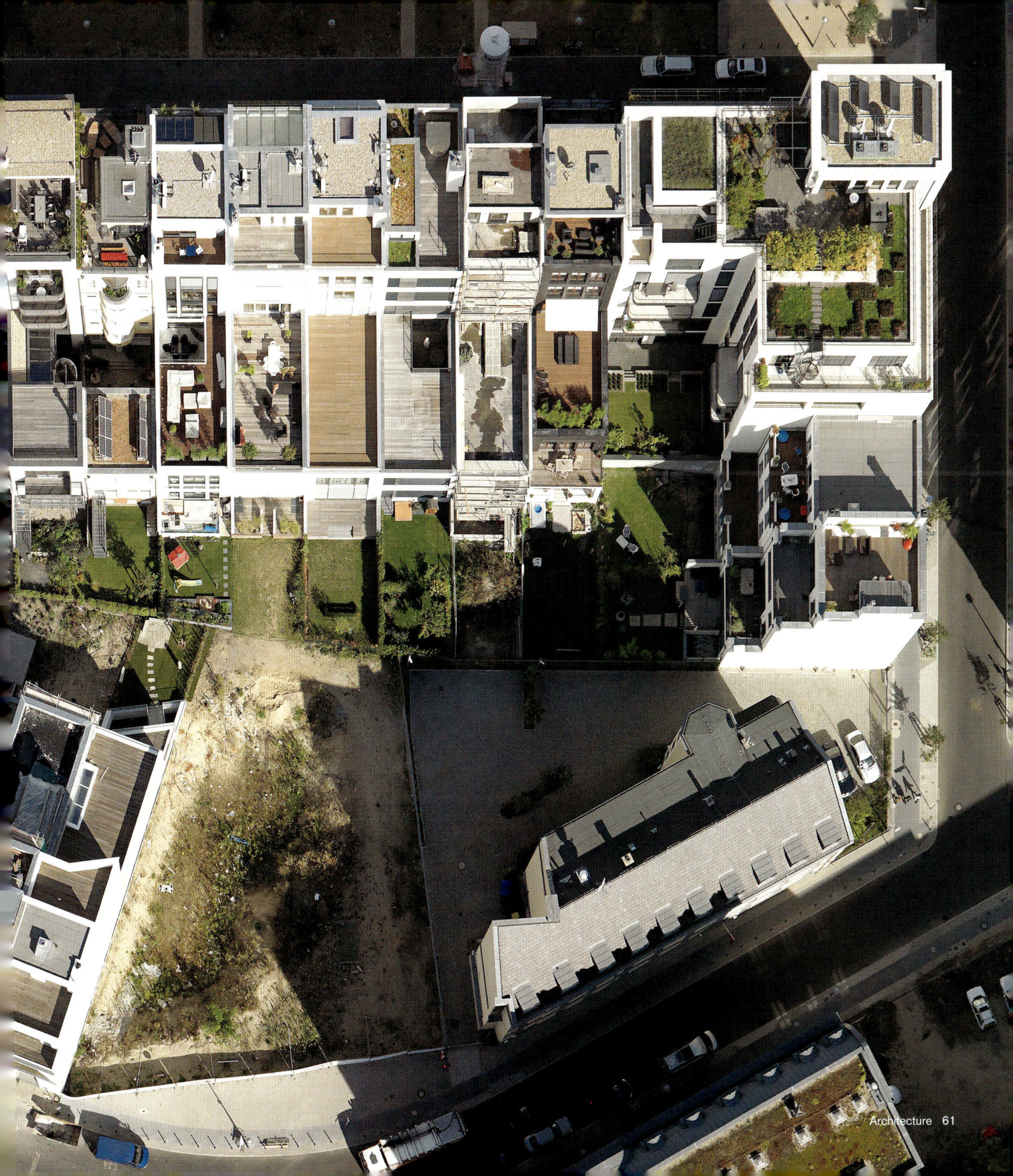

Stadthäuser in der Oberwallstraße
Oberwall Townhouses
Berlin

Auslober
Bauwert Investment Group
GmbH & Co. KG

Projektadresse
Oberwallstraße 2, 5 und 6
Berlin

Wettbewerb
2010

Großzügiges Wohnen auf sechs Etagen: Angesichts der für Stadthäuser typischen geringen Parzellengröße muss die Planung hier kreativ Spielräume entwickeln. Der Haustyp sollte von nicht mehr als einer Partei bewohnt werden, um zusätzliche Erschließungsflächen zu vermeiden. Damit ist das Einfamilienhaus individuell gestaltbar. In den loftähnlichen weiten Räumen wird auf Trennwände und Türen so weit wie möglich verzichtet. Als private Rückzugsmöglichkeiten bieten sich Loggien an; Balkone und Erker schaffen eine zu große Nähe zur Nachbarbebauung. Diesen Parametern folgen die Entwürfe für drei Stadthäuser in der Oberwallstraße, einer schmalen Straße zwischen dem Boulevard Unter den Linden und dem Hausvogteiplatz. Gestalterisch gilt es hier, der vorgegebenen Hausbreite eine repräsentative Fassade zu geben und funktional die interne Erschließung an die Tiefgarage des Quartiers anzubinden – ohne den Anspruch an ein großzügiges Wohnen in der Innenstadt zu konterkarieren.

The small ground plan of a typical townhouse is a creative challenge for planners. The ideal townhouse is a single-family dwelling, requiring less space for access routes and allowing customized design. Open-plan interiors on all floors generate an agreeable sense of spaciousness, while loggias ensure a maximum of privacy in the intermediate spaces. The designs for three townhouses on Oberwallstrasse follow these precepts. Located centrally in the city, their slim façades convey a sense of elegance reflected in the generous interior layout. At the same time, technical functionality is guaranteed, with each housing unit easily accessible from the quarter's underground parking garage.

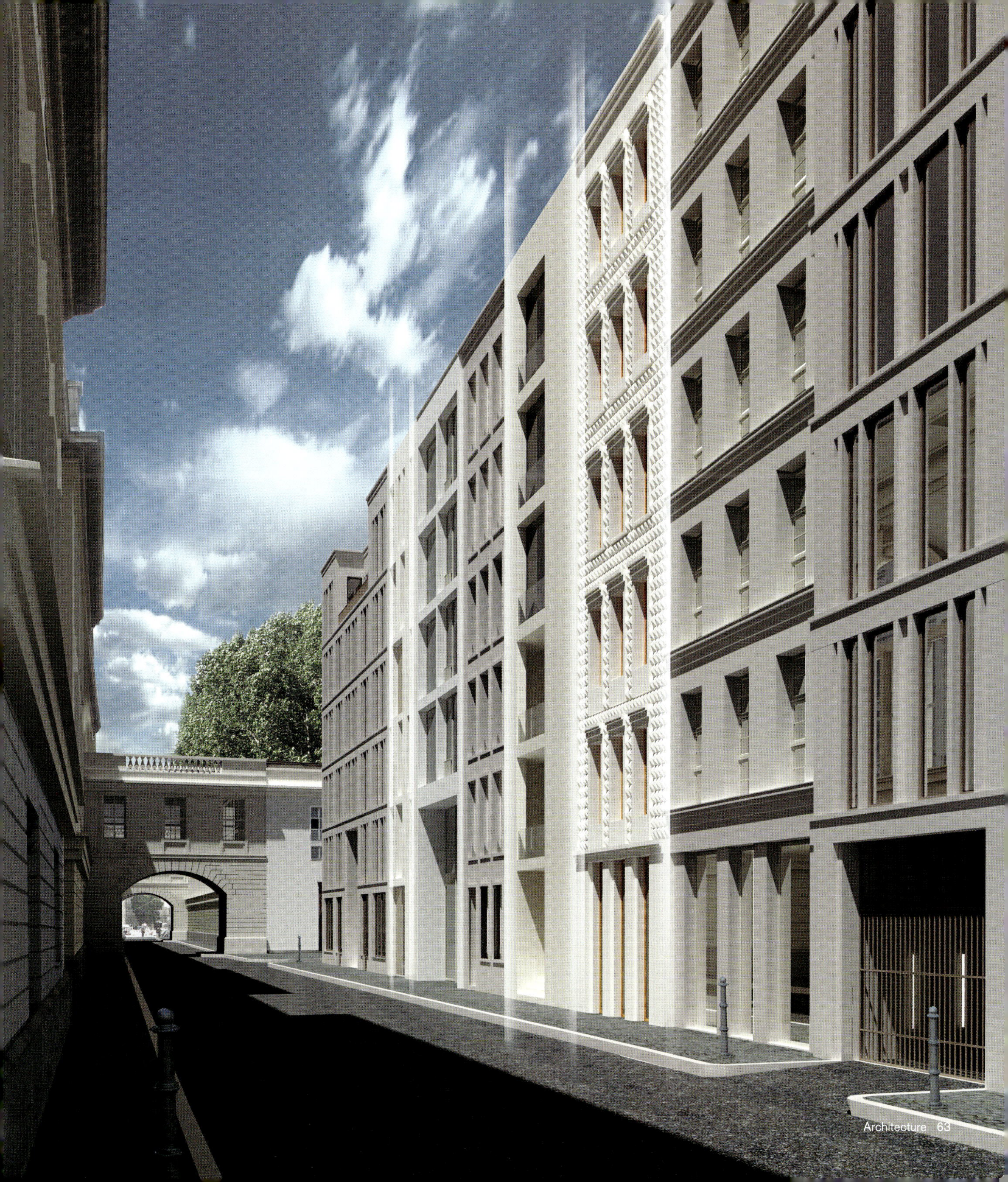

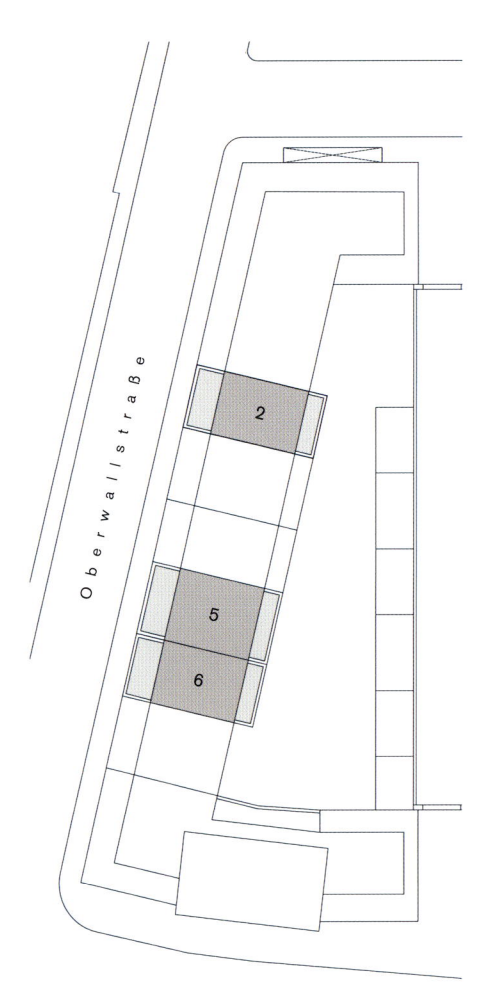

Lageplan
Site plan

Ansicht Oberwallstraße
Elevation Oberwallstrasse

Ansicht Oberwallstraße 2
Elevation Oberwallstrasse Nº 2

64   Architecture

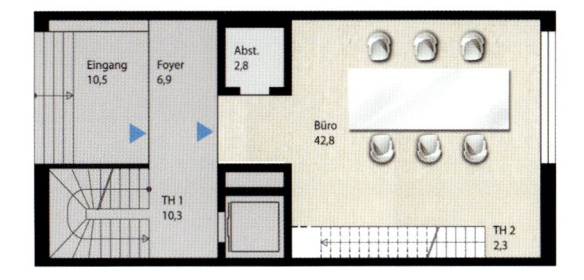

Erdgeschoss
Ground floor

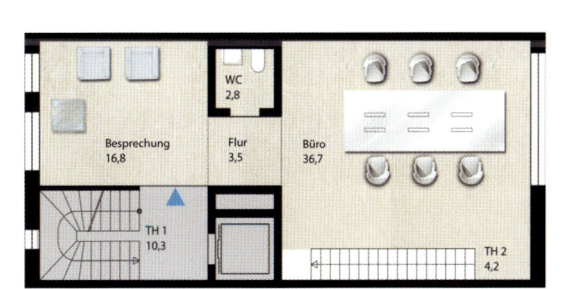

1. Obergeschoss
First floor

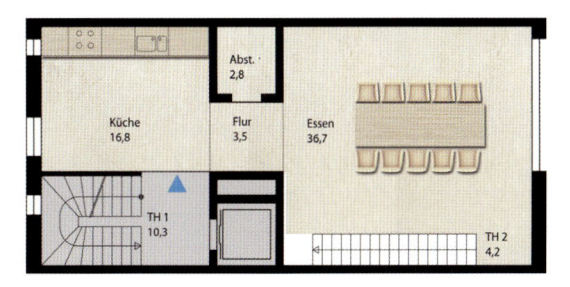

2. Obergeschoss
Second floor

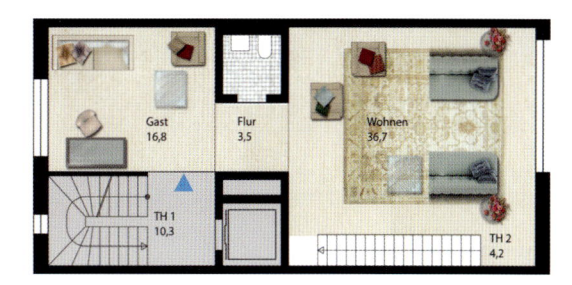

3. Obergeschoss
Third floor

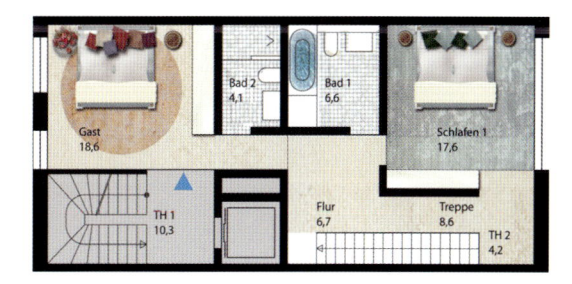

4. Obergeschoss
Fourth floor

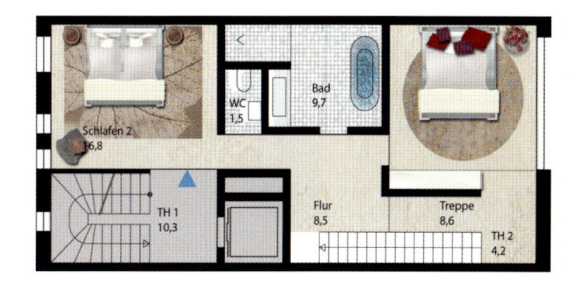

5. Obergeschoss
Fifth floor

Architecture 65

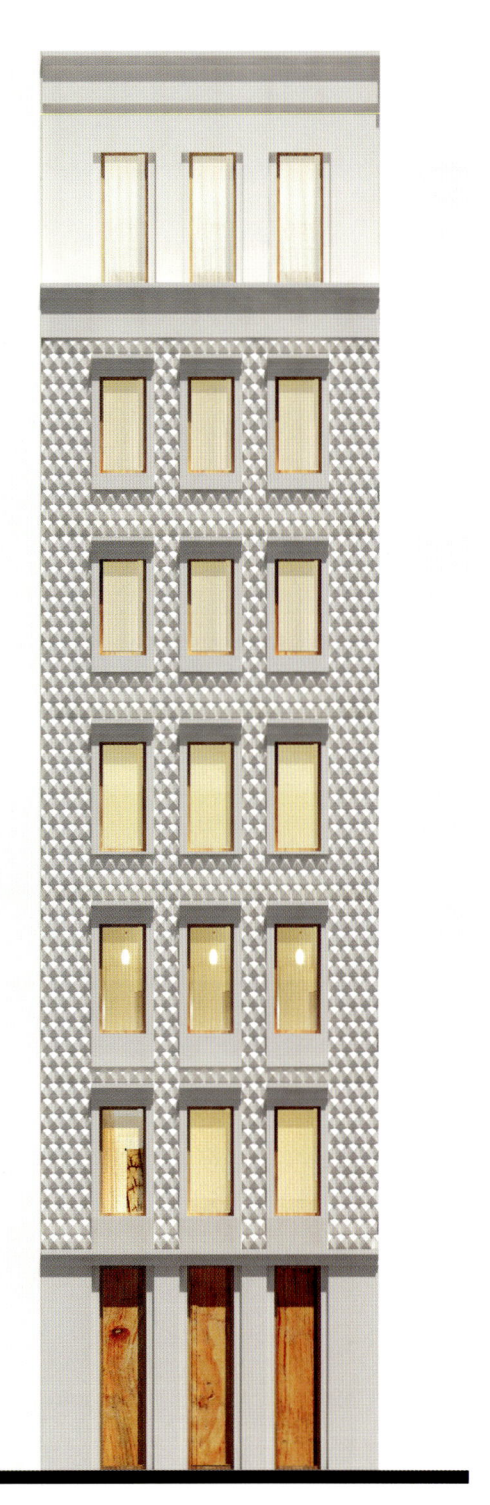

Ansicht Oberwallstraße 6
Elevation Oberwallstrasse Nº 6

Ansicht Oberwallstraße 5
Elevation Oberwallstrasse Nº 5

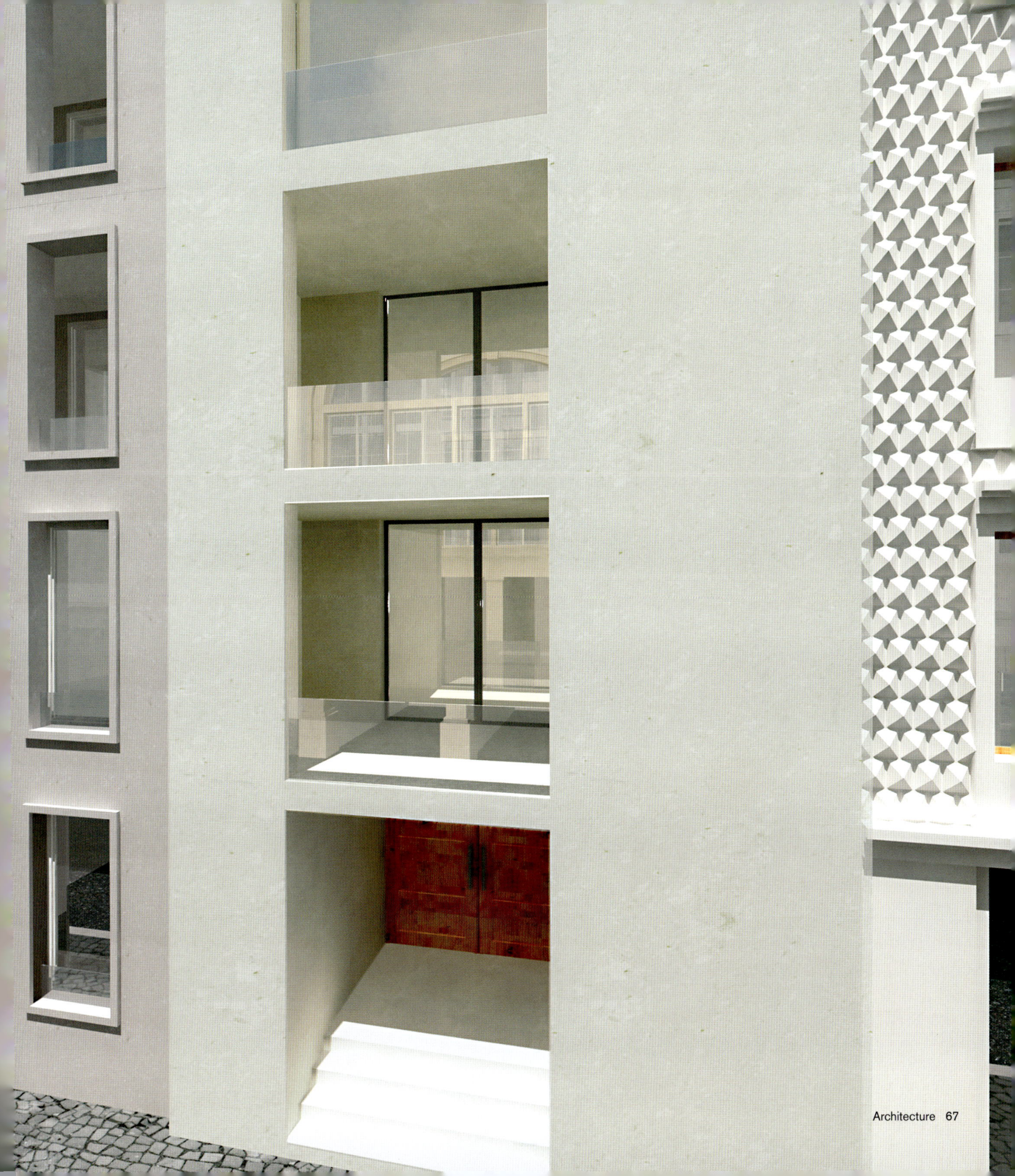

Schnitt Oberwallstraße 2
Section Oberwallstrasse № 2

Schnitt Oberwallstraße 5
Section Oberwallstrasse № 5

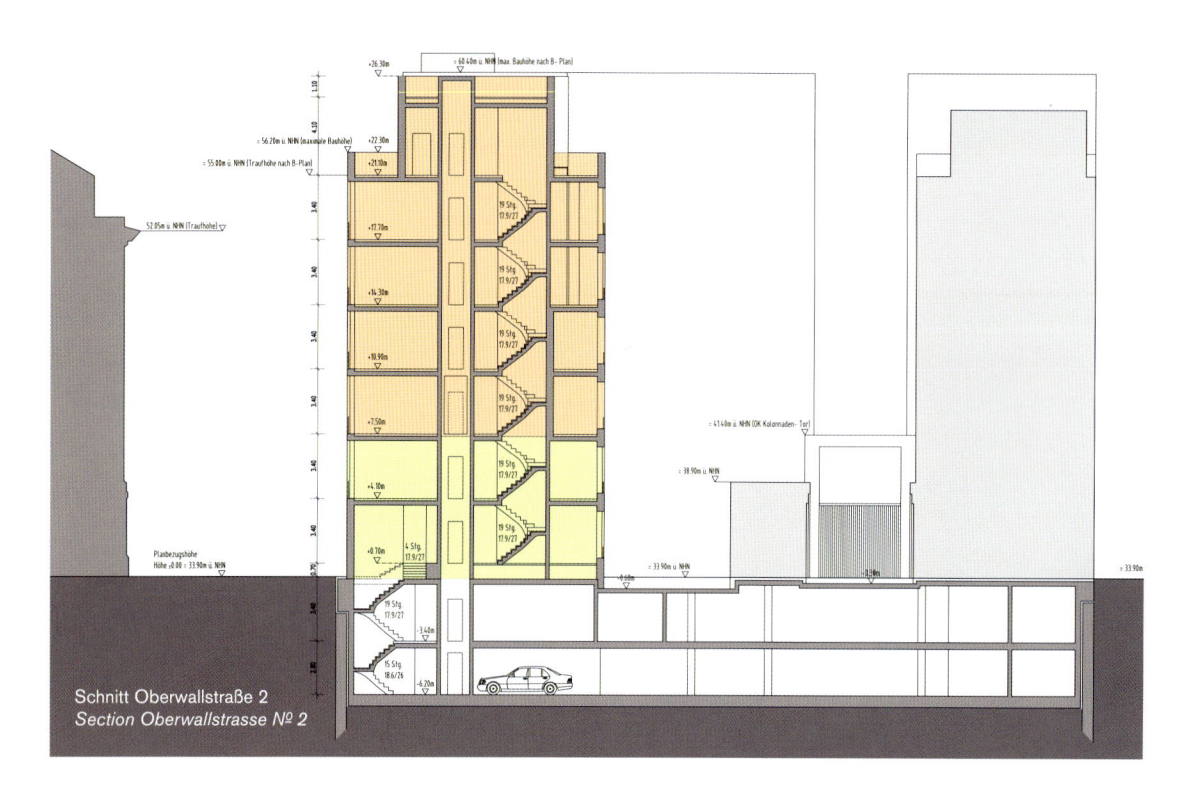

68 Architecture

Schnitt Oberwallstraße 6
Section Oberwallstrasse № 6

Werderscher Markt, Aufnahme von 1961
Werderscher Markt, 1961

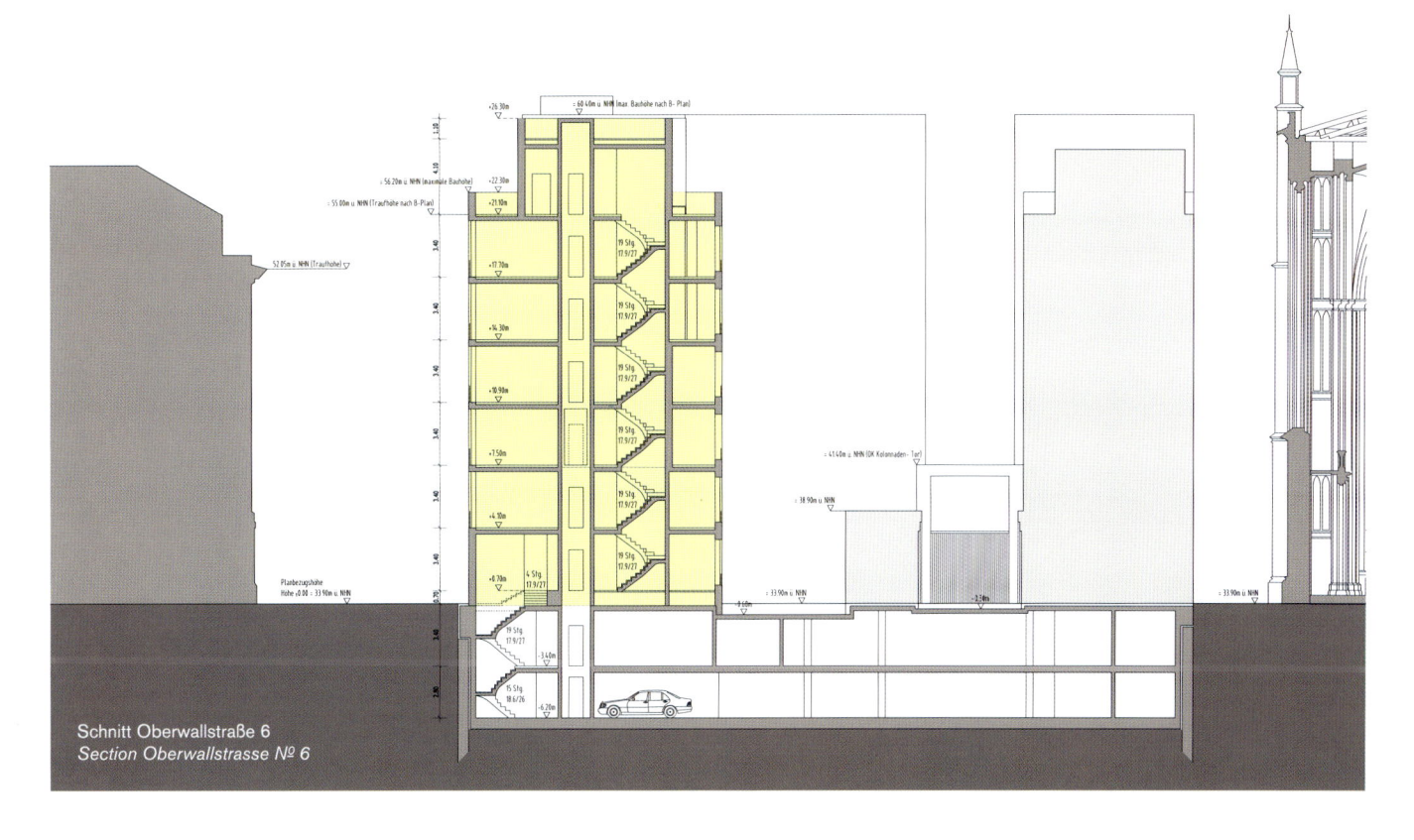

Werdersche Rosenstraße, Aufnahme von 1889
Werdersche Rosenstraße, 1889

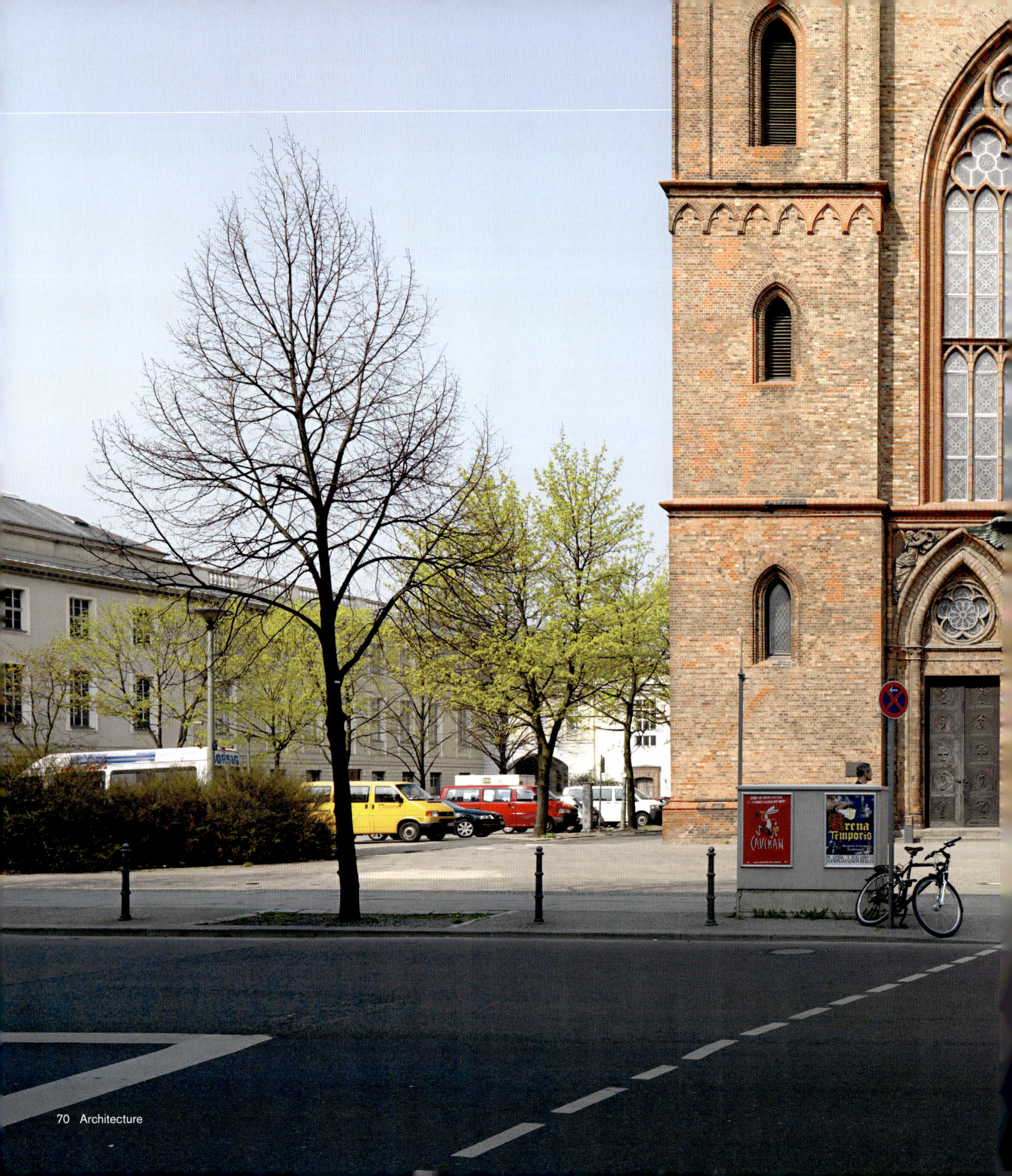
CAVEMAN

Architecture 71

Palais an den Kronprinzengärten
Crown Gardens Palace
Berlin

Auslober
Bauwert Investment Group
GmbH & Co. KG

Projektadresse
Werdersche Rosenstraße 5
Berlin

Wettbewerb
2010

Die Aufgabe könnte widersprüchlicher kaum sein. Auf mittelalterlichem Stadtgrundriss, dessen Gassen schon damals nicht einmal Platz für einen Pferdefuhrwagen hatten, soll nun Berlins Wohnadresse Nummer Eins entstehen. Der Entwurf löst diese Herausforderung durch einen edlen Kubus mit markanter Facettenfassade. Das Stadtpalais verbindet gehobene Wohnansprüche und eine gemischte Nutzung, die dem zukünftig urbanen Charakter der Lage Rechnung trägt: Neben den Etagenwohnungen in den oberen Geschossen befinden sich im Erdgeschoss und im ersten Obergeschoss Gewerbeflächen. Eine zusammenhängende Wohneinheit mit exklusivem Dachgeschoss bilden die beiden obersten Etagen. Die westlichen Wohnräume orientieren sich zum Neubau des Humboldt-Forums, dem städtischen Mittelpunkt des Quartiers, das damit auch zum nachbarschaftlichen Bezugspunkt wird. Die Schlafräume weisen nach Osten. Mit ihren weiten, lichten Räumlichkeiten besitzen die Wohneinheiten die Qualitäten von Altbau-Etagenwohnungen.

How do you reconcile the layout of a medieval town whose alleys were too narrow for even a horse-drawn cart to pass, with a top address in Berlin? By designing an elegant cube with a striking facetted façade. Accommodating a multiplicity of uses, this townhouse reflects the urban character of its surroundings. While the ground floor and first floor are intended for small businesses, the upper floors house private apartments, with a luxurious two-floor unit at the top. The living rooms on the west side of the building look towards the newly created Humboldt Forum. Spacious and flooded with light, these apartments fit seamlessly into Berlin's architectural tradition.

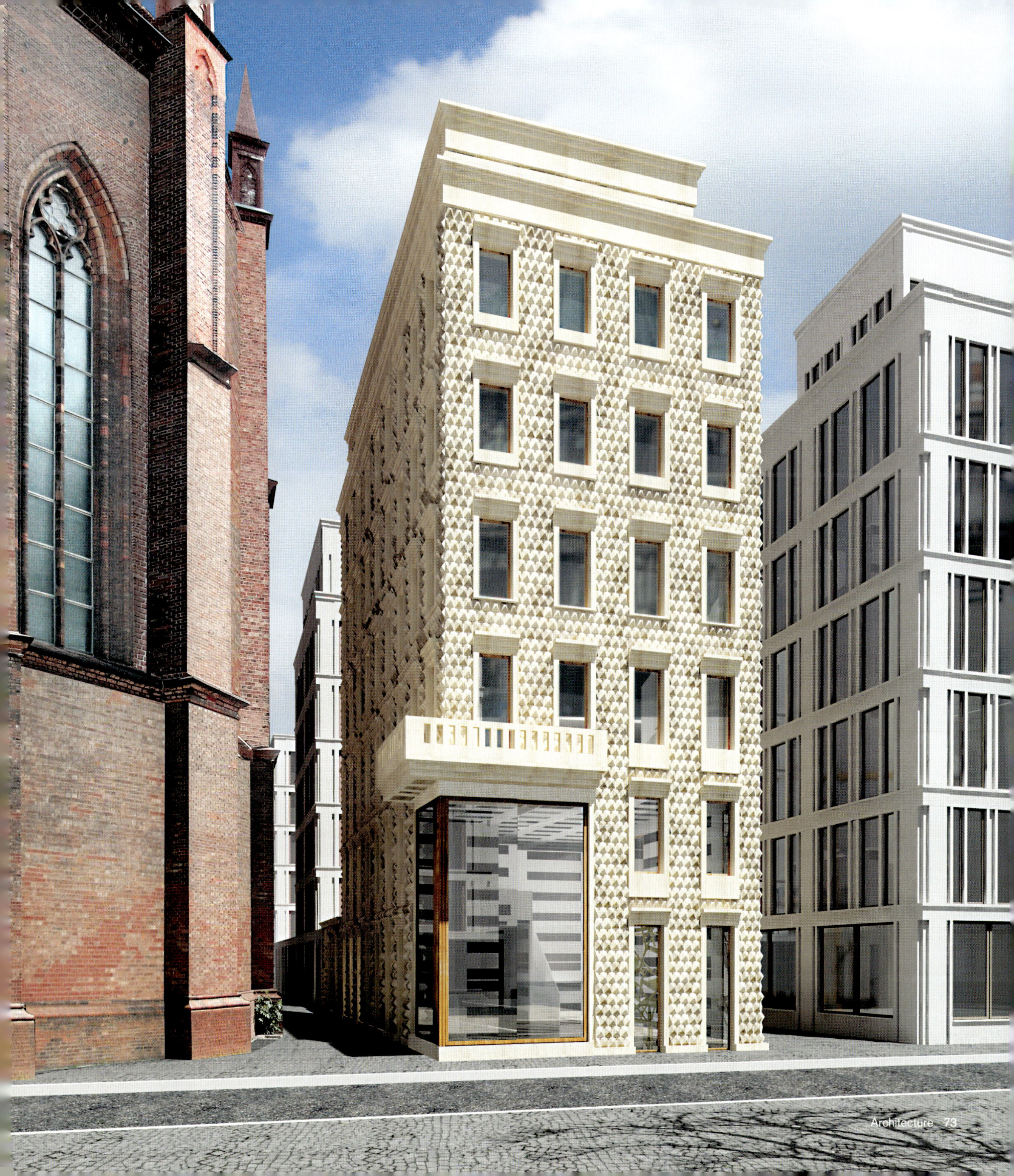

Nordansicht
North elevation

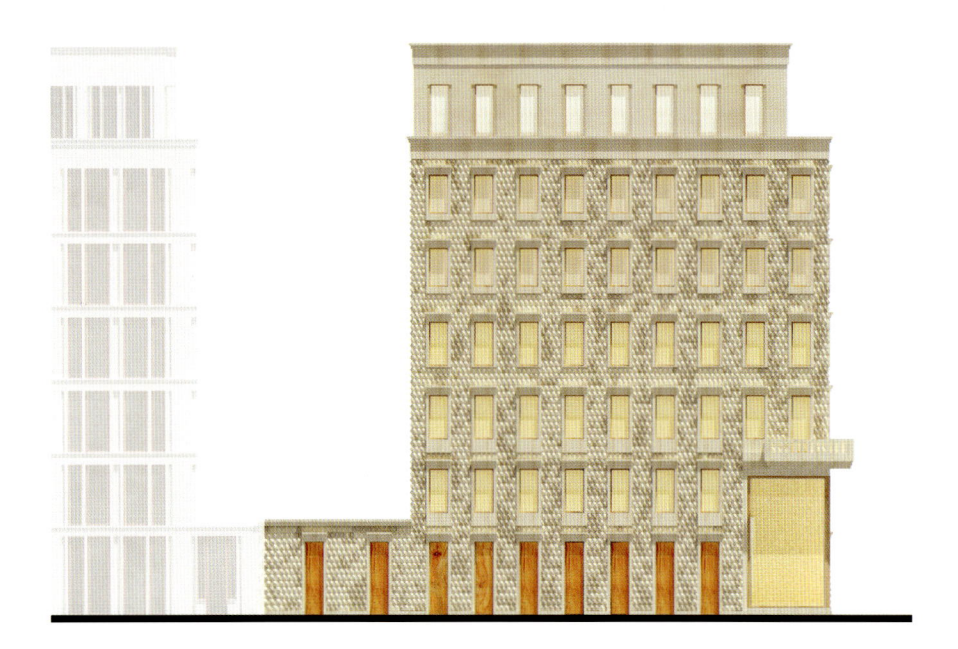

Ansicht Ost
East elevation

Architecture

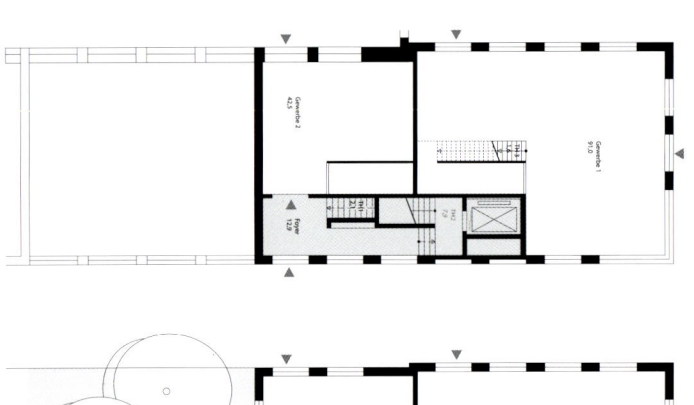

Erdgeschoss
Ground floor

1. Obergeschoss
First floor

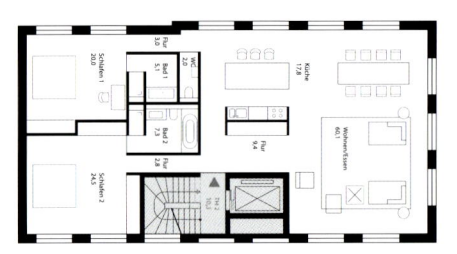

2. – 4. Obergeschoss
Second, third and fourth floor

5. Obergeschoss
Fifth floor

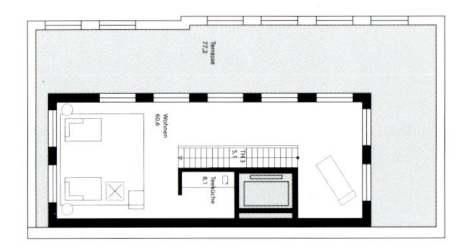

Dachgeschoss
Attic

Architecture 77

78 Architecture

Architecture

Neubau St. Petri-Kirche
St Petri New Church
Berlin

Projektadresse
Petrikirchplatz 1
Berlin

Projektstudie
2009

Es klingt ein bisschen anachronistisch: Da soll – wir schreiben das 21. Jahrhundert – im Zentrum einer europäischen Hauptstadt eine Kirche gebaut werden, ein christliches Gotteshaus. Und zwar ausgerechnet dort, wo der moderne Städtebau von den religiösen wie auch städtischen Traditionen nicht viel übrig gelassen hat. Insofern erzählt die hier entstehende Kirche viel über die Wiedergewinnung eines Ortes, der über viele Jahrhunderte das Zentrum einer der ältesten Gemeinden der Stadt bildete. St. Petri, geweiht dem Schutzheiligen der Fischer, war eine der ältesten Kirchen der Stadt; immer wieder überholt und erneuert. In ihrer neogotischen Fassung wurde sie 1964 schließlich abgerissen, um Platz für ein geschichtsloses, anonymes Quartier entlang einer breiten Verkehrsmagistrale zu schaffen. Die verdichtete Stadt galt als Auslaufmodell. Inzwischen hat eine Rückbesinnung auf jene Werte stattgefunden, die damals leichtfertig geopfert wurden. Die Kirche, ein an klassischen Vorbildern geschulter, moderner Bau entsteht an ihrem angestammten Platz. Der rastlosen Außenwelt setzt sie in ihrem Inneren eine erhabene, von Ruhe und Kontemplation geprägte Atmosphäre entgegen.

Building a church in the middle of a European metropolis may appear to be a somewhat anachronistic venture. This is the twenty-first century, for heaven's sake! A new, modern place of worship is taking shape on the site of St Petri Church, one of Berlin's oldest churches, which was pulled down in 1964 at a time when tightly-woven urban fabric was out and faceless developments and wide traffic arteries were in. Today a more traditional sense of urbanity is revitalizing the old parish. The contemplative atmosphere of the church offers a place of refuge in the restless hum of the city.

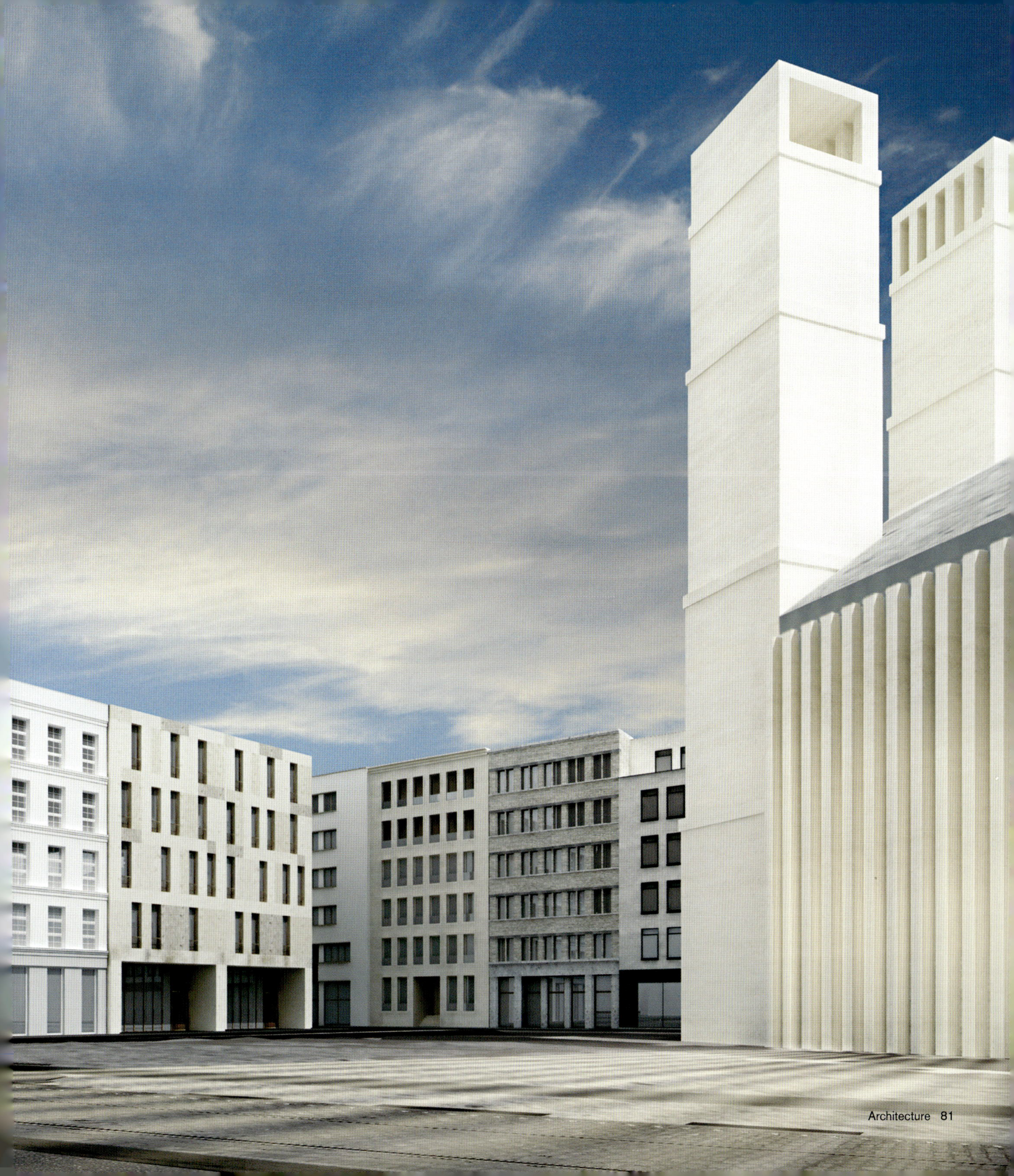

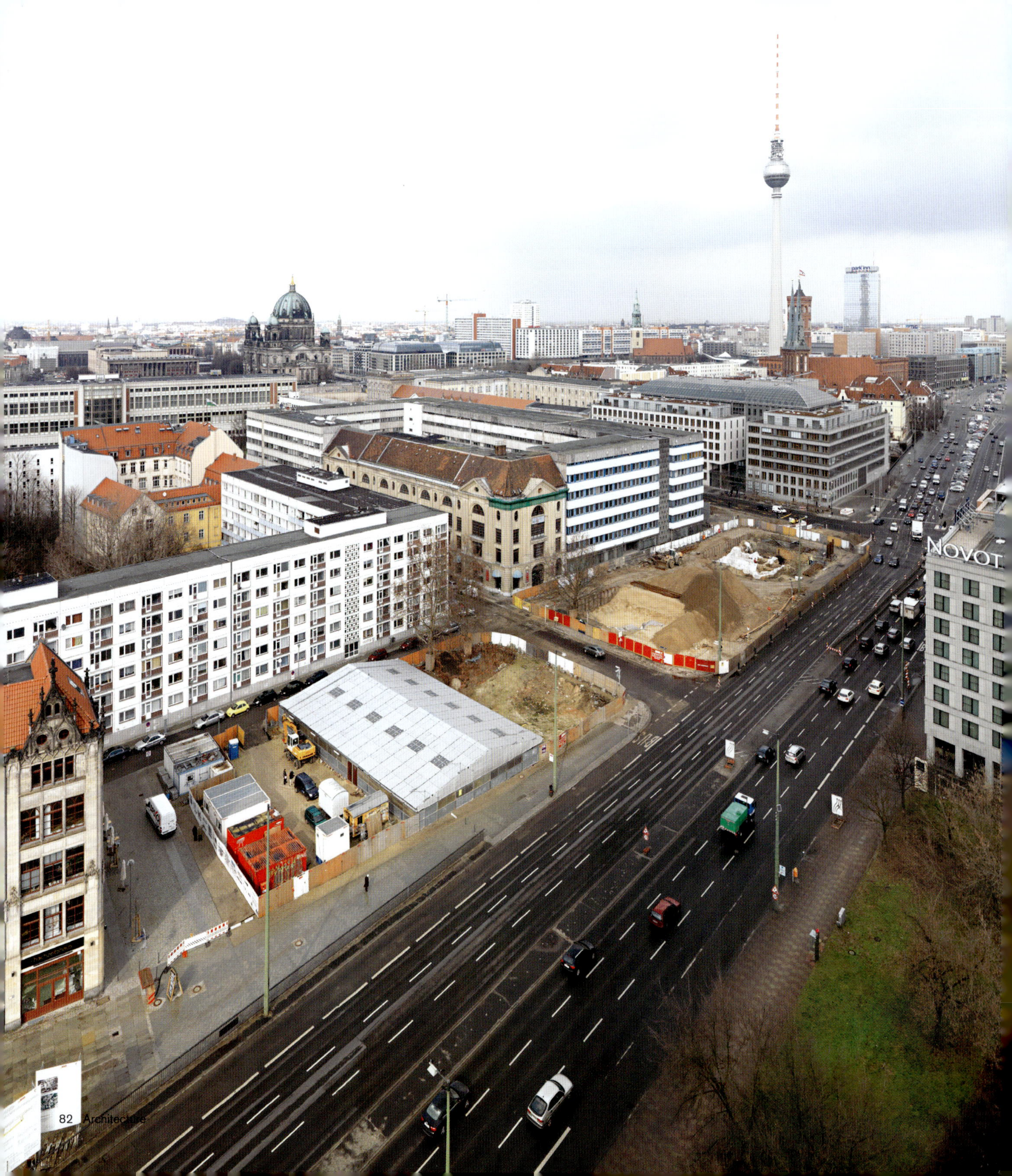
NOVOT

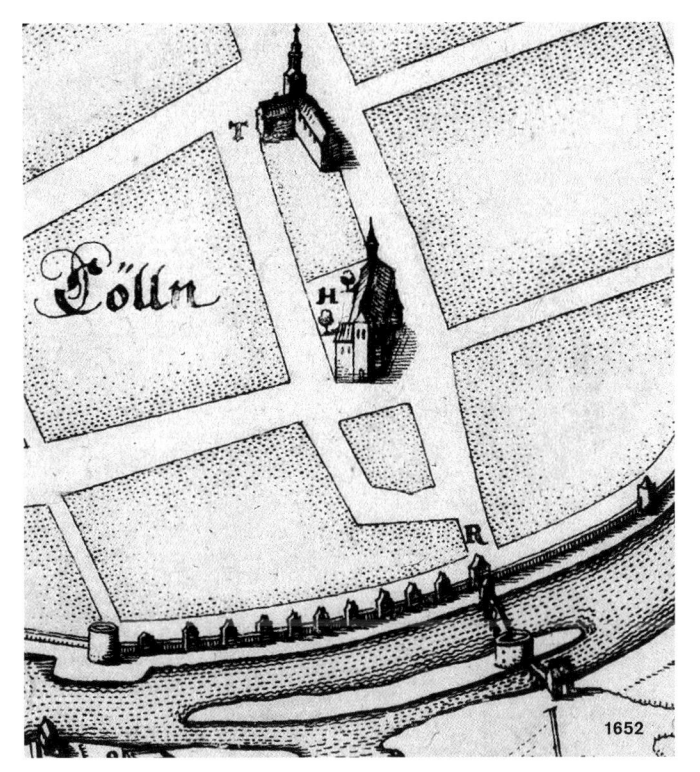

1652

1800

1959

2020

Architecture

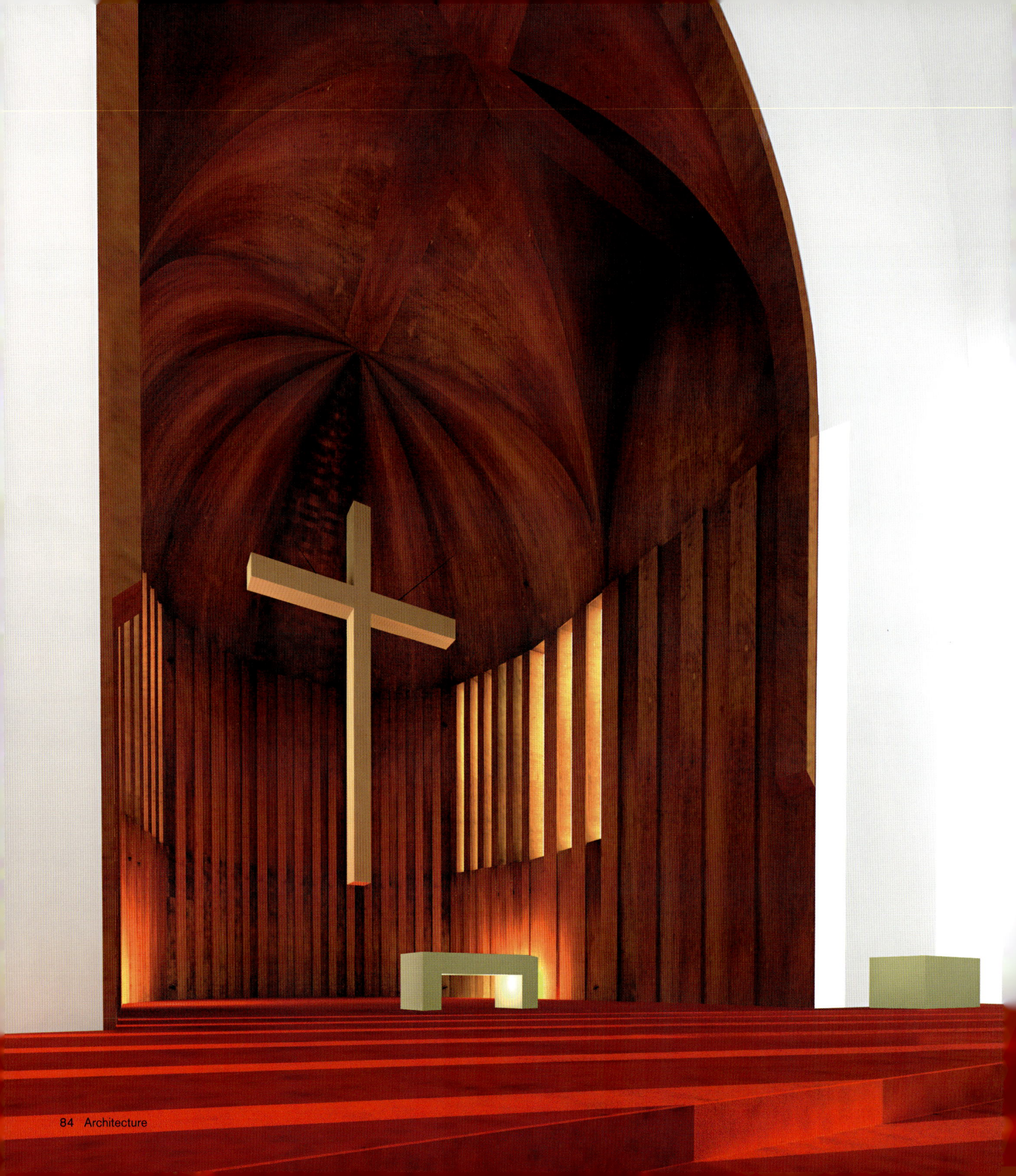

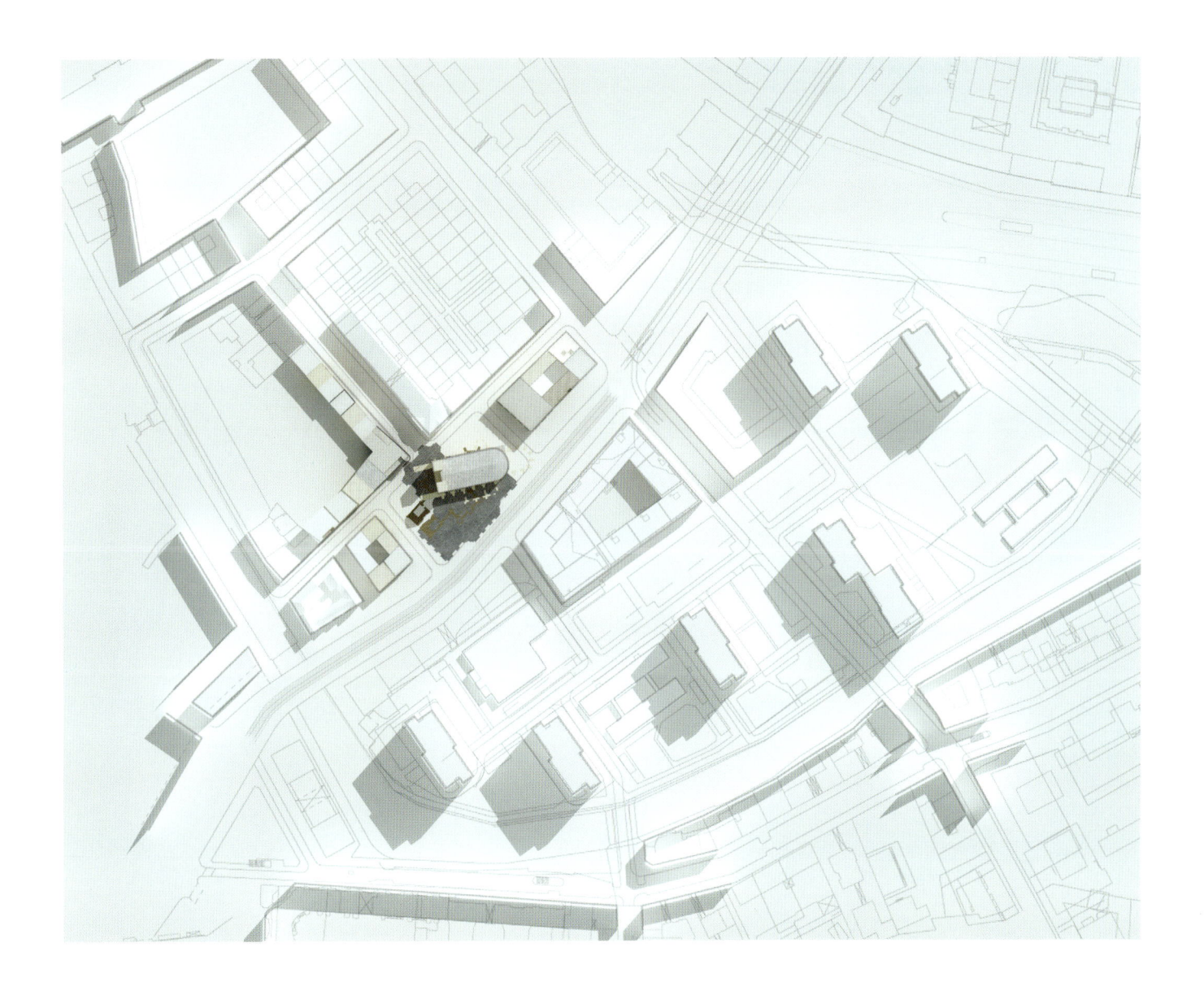

Ansicht von der Gertraudenstraße
Elevation Gertraudenstrasse

Wirkungskreis des Guten:
Licht ist von jeher im christlichen
Denken präsent.

*"And the light shineth in darkness; and
the darkness comprehended it not."*

Architecture 87

Evangelisches Johannesstift
Protestant Charity Foundation

Berlin

Auslober
Evangelisches Johannesstift Berlin
Stiftung bürgerlichen Rechts

Projektadresse
Schönwalder Allee 26
Berlin

Freiraumplanung
Levin Monsigny Landschafts-
architekten GmbH

Wettbewerb
2009 (2. Preis)

Das Johannesstift, gegründet im Jahr 1858 von Johann Heinrich Wichern, liegt am Rande Berlins und bildet mit seinen zahlreichen diakonischen Einrichtungen eine eigene kleine Stadt. Die gemeindeartige Zusammengehörigkeit der weitläufigen Siedlung wird sowohl durch die städtebauliche Ordnung als auch durch die Architektur der 1907 bis 1910 errichteten Gebäude verstärkt: In lockerer Folge sind die frei stehenden Giebelhäuser aus rotem Ziegelmauerwerk um eine Kirche gruppiert. Die beabsichtigte räumliche Erweiterung des Ensembles sollte den Charakter der Altbauten auf moderne wie behutsame Weise reflektieren und den Bestand auf natürliche Weise weiterentwickeln. Das Neubaukonzept integriert die Aufgaben von Städtebau, Architektur und Landschaftsplanung und sieht eine barrierefreie Erschließung der gesamten Anlage vor, die neben den karitativen und pflegerischen Einrichtungen auch Wohnhäuser, eine Sporthalle und eine Schule umfasst. Eine akzentuierte Bepflanzung mit Spitzahorn, Kiefer und Kirsche verknüpft das Neubauareal mit dem historischen Bestand. Die neuen Gebäude interpretieren die Typologie des Giebelhauses und stehen mit ihrer Schlichtheit in der protestantischen Tradition dieses Ortes.

Founded in 1858 by Johann Heinrich Wichern, this Protestant welfare institution on the outskirts of Berlin resembles a small parish, with gabled brick houses built in 1907–1910 scattered across extensive grounds around a central church. The brief called for an adjoining plot of land to be developed with handicapped access throughout. The new buildings offer modern variations on the traditional gable roof theme. They are set among maples, pines, and cherry trees in a landscape designed to form a link both to the old ensemble and to the surrounding wooded areas.

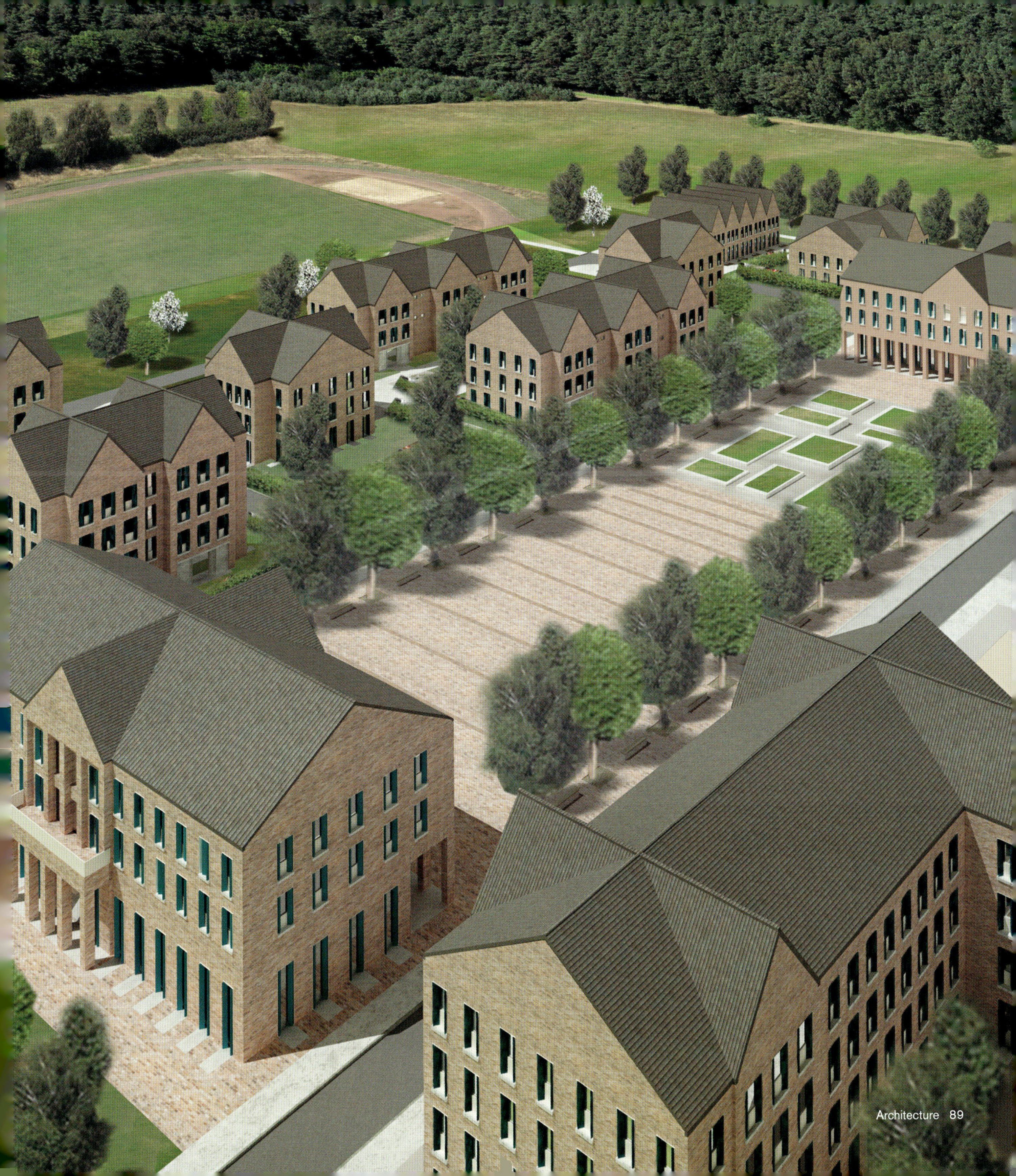

90 Architecture

Lageplan (links) und
Erschließungsplan (oben)

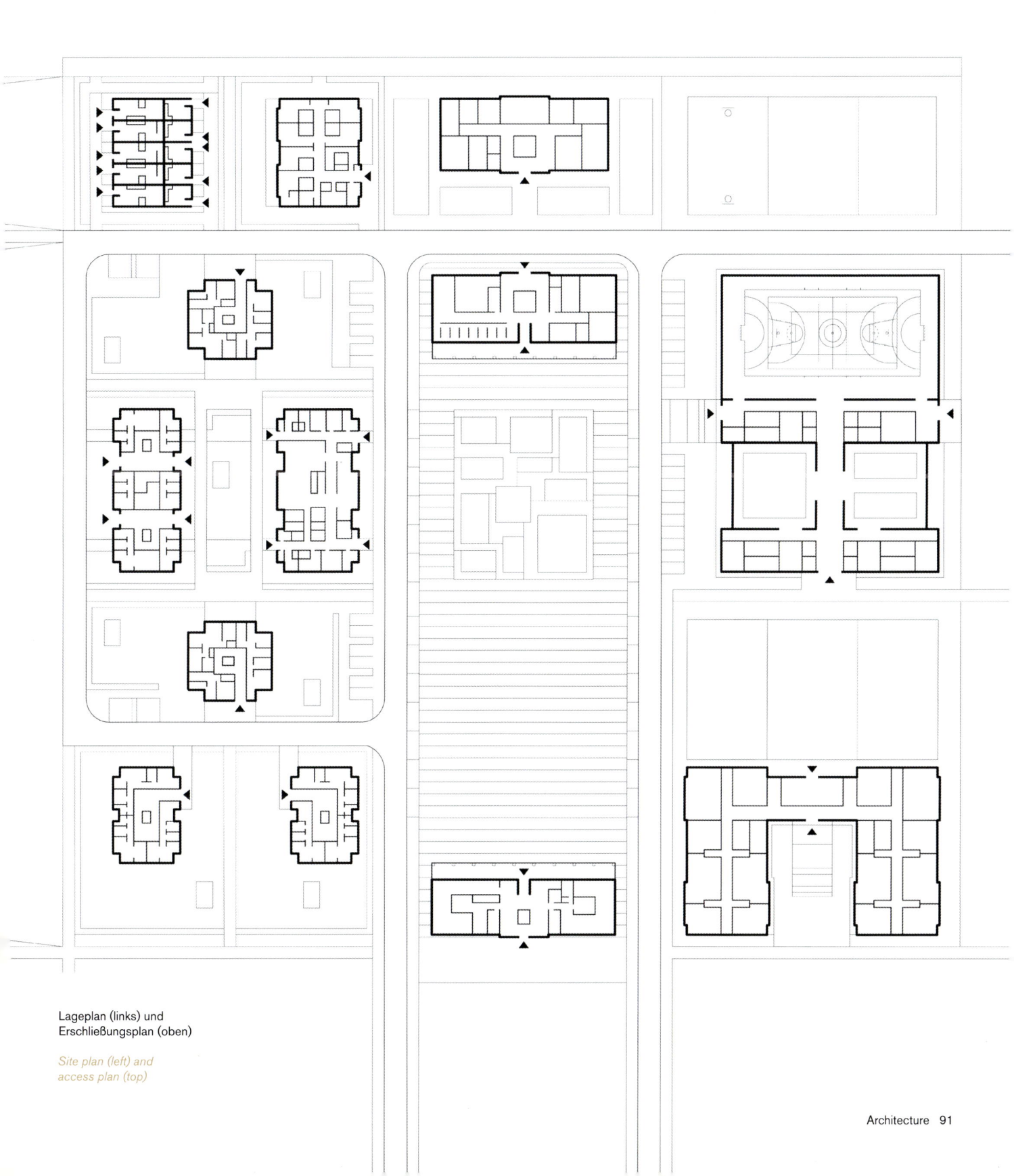

*Site plan (left) and
access plan (top)*

Architecture 91

Hauptplatz mit *Garten der Sinne*
Main square and "Garden of the Senses"

Altenpflege
Nursing home

Hauptverwaltung
Administration

Altenpflege mit Wohnhof
Nursing home with garden courtyard

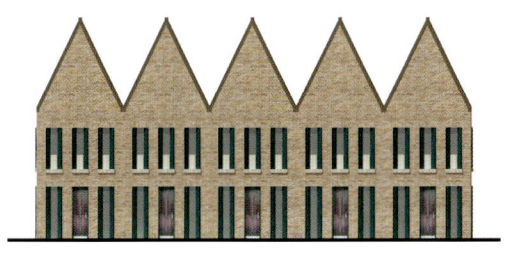

Freie Mieter
Independent tenants

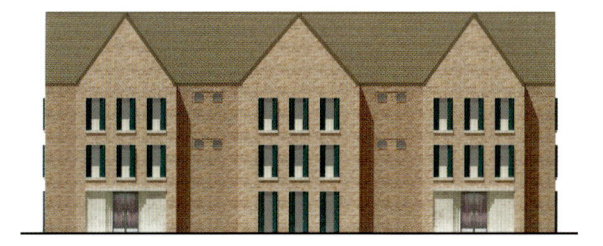

Altenhilfe
Assisted living

Architecture 93

Das Gebäude *Navis* beherbergt eine Einrichtung zur Langzeitrehabilitation hirngeschädigter Menschen im Evangelischen Johannesstift.

The Navis Building houses a long-term rehabilitation facility for brain-damaged patients.

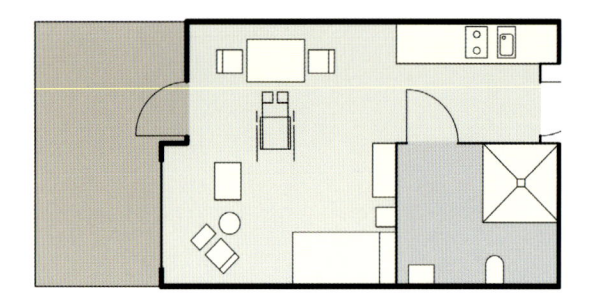

Im Wohnheim *Nebo* werden im Rahmen der Eingliederungshilfe Menschen mit geistiger und mehrfacher Behinderung betreut.

The Nebo Residential Home offers people with learning disabilities and multiple disabilities assistance and support in their daily lives.

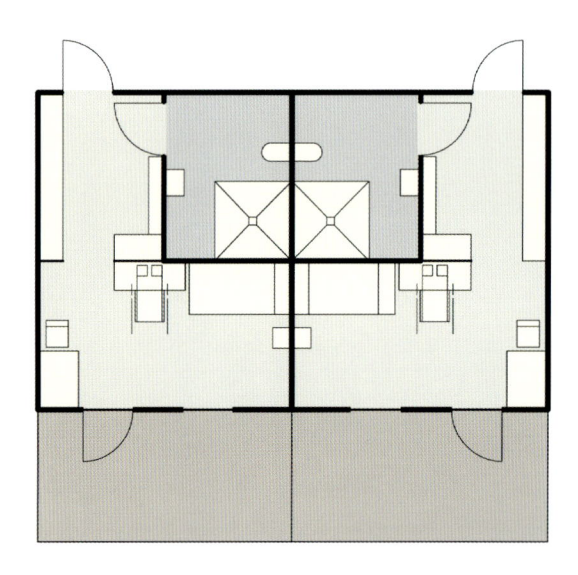

Die Wohnung der Altenhilfe (rechts) kann in einer Wohnung der Altenpflege (links) umgewandelt werden, ohne dass es eines Umzugs bedarf. Das Badezimmer wird gemeinsam genutzt.

The assisted living units (right) can be transformed into nursing care units (left) without the client having to move house. The bathroom is shared.

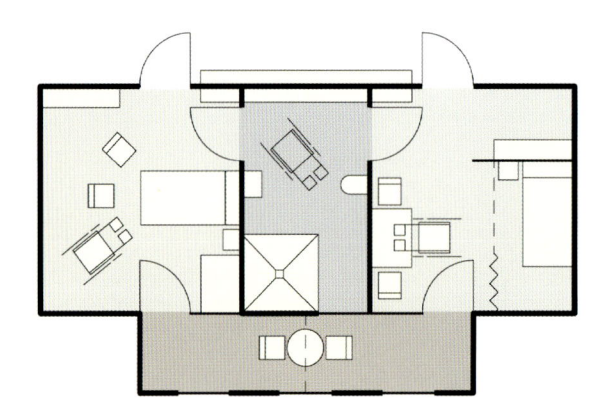

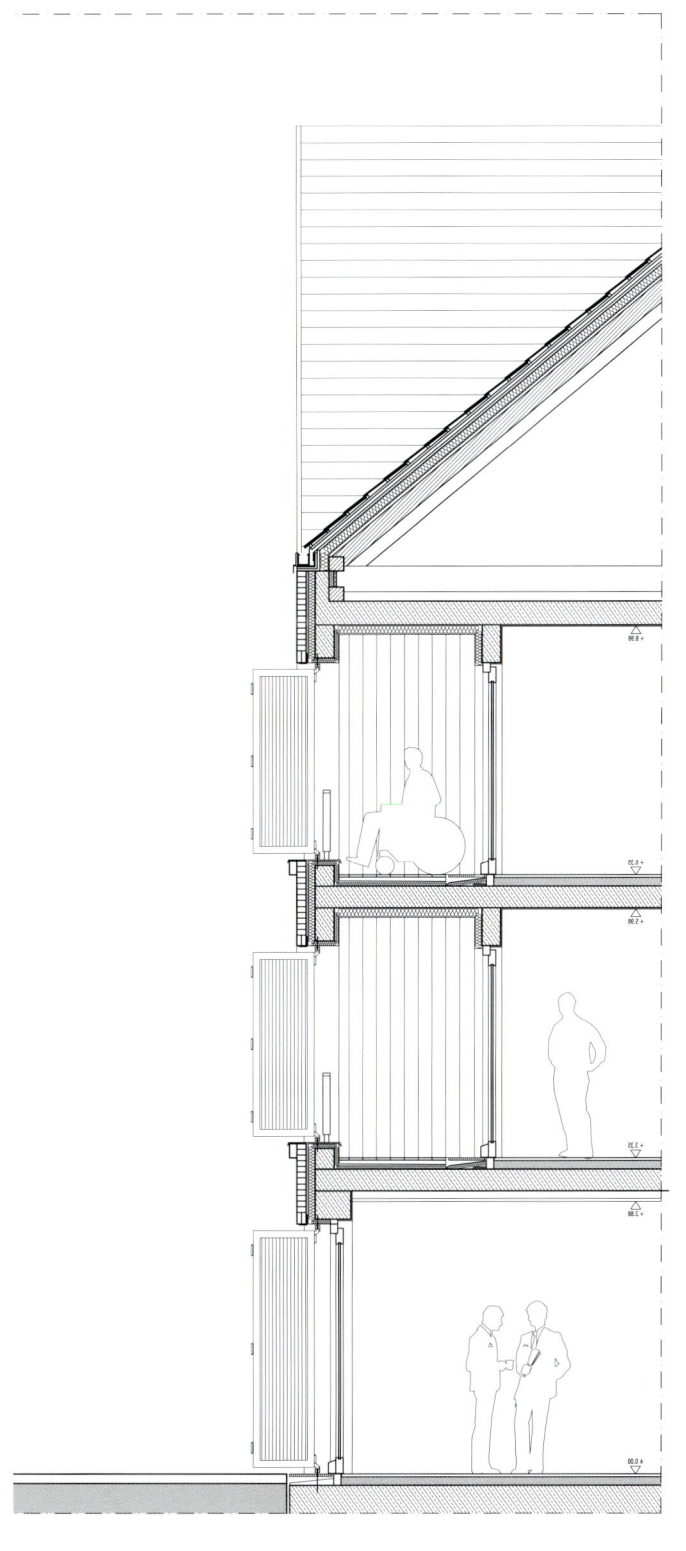

> Dachdeckung aus schwarzem Schiefer
> *Black slate roof*

> Dachraum als zukünftiges Ausbaupotenzial
> *Space in the attic for future conversion*

> Dachanschluss mit integrierter Regenrinne
> *Roof integral rain gutter*

> Gemeinsame Loggia als Ort der Begegnung
> *Shared loggia for socializing*

> Farbige Fensterläden als Orientierungshilfe
> *Shutters in different colours assist orientation*

> Schwellenfreier Übergang zur Loggia
> *Handicapped accessible loggia*

> Verblendmauerwerk auf Stahlwinkel
> *Brick facing supported by steel bracket*

> Schwellenfreier Übergang zum Garten
> *Handicapped accessible garden*

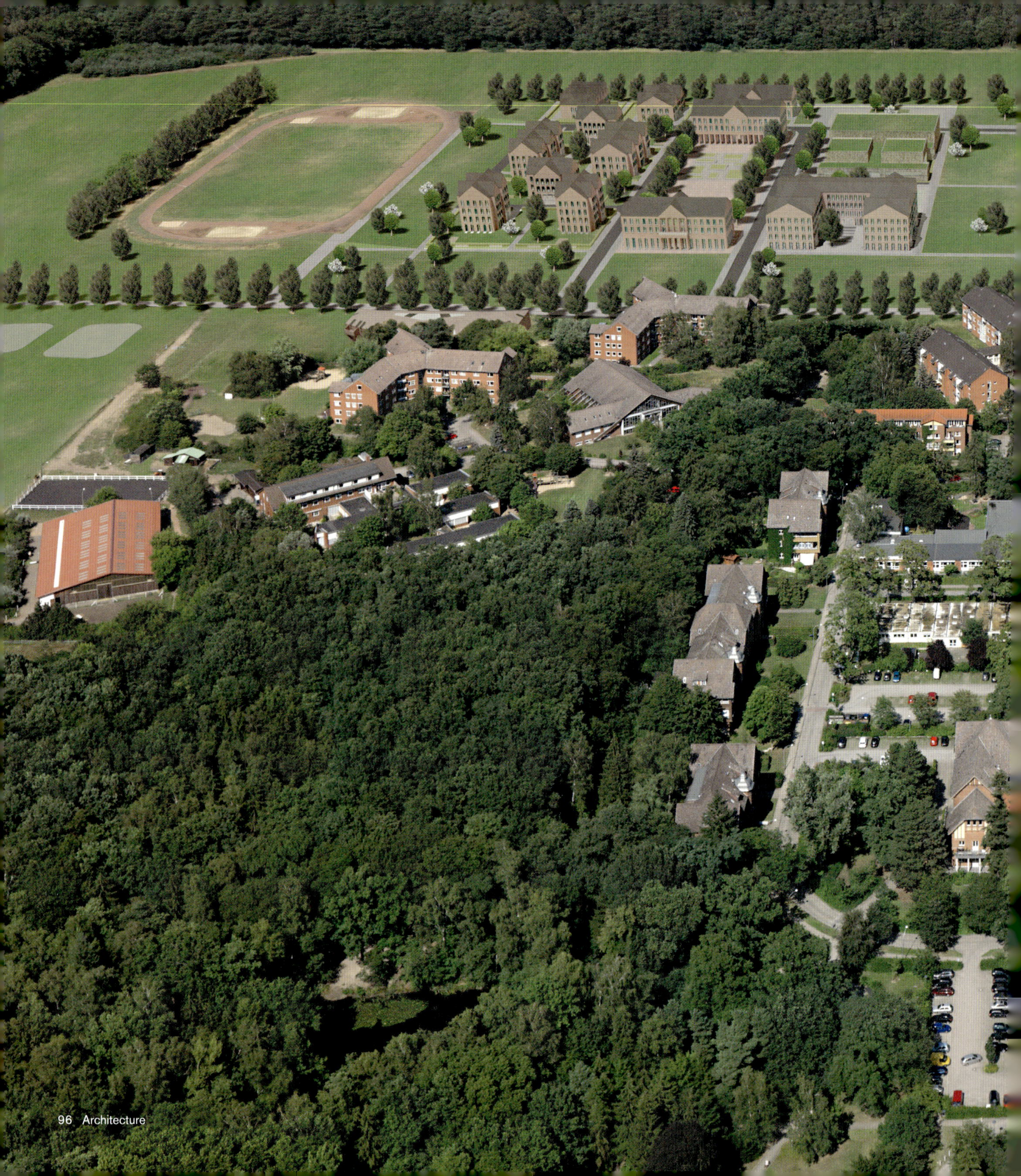

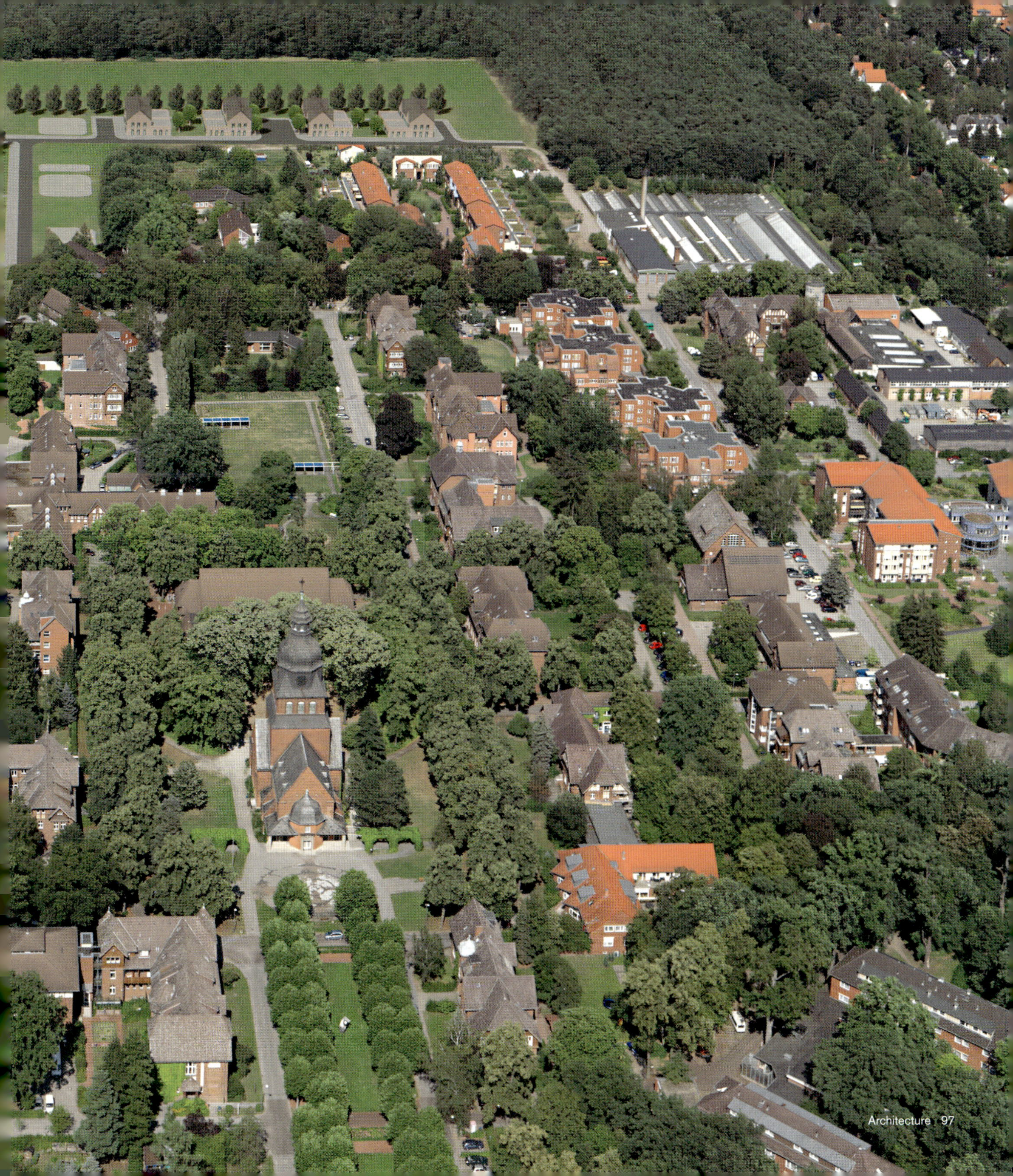

Stadtvilla in Erlenstegen
Erlenstegen Residence
Nürnberg

Projektadresse
Am Hang 11
Nürnberg

Zeitraum
2007–2009

Der eingeschossige, L-förmige Bungalow war ein typisches Kind der Sechzigerjahre: bescheiden, solide und unauffällig. Dass diese Eigenschaften zugleich gute Voraussetzungen für eine architektonisch anspruchsvolle Metamorphose darstellen, beweist diese Erweiterung und Modernisierung des Hauses. Es wurde aufgestockt, haus- und energietechnisch nach neuesten Standards ertüchtigt und in ein großzügiges Domizil für eine junge Familie umgewandelt, die großen Wert auf lichte, weitläufige Räume und den Luxus einer hauseigenen Wellness-Landschaft legt. Der Bestandsbau wurde um ein Geschoss ergänzt, das neben den Privaträumen der Hausbewohner auch einem generösen Spa-Bereich mit Sauna, Fitnessraum und Ruhepool Platz bietet. Die ausgesuchten Materialien, das Arrangement der Einbauten sowie die Ausgewogenheit der räumlichen Komposition verleihen der familieneigenen Wellness-Etage einen durchaus repräsentativen Zuschnitt, verweisen im Detail jedoch immer wieder auf die Intimität eines privaten Zuhauses.

A typical 1960s building – modest, reliable, and inconspicuous – this single-storey, L-shaped bungalow took surprisingly well to modernization. By adding a storey and bringing building services up to the latest energy efficiency standards it was possible to create a spacious, light-filled habitat for a young family. Apart from family rooms the luxurious new storey also accommodates a generous spa area including a sauna, gym, and relaxation pool. Select materials, tasteful fittings, and harmonious design offer the ideal context for charmingly intimate details.

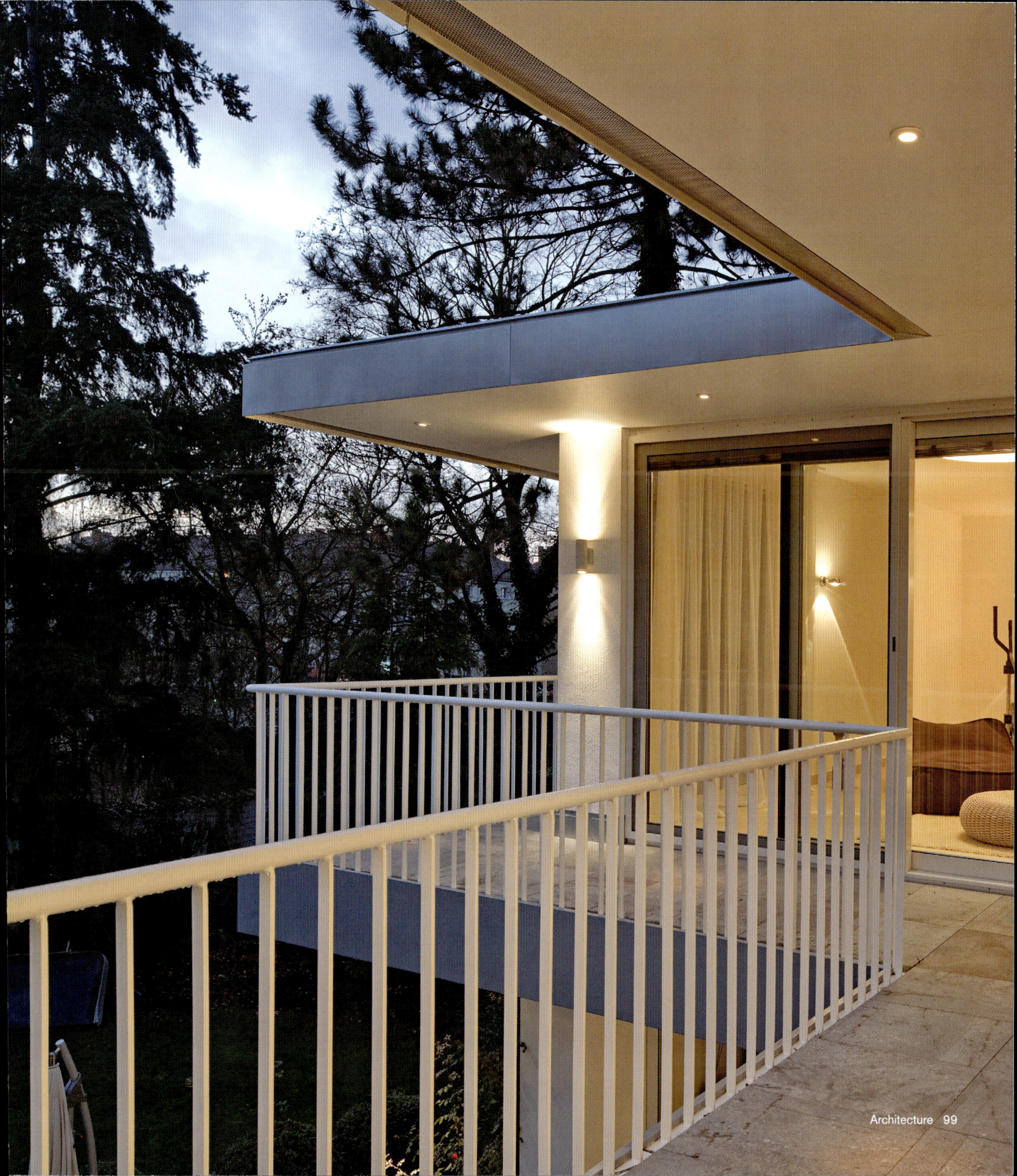

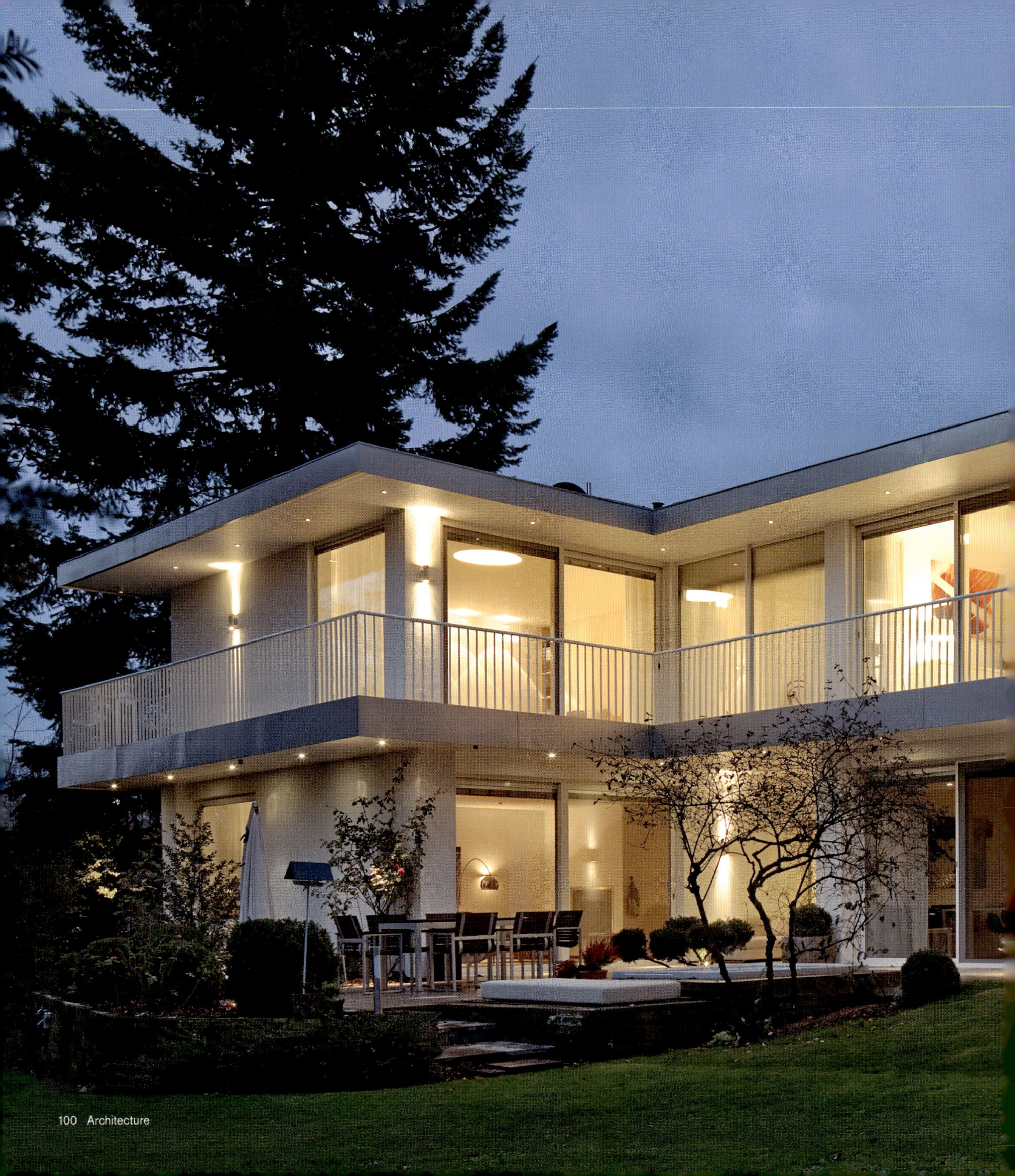

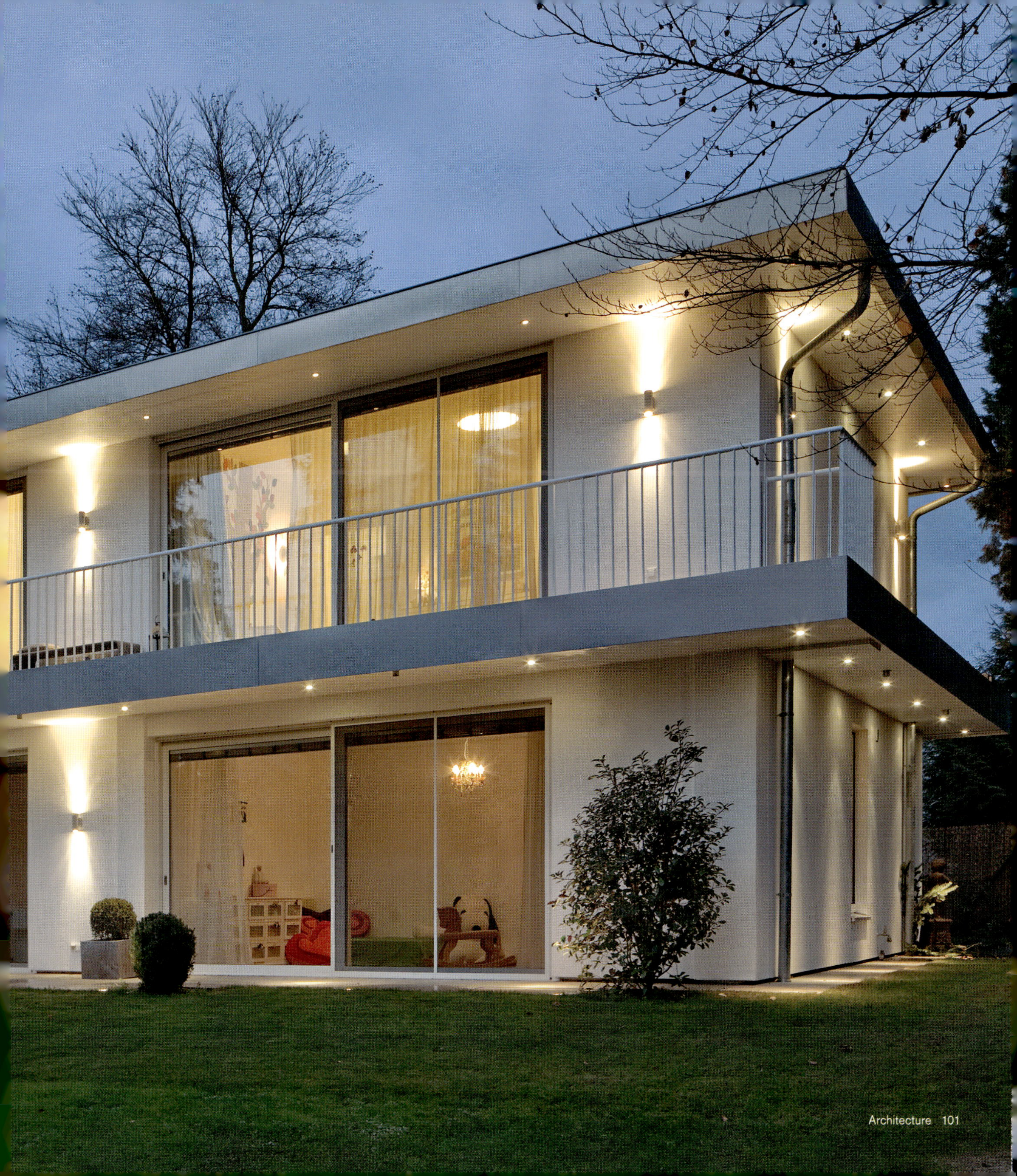

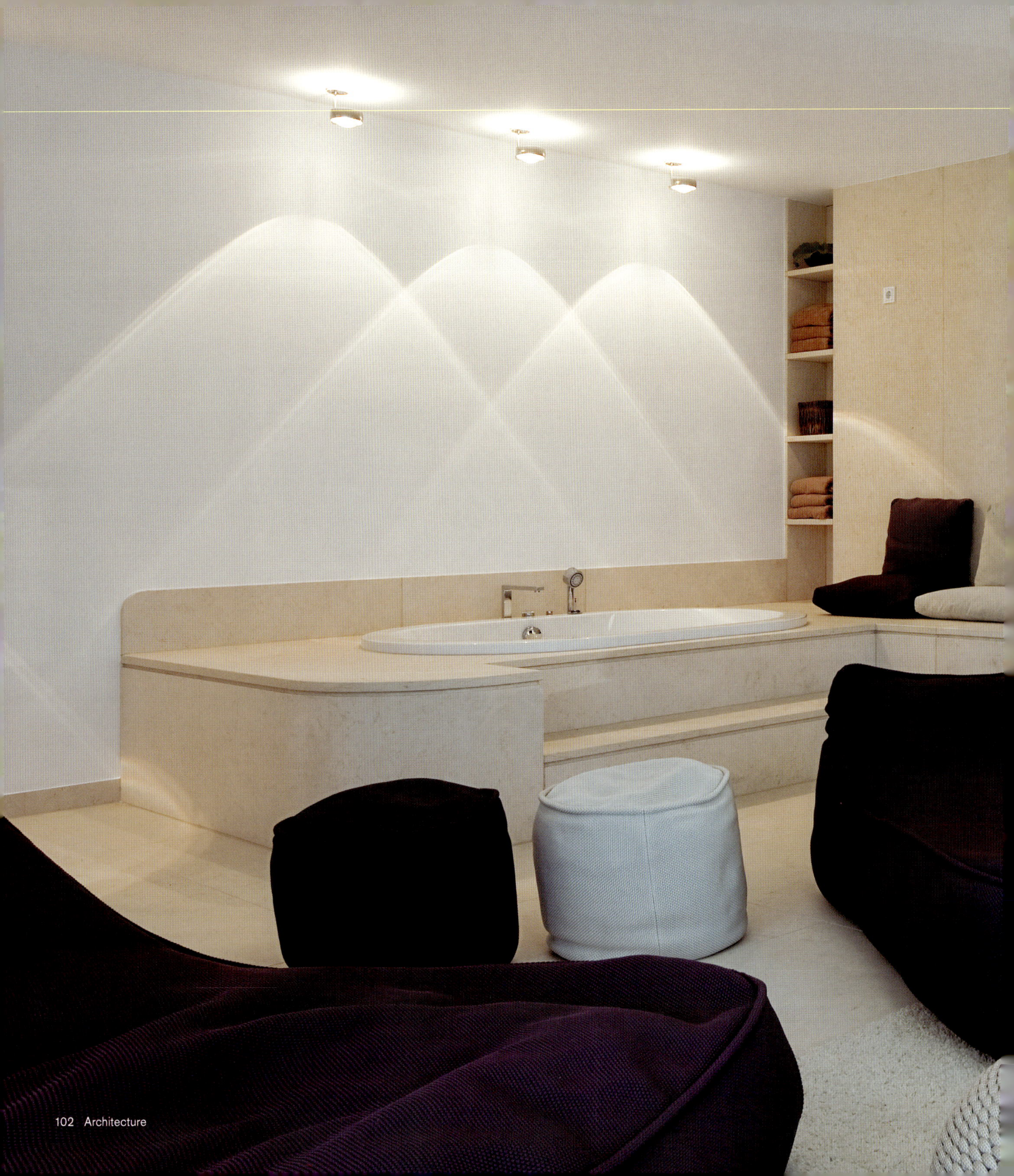

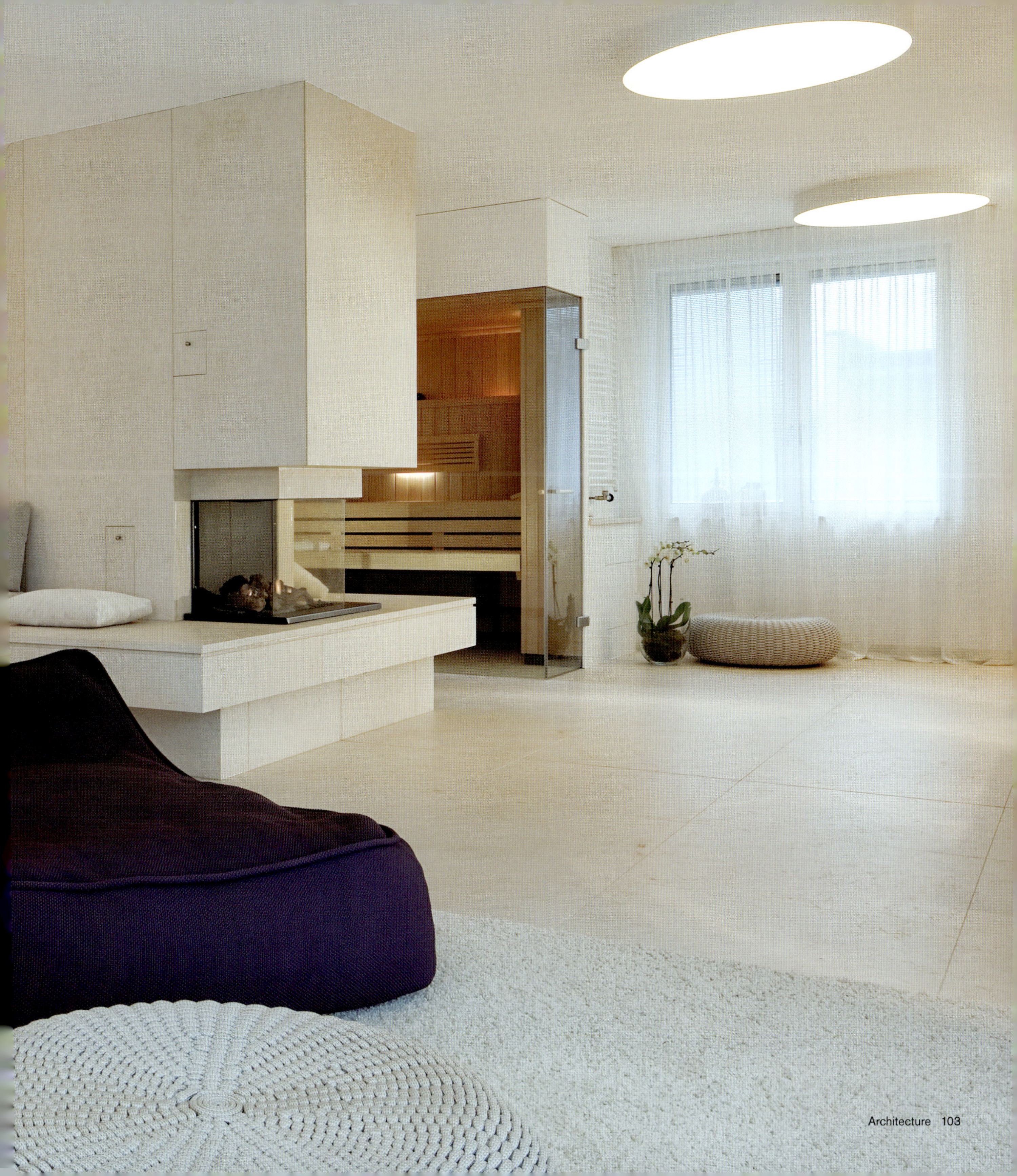

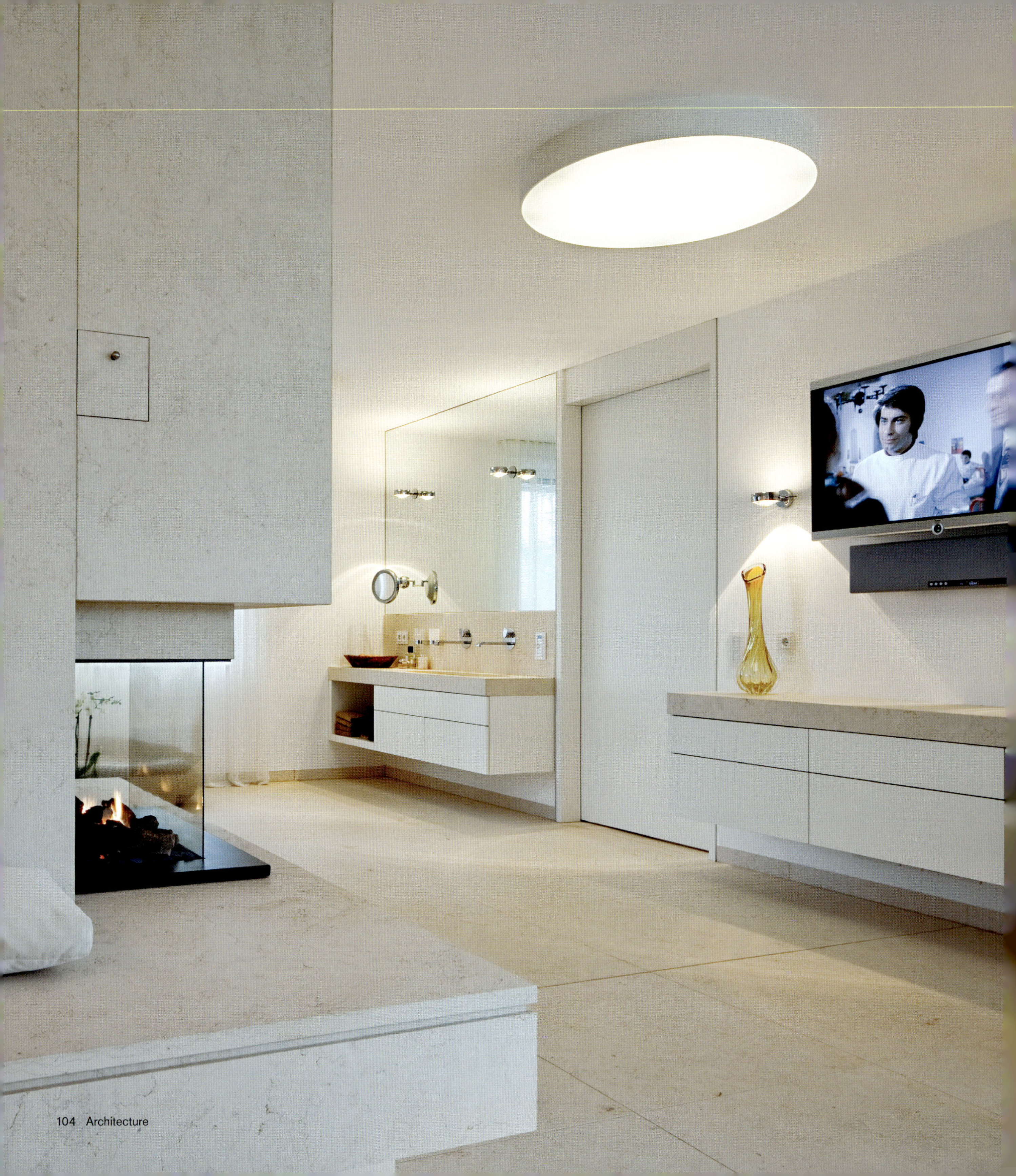

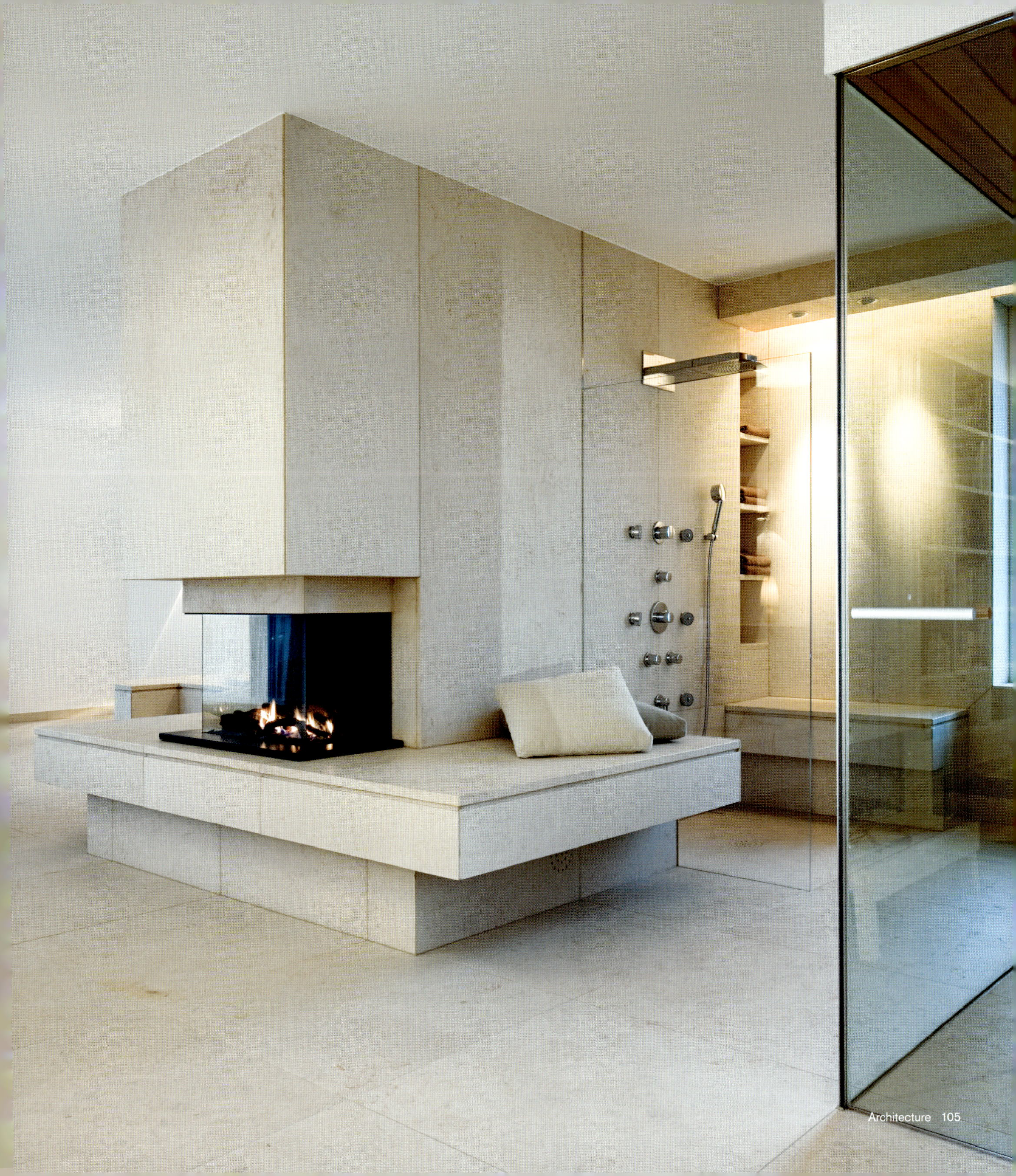

Kamin mit Badewanne
in einer Entwurfsvariante (links)
und in der Ausführung (oben)

*Fireplace with bathtub,
one of several proposed designs (left)
and final realization (top)*

Architecture 107

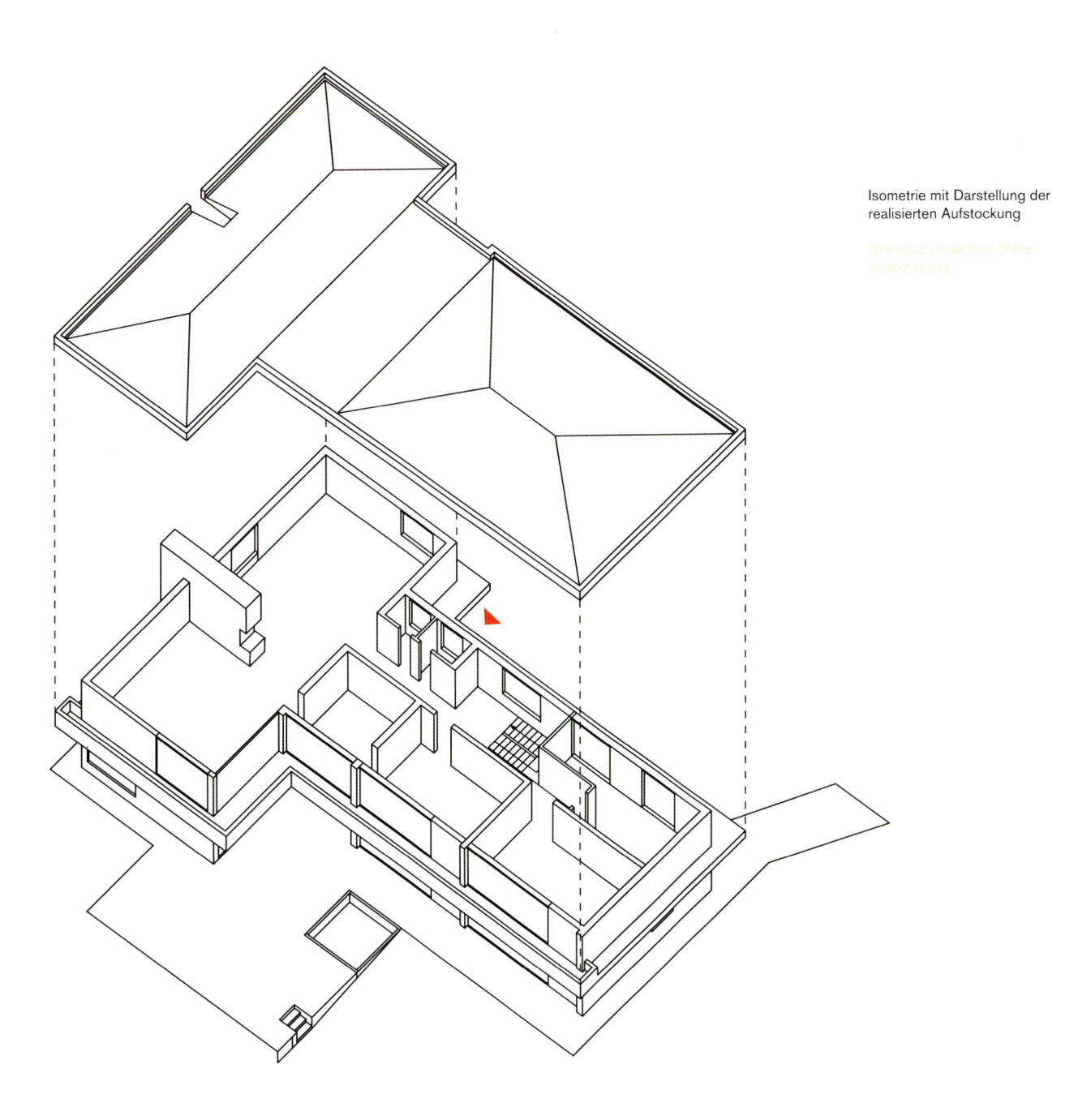

Isometrie mit Darstellung der
realisierten Aufstockung

*Isometric projection of the
added storey*

Erdgeschoss
Ground floor

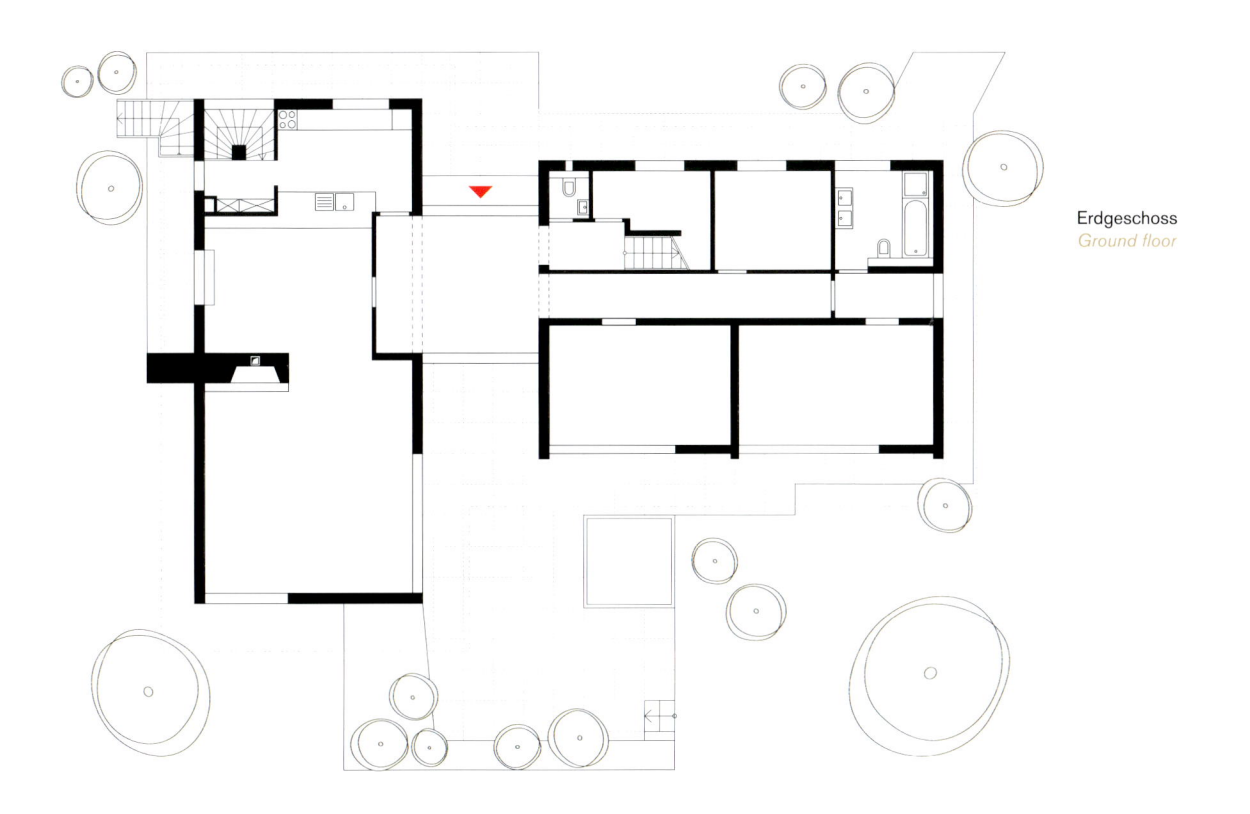

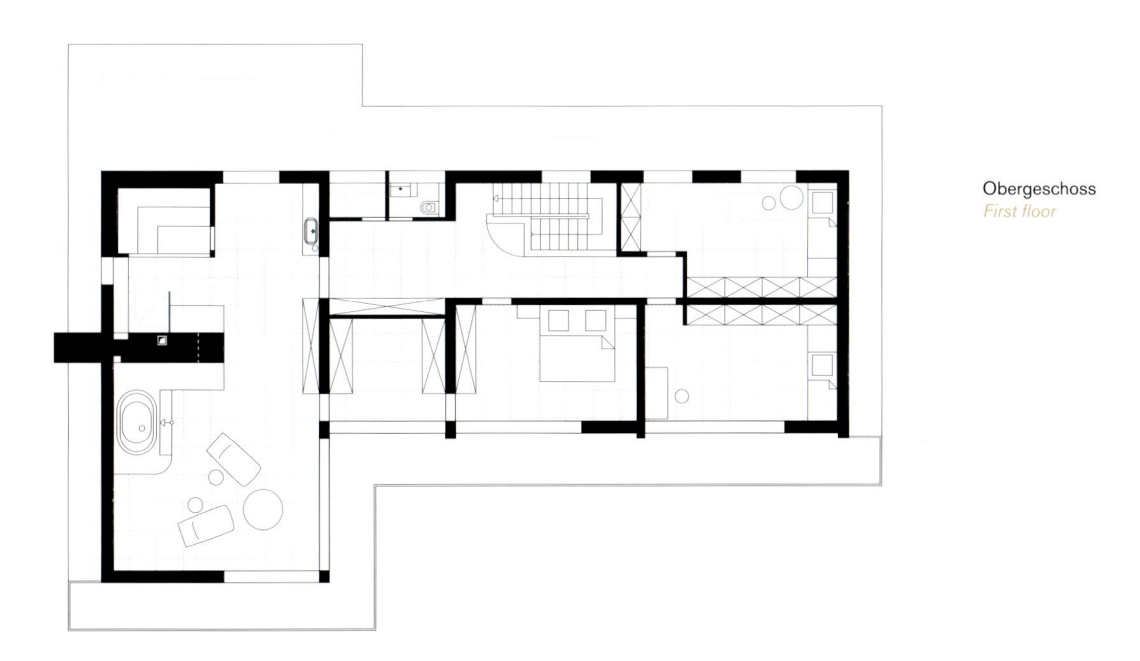

Obergeschoss
First floor

110 Architecture

TAS

TASCHKENT DIE USBEKISCHE HAUPTSTADT VERFÜGT ÜBER DIE GRÖSSTE VIELFALT AN PLATTENBAUTEN IN DER EHEMALIGEN SOWJETUNION.

TASHKENT THE UZBEK CAPITAL HAS THE GREATEST VARIETY OF PREFABRICATED PANEL BUILDINGS ANYWHERE IN THE FORMER SOVIET UNION.

Ästhetik der Platte
Aesthetics of Prefabrication

Philipp Meuser

Großbaustelle an der Ostseestraße in Ost-Berlin, 1960
Major housing construction site at Ostseestrasse in East Berlin, 1960

Ob Berlin oder Baltikum, Moskau oder Mittelasien – überall steht der serielle Wohnungsbau für den tristen Einheits-Chic des ehemaligen Ostblocks. Während sie hierzulande kein schlechteres Image haben könnten und zu Hunderttausenden vom Abriss bedroht sind, ist der Erhalt von Plattenbauten dort eine existenzielle Notwendigkeit. Jenseits aller versorgungspolitischen Fragen lohnt gerade der Blick auf das Detail. Dann entfalten die monotonen Bauformen ästhetische Qualitäten. Man muss sie nur sehen wollen.

Serieller Wohnungsbau

Der Begriff »Serieller Wohnungsbau« beschreibt zunächst ein Bausystem, bei dem ein einmal entwickelter Gebäudeplan ohne zusätzliche Entwurfsarbeit wiederholt umgesetzt werden kann. Die Errichtung verläuft wie bei einem Industrieprodukt, das mit zunehmender Stückzahl lediglich modifiziert und verbessert wird. In der Sowjetunion reichen die Anfänge der industriellen Vorfertigung im Bauwesen in die Zwanzigerjahre des 20. Jahrhunderts zurück. »Serieller Wohnungsbau« ist jedoch nicht ausschließlich mit industrieller Vorfertigung gleichzusetzen. Eine Wohnungsbauserie erhielt ihre Typenbezeichnung, nachdem sie vom *Staatlichen Komitee für das Bauwesen und den Wohnungs- und Kommunalwirtschaftskomplex* (GOSSTROJ) zentral in Moskau genehmigt und mit einer Registrierungsnummer versehen worden war. Die ersten Wohnungsbauserien bezeichneten Gebäude, die in Ziegelbauweise errichtet wurden. Insgesamt gibt es im sowjetischen Wohnungsbau fünf verschiedene Serienarten, die im Laufe der Jahrzehnte zur Anwendung kamen: Ziegelbauweise (konventioneller Mauerwerksbau), Großblockbauweise (Vorläufer der Großplatten), Plattenbauweise (raumhohe selbsttragende

Whether in Berlin, Moscow or Central Asia – everywhere series housing stands for the triste uniform style of the former East bloc. Whereas here in Germany the image of prefabricated panel buildings could hardly be worse, and hundreds of thousands of them are now threatened with demolition, in the former Soviet Union their preservation is an existential necessity. Yet it is worth leaving aside the social aspect to take a look at the details of the buildings themselves. For it is here that these apparently monotonous buildings start to reveal their aesthetic qualities.

Series Housing

The term "series housing" is used primarily to describe a system in which an architectural plan can be used time and again without ever having to go back to the drawing board. The construction of these buildings follows the same principles as industrial production, where the units are modified or improved but not substantially changed as output increases. In the Soviet Union the beginnings of industrial prefabrication go back to the 1920s. Nevertheless, "series housing" is not quite the same as industrial prefabrication. After being centrally approved in Moscow by GOSSTROI, the State Committee for Construction responsible for the housing and communal services sector, a housing series received a type designation and was assigned a registration number. The early housing series were built of brick. Over the decades altogether five different types of standard residential buildings were developed in the Soviet Union: brick construction (conventional masonry), large-block construction (the predecessor of the large-panel system), the large-panel system (storey-high self-supporting concrete elements), the frame system (reinforced concrete frame constructions with prefabricated

Architecture 113

ВАРИАНТ N 1

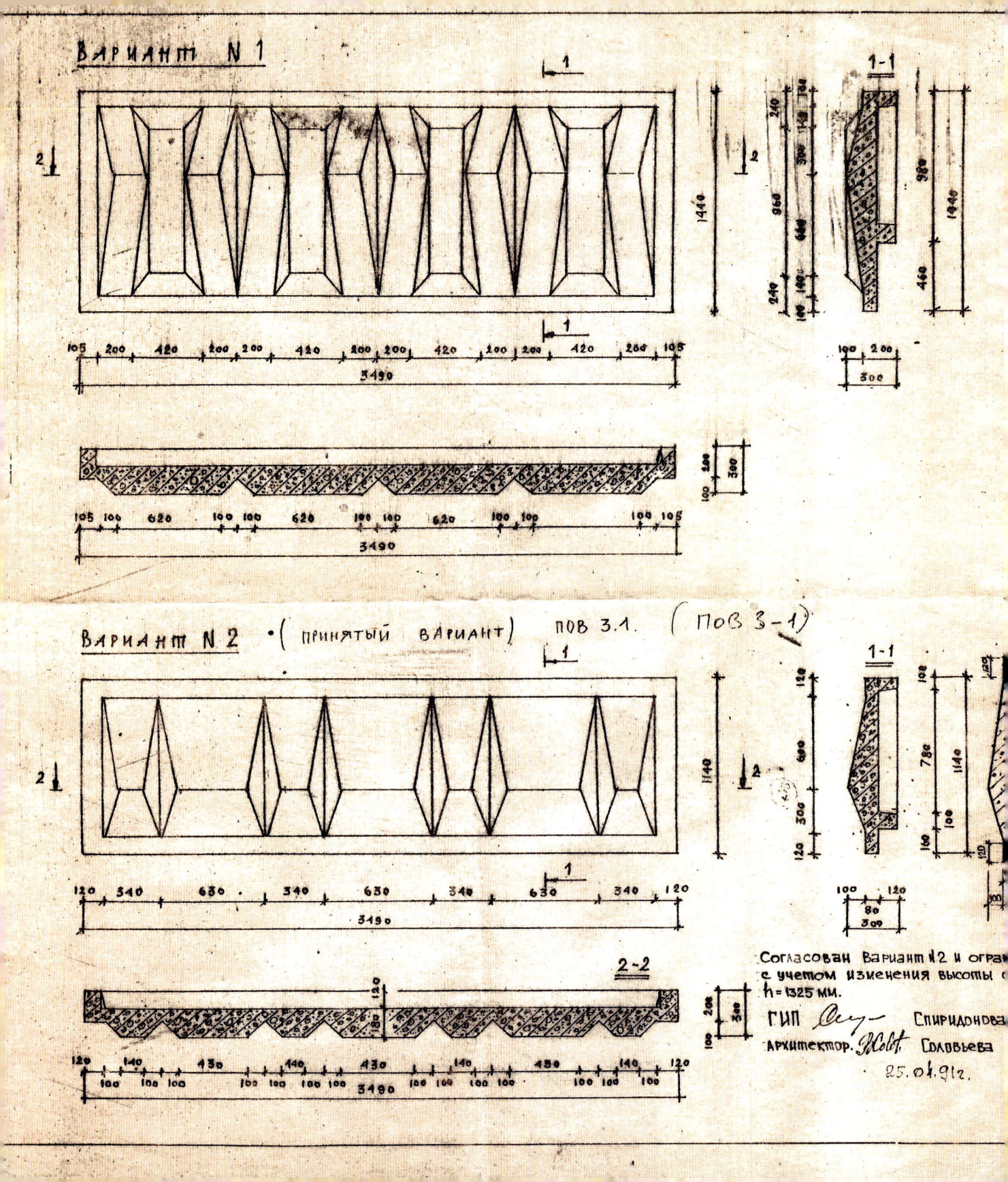

ВАРИАНТ N 2 — (ПРИНЯТЫЙ ВАРИАНТ) ПОВ 3.1. (ПОВ 3-1)

Согласован вариант N2 и огран
с учетом изменения высоты с
h = 1325 мм.

ГИП Спиридонова
Архитектор Соловьева
25.04.91 г.

(стилизованное решение) Пов 2-1

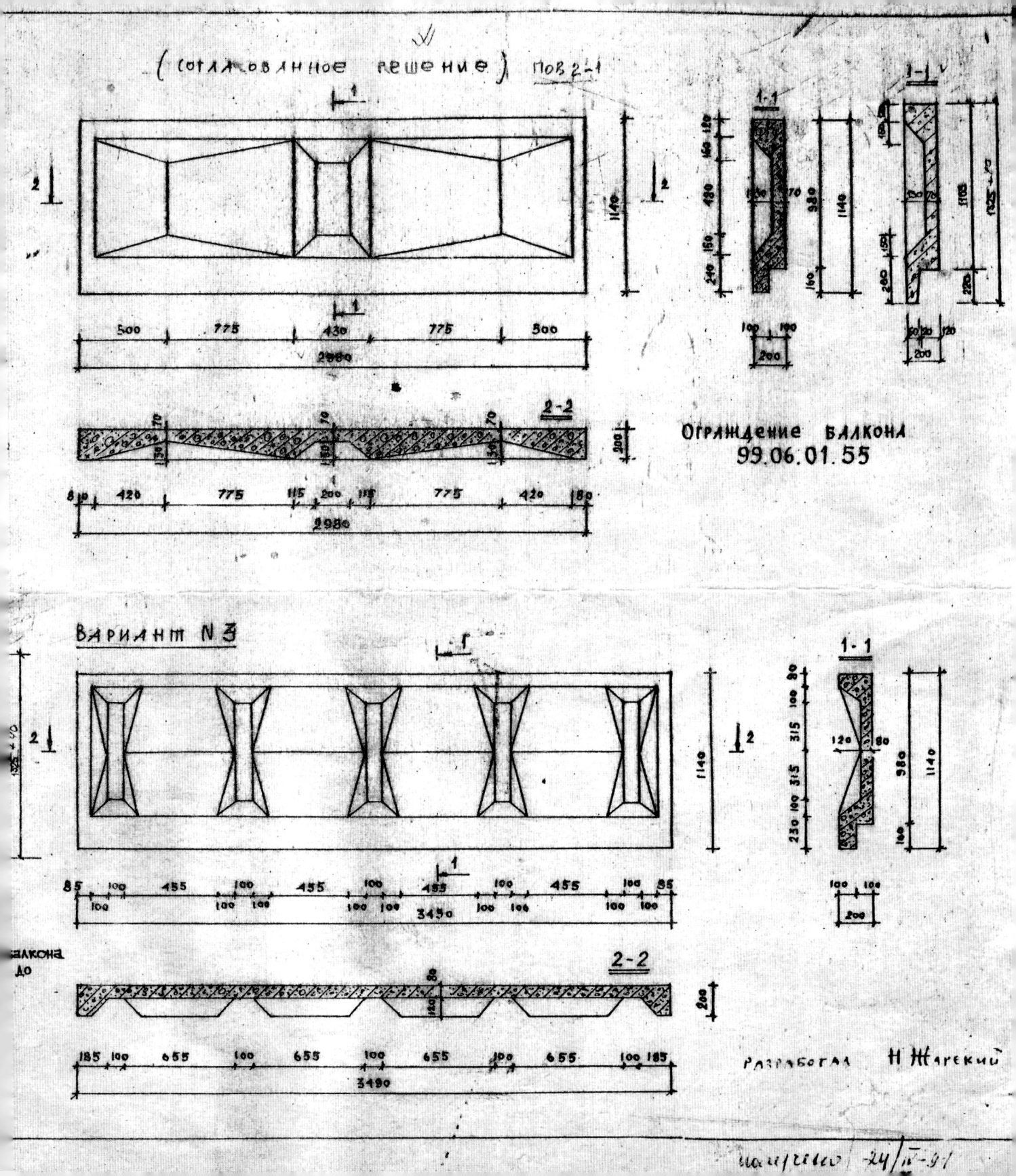

Ограждение балкона
99.06.01.55

Вариант №3

Разработал Н. Жатский

116 Architecture

Wohngebäude in Eriwan/Armenien,
erbaut um 1987

*Apartment block in Yerevan/Armenia,
built around 1987*

Seiten 114/115:
Ausführungszeichnung von Fassaden-
elementen für eine Wohnungsbauserie
in Taschkent/Usbekistan, 1991

*Pages 114/115:
Shop drawing of prefabricated
façade elements for a housing series
in Tashkent/Uzbekistan, 1991*

Betonelemente), Skelettbauweise (Stahlbetonskelettbau mit Ausfachung durch vorgefertigte Elemente), Blockbauweise (vorgefertigte dreidimensionale Raumelemente). In diesen Bausystemen wurden aber auch sogenannte individuelle Gebäude errichtet. Als »individuell« wurden all jene Häuser bezeichnet, die eben nicht nach einem seriellen, sondern einem individuell erarbeiteten Bauplan errichtet wurden. Allerdings kamen auch bei den individuellen Gebäuden Elemente der Wohnungsbauserien zur Anwendung. Die Unterscheidung in »seriell« und »individuell« lässt daher in erster Linie Rückschlüsse auf die Planmethodik, weniger auf die Bauausführung zu.

Zum grundlegenden Verständnis des Planens und Bauens in der Sowjetunion gehört auch die Rolle der staatlichen Projektinstitute und Baukombinate. In den verschiedenen Projektinstituten, die in den einzelnen Städten für Planungsaufgaben zur Verfügung standen, arbeiteten Architekten, Stadtplaner, Ingenieure und Haustechniker unter einem Dach. Das Projektinstitut verfolgte eine integrative Arbeitsmethode und zeichnete somit für die gesamte Planung verantwortlich. Sobald die jeweiligen Serientypen im Moskauer *Zentralinstitut für Forschung und experimentellen Wohnungsbau* (ZNIIEP) registriert waren, konnten die Gebäude ohne weitere Genehmigung vom örtlichen Planungsinstitut realisiert werden. Das Baukombinat erhielt nach der Genehmigung ausführungsreife Pläne und war fortan für die Bauleitung und Ausführung des Projekts zuständig. Oft wurden erforderliche Detailpläne erst während der Bauphase vom Baukombinat erstellt. Vor allem bei den Serientypen gab es keine Baupläne im herkömmlichen Sinne. Das Planen und Bauen war strikt getrennt, eine Bauleitung oder gar eine künstlerische Oberleitung durch den entwerfenden Architekten gab es nur in Ausnahmefällen wie etwa bei der Errichtung bedeutender Gesellschaftsbauten.

panels), and the block system (prefabricated three-dimensional elements). However, some so-called individual buildings were also erected using these construction systems. "Individual" was the term used to refer to all buildings constructed according to an individually conceived plan rather than one of the series, but that did not preclude series-housing elements being used. The distinction made between "series" and "individual" had more to do with how a building was planned than with how it was built. To properly understand architectural planning in the Soviet Union one needs to take into account the role of the state planning institutes as well as the state construction combines which were responsible for the actual construction of prefabricated housing. The planning institutes each city had at its disposal brought together architects, urban planners, engineers, and building technicians under one roof. The planning institutes used an integrative working method and were thus responsible for all aspects of planning. As soon as a series type had been registered with the Central Institute for Research and Experimental Design of Residential Houses (ZNIIEP) in Moscow, local planning institutes were able to construct buildings of this type without having to obtain any further planning permission. Once a type had been approved, the construction combines received plans ready for execution and from then were responsible for construction management and the execution of the project. Often the more detailed plans were not drawn up by the construction combine until construction had already begun. Particularly with the series types, there were no construction plans in the usual sense. Planning and construction were strictly separate activities, and only in exceptional cases – such as the construction of important public buildings – did the original architect play a role on site as construction manager or art and design supervisor.

118. Architecture

Architecture 119

Spaziergang durch Taschkent

Vor diesem Hintergrund rückte das künstlerische Wirken der Brüder Scharski in Taschkent besonders in das Interesse der sowjetischen Öffentlichkeit. Ein Spaziergang durch die usbekische Hauptstadt gleicht dem Besuch eines Architekturmuseums. Zu bestaunen sind weniger die Ikonen orientalischer Baukunst als vielmehr die unzähligen Dekor-Varianten an den Fassaden der Plattenbauten. Es sieht so aus, als hätten sich in der mittelasiatischen Metropole die Architekten mit der Formenvielfalt selbst etwas beweisen wollen. Fast scheint es, dass jeder Wohnriegel als Exponat einer Musterschau darauf wartet, von einer Immobiliengesellschaft in hoher Auflage bestellt zu werden. Aufwand und Anspruch des hiesigen Wohnungsbauprogramms haben in der aktuellen Architekturgeschichtsforschung bislang jedoch kaum Beachtung gefunden.
Taschkent gilt seit Sowjetzeiten als Versuchslabor des industriellen Bauens. Zweifellos zählen die zahlreichen Satellitenstädte, die ab Ende der Sechzigerjahre errichtet wurden, zu den architektonischen Highlights in der mittelasiatischen Steppe. Auch wenn sie nie gegen die jahrhundertealte Baukunst des Islams antreten mussten, scheint die neue Architektur von deren Geist beseelt: Jenseits von monotonen Lochfassaden und unwirtlichen Schlafstädten wird das Thema Massenwohnungsbau hier auf ästhetisch hoch anspruchsvolle Weise behandelt.
Dass das an der Seidenstraße gelegene Taschkent überhaupt in den Rang einer sowjetischen Modellstadt aufsteigen konnte, hat einen tragischen Hintergrund. 1966 wurde die gesamte Stadt durch ein Erdbeben zerstört. Binnen weniger Sekunden fielen orientalisch-verwinkelte Altstadtquartiere und wohlgestaltete Plätze in Schutt und Asche. Diese Katastrophe war für die von

A Stroll through Tashkent

Against this background the architecture of the Sharsky brothers in Tashkent was of particular interest to the Soviet public. Strolling around the Uzbek capital is like visiting an architecture museum. More striking than the icons of Oriental architecture are the numerous variations in décor on the façades of the prefabricated panel buildings. One has the impression that architects in this Central Asian city wanted to prove something to themselves by using such a variety of forms. It is almost as if each building were on display in an exhibition of prototypes waiting for a large-scale orders from property developers. Yet the effort and ingenuity that went into the housing construction programme in Tashkent have so far gone virtually unnoticed by research into architectural history.
Since the Soviet era, Tashkent has come to stand for a kind of experimental laboratory for industrial building. The numerous satellite towns built since the late 1960s certainly count among the architectural highlights of the Central Asian steppe. Even though they were never required to compete with the centuries-old aesthetic of Islamic architecture, they appear to be inspired by the same spirit. Here mass housing construction is treated in an aesthetic and highly sophisticated way that goes beyond the monotonous façades with their hole-like windows and the inhospitable dormitory towns.
How Tashkent, the city on the Silk Road, attained the status of a model Soviet city at all is actually a tragic story. In 1966 the entire city was destroyed by an earthquake reducing the Oriental old town with its winding alleys and attractive squares to a pile of rubble in a matter of seconds. This disaster presented Soviet planners with an enormous challenge. Though used to thinking

120 Architecture

Seiten 118/119:
Sowjetische Arbeiterinnnen auf einer Baustelle in Taschkent/Usbekistan, 1969

Pages 118/119:
Soviet women working on a construction site in Tashkent/Uzbekistan, 1969

Utopien und Ideologien geprägten Planer der Sowjetunion die Herausforderung schlechthin. Der politische und wirtschaftliche Druck, binnen weniger Jahre eine Stadt für mehr als eine Million Menschen neu aufzubauen, beflügelte die Architekten zu ästhetischen Höchstleistungen. Bereits ein Jahr nach der Katastrophe zogen die ersten Bewohner in neu gebaute Heimstätten. Ermöglicht hatte dies eine Kooperation aller Sowjetrepubliken, die – so sagt es zumindest die Legende – ihre »besten Planer in den südlichen Teil des Reichs« entsandten. Die Architekten bestellten mit ihren Wohnmaschinen sowohl unmittelbare Innenstadtlagen wie auch die grüne Wiese an der Peripherie. Dort entstanden sieben Trabantenstädte, deren Formenvielfalt das industrielle Bauen der Sowjetunion widerspiegelt. Neben verschiedenen Plattentypen entwickelten die Baukünstler unterschiedliche Dekor-Elemente für die Giebelwände oder Fensterformen. Alles schien erlaubt, nur nicht das simple Loch in der Wand. Trotz des ungeheuren Zeitdrucks schufen die Planer in Taschkent Plattenbausiedlungen, die bautechnische Anforderungen mit lokalen Traditionen zu verbinden wussten. So finden sich an den Fassaden vieler Wohnbauten geometrische Muster, die von der Architektur des Islam inspiriert sind – eine Traditionslinie, die der industriellen Baukonstruktion besonders entgegenkommt. Schließlich verbietet die Religion ikonografische oder allegorisch-figürliche Darstellungen und setzt von jeher auf abstrakte Wiederholungen, zu denen vor allem der Halbmond oder auch florale Elemente zählen. Vor allem Letztere bieten sich als allegorische Anspielung auf die lokale Ökonomie an: Die Wirtschaftskraft Usbekistans basiert heute wie einst auf dem Anbau von Baumwolle.
Aufgrund der Konstruktionstechnik, bei der Wandelemente inklusive Fenster in Fabriken vorgefertigt und auf der Baustelle nur

in terms of Utopias and ideologies, in reconstructing an entire city for more than a million people within the space of a few years they were also faced with immense political and economic pressure which inspired them to new aesthetic heights. Only one year after the earthquake, the first new residential districts were ready for people to move into. This was made possible by a cooperation project involving all the Soviet republics, which – or so the story goes – sent their best planners to the southern region of the empire. With their "housing machines" the architects managed to make new housing spring up not only in the inner city but also in previously green areas on the periphery, where seven satellite cities emerged that mirrored the formal variety of industrial construction throughout the former Soviet Union. Alongside the different types of panels, the architects also came up with a whole range of décor elements for gables and a wide variety of window shapes. It was a case of anything goes – except a simple hole in the wall.
Despite the enormous time pressure, the Tashkent planners created panel housing complexes that succeeded in combining construction specifications with local traditions. Hence one finds many geometrical patterns on the façades of the new housing blocks that are inspired by Islamic architecture – a design tradition whose regularity fits in particularly well with industrial construction. After all, Islam forbids any iconographic or allegorical figurative representations and therefore builds on the principle of abstract repeating patterns that frequently use crescents or floral elements. The latter in particular are an appropriate allegorical allusion to the local economy, which in Uzbekistan is based now as in the past mainly on growing cotton.
Since in this mode of construction the wall elements including the windows are prefabricated and simply assembled on site,

WAGT BIZIN
YURDUMYZYN
SAYLAP ALAN
YOLUNYN
DURSLUGINI HEM-DE
ESASLYLYGYNY
GÖRKEZDI
«DÖWLET
ADAM ÜÇINDIR»
DIÝEN SYGAR
BIZIŇ
IDEOLOGIÝAMYZYŇ
ESASY BOLMALYDYR!

ASB

ASCHGABAD INDUSTRIELL VORGEFERTIGTE BAUTEILE SIND IN TURKMENISTAN WIE ZU SOWJETZEITEN TEIL DES WOHNUNGSBAUPROGRAMMS.

ASHGABAT INDUSTRIALLY PREFABRICATED CONSTRUCTION ELEMENTS REMAIN PART OF THE HOUSING CONSTRUCTION PROGRAMME IN TURKMENISTAN, JUST AS THEY WERE IN THE SOVIET ERA.

124 Architecture

Entwurf für ein Fassadenmosaik an einem Wohngebäude in Taschkent/ Uskekistan und realisiertes Projekt, um 1975

Design for a façade mosaic on an apartment block in Tashkent/ Uzbekistan, and the finished building, c. 1975

noch zusammengesetzt wurden, avancierte die Fuge zwischen den Platten zu einem wichtigen Gestaltungsthema. Wie Nadelstreifen auf einem Anzug überziehen sie die schlichten Hausquader, deren Abstand und Dimension von den Aktionsradien der Baukräne vorgegeben wurden.

Allgemein lässt sich industrielles Bauen, dessen Grundlagen bereits in den Zwanzigerjahren insbesondere am Bauhaus Dessau gelegt wurden, als soziale Kunst verstehen. Es ist der Versuch, planungstechnisch die Welt zu verbessern. Durch die Rationalisierung des Bauprozesses sollte möglichst schnell möglichst vielen Menschen ein möglichst annehmliches, im Vergleich mit damaligen Maßstäben geradezu luxuriöses Leben geboten werden. Dieser Ansatz ebnete den Weg für Neubauwohnungen in großer Zahl, die über Heizung, fließend Wasser und Innentoilette verfügten – Dinge, die mittels althergebrachter Handwerksbauweise nie zu Massenprodukten hätten werden können. Hinzu kam der ästhetische und aus dem Ideal der Demokratie abgeleitete politische Anspruch nach einer universell gestalteten Umwelt. In der DDR war es Hans Schmidt, der Mitte der Fünfzigerjahre als Leiter des *Instituts für Typung* theoretische Grundsätze aufstellte, die im gesamten Ostblock Anerkennung finden sollten. Schmidt hatte schon 1924 als Herausgeber der Zeitschrift *ABC – Beiträge zum Bauen* eine Architektur auf Basis industrieller Produktionsprinzipien propagiert. Freilich war die

the joints between the panels are an important design feature. Like the stripes on a pinstriped suit they run down the plain housing blocks, whose dimensions and distance from one another are determined by the action radius of construction cranes. Generally speaking, we may understand industrial construction, the foundations for which were laid by the Dessau Bauhaus back in the 1920s, as social art. It represents an attempt through planning to make the world a better place. The idea was that by rationalizing the construction process, housing could be provided for as many people as possible as quickly as possible – housing that by the standards of the time was not only acceptable but really quite luxurious. This approach allowed large numbers of modern apartments to be built with heating, running water, and an inside toilet – things that could never have been mass-produced using traditional craftsmanship. Moreover, industrial construction met the political ideal of redesigning the world in the spirit of democracy.

The theoretical principles formulated in the mid-1950s by Hans Schmidt, director of the East German "Institut für Typung" were to be adopted throughout the East bloc. As publisher of the magazine "ABC – Beiträge zum Bauen", Schmidt had in 1924 propagated an architecture based on industrial production principles. But he was far ahead of his time. Before plans like his could be realized the founders of the first socialist state

Großbaustelle für Wohngebäude in Hellersdorf-Marzahn in Ost-Berlin, 1979

Major housing construction site in the East Berlin district of Hellersdorf-Marzahn, 1979

Praxis damals längst noch nicht so weit. Zudem mussten die Gründer des ersten sozialistischen Staates ihre Lebensvorstellungen erst populär machen – nicht zuletzt, indem sie zunächst auf vertraute nationale Traditionen zurückgriffen. So konnten sich Schmidts Ideen erst nach der Konsolidierung einer neuen Architektengeneration durchsetzen. Nach seinen Vorstellungen sollten die neuen Planer bereits in der Ausbildung lernen, die »bautechnisch bedingte Tektonik der industriellen Bauweise« schon in der Entwurfs- und nicht erst in der Ausführungsphase umzusetzen. Denn, so schlussfolgerte der Ideologe, das Klare, Einfache und Einheitliche entspräche dem Wesen der sozialistischen Gesellschaft. Ein Trugschluss. Der immer wieder formulierte Anspruch, eine vermeintlich neue Gesellschaft durch einen neuen Bauprozess zu formen, konnte von den Architekten nur bei politisch als äußerst hochrangig eingestuften Mustersiedlungen eingelöst werden. Aufgrund von Materialknappheit und Arbeitskräftemangel endete die Idee einer flächendeckenden Erneuerung der Gesellschaft in einem ökonomischen und gestalterischen Desaster. Technische und qualitative Defizite und eine ästhetische Vergröberung der Formen prägten mehr und mehr den Plattenbau.

Dabei war dem Gedanken einer Vorfertigung von Bauelementen zur Rationalisierung des Bauablaufs durchaus viel Positives eigen. Bereits in der klassischen Moderne hatten Pioniere wie Konrad Wachsmann oder Walter Gropius das Thema aufgegriffen und Entwürfe für Typenhäuser vorgelegt. Fasziniert von den Versprechungen des Maschinenzeitalters wollten auch sie die Raumkunst vollends technisieren und erlagen dabei der Fehleinschätzung, die individualisierte Disziplin der Architektur in eine Prozesstechnik verwandeln zu können. Es war der Berliner Architekturkritiker Wolfgang Kil, der die Erkenntnis formulierte,

would need to gain popular acceptance for their ideas about a new way of living – and they did this not least by harking back to familiar national traditions. For these reasons, Schmidt's notions did not catch on until a new generation of architects had established themselves. He believed that the new planners should be taught during their architectural training to bring the "technically determined tectonics of industrial construction" forward to the planning stage rather than leaving it until the construction phase. For then, he reasoned, the clear, the simple, and the uniform would correspond with the essence of socialist society. In fact this was a fallacy, for it was only in model settlements assigned top political priority that architects were able to realize the oft-invoked ambition of building an allegedly new society via a new construction process.

Because of materials and labour shortages, the idea of comprehensive social renewal ended in economic and architectural disaster. Increasingly, prefabricated panel building was plagued by technical deficiencies and poor quality while designs became aesthetically crude. And yet there was much that was positive about the idea of prefabricated construction elements as a way of rationalizing the building process. It was an idea that pioneers of classical modernism like Konrad Wachsmann or Walter Gropius had already taken up in their designs for standard housing. Fascinated by the promises of the mechanized age they, too, wanted to make architecture a fully technical process – in the mistaken belief that they could turn a fundamentally individualistic discipline into a process technology. It was the Berlin architecture critic Wolfgang Kil who pointed out that the industrialization of the construction sector in the German Democratic Republic (GDR) was not an invention of technocrats but purely a matter of faith.

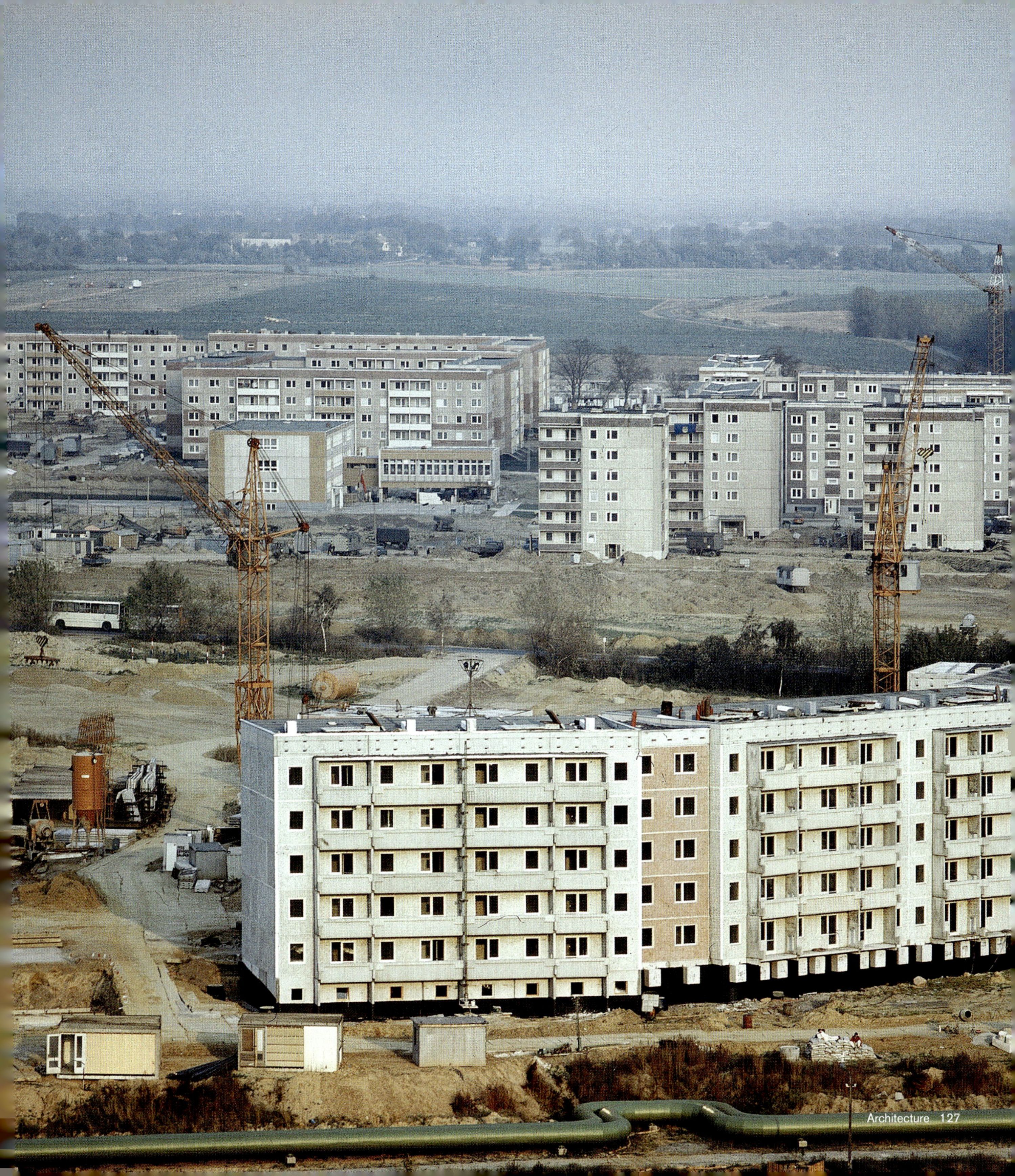

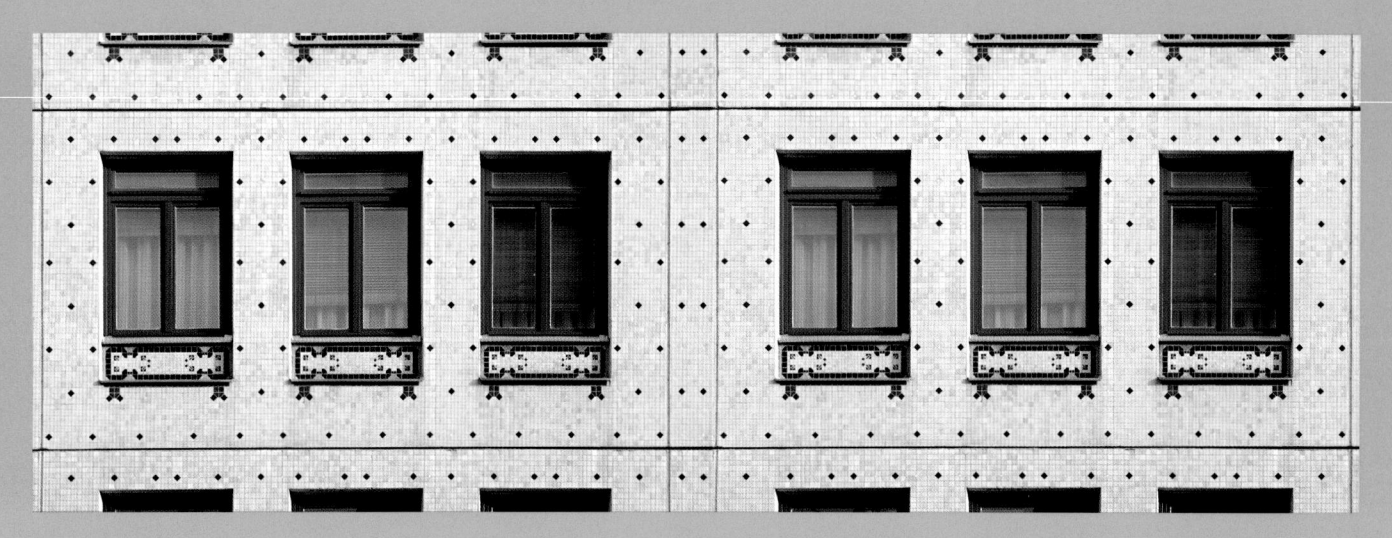

Fassadendekor an einem Wohnhaus am Gendarmenmarkt in Ost-Berlin, erbaut 1987

Façade decoration on an apartment block on Gendarmenmarkt in East Berlin, built in 1987

dass die Industrialisierung des Bauwesens in der DDR keine Erfindung von Technokraten, sondern eine reine Glaubensfrage war. Was die Planer jenseits von Ökonomie und Technik hingegen allerorts beschäftigte, waren regionale Bautraditionen und ihre bautechnische Interpretation im Plattenbau. Zwischen Magdeburg und Wladiwostok bildeten sich daher ganz unterschiedliche Typen heraus, die zwar über ein differenziertes Dekor verfügten, jedoch alle dem seriellen Bauen verpflichtet waren. Vor allem in Mittelasien, das durch seine jahrtausendealte Baugeschichte über eine orientalische Formenvielfalt gebot, entfaltete der Plattenbau seine schönsten Blüten. Auch anderswo wurde die industrielle Bauweise mit lokalen Ornamenten und Formen verfeinert. Während einerseits Fensterformen aus sakralen Mustern abgeleitet und triste Wohnbauten zu regelrechten Schmuckkästen ästhetisiert wurden, mussten Architekten andererseits immer wieder auch Rückschläge – meist diktiert von ökonomischen Engpässen – einstecken und Gestaltungsabsichten zugunsten einer oft schnöden Wirtschaftlichkeit opfern. Die tristen WBS 70 – ein Plattentypus, der die Massenproduktion wie kein Zweiter prägen sollte – sind ein bekanntes Beispiel für den Niedergang des gestalterischen Anspruchs im seriellen Wohnungsbau. So ist es kaum verwunderlich, dass viele Wohnsiedlungen in den ehemaligen Ostblockstaaten trotz ihrer industriellen Fertigung von den Bewohnern individuell weitergebaut

What planners everywhere were interested in, above and beyond economics and technology, was regional building traditions and how they could be interpreted in the design of prefabricated panel buildings. Between Magdeburg and Vladivostok, therefore, buildings of quite different types emerged whose décor varied considerably but all of which were committed to the idea of series building. Particularly in Central Asia, where centuries-old architectural traditions offered a great variety of Oriental forms, panel building blossomed. But in other places, too, local ornaments and forms added refinement to industrial construction. While on the one hand the shapes of windows were modelled on those of sacred buildings, and drab apartment blocks were aestheticized to become highly decorative pieces of architecture, architects time and again had to face setbacks – mainly conditioned by economic constraints – and to sacrifice their original design ambitions to mundane cost-saving considerations. The triste WBS 70 – a type of panel building that was to dominate mass production like no other – is a notorious example of the decline of the design pretensions that series housing once had. It is therefore hardly surprising that many industrially produced housing complexes in the former East bloc states have been modified by their inhabitants in individual ways. This has happened not least because in those countries, up to 98 percent of formerly state-owned housing was handed

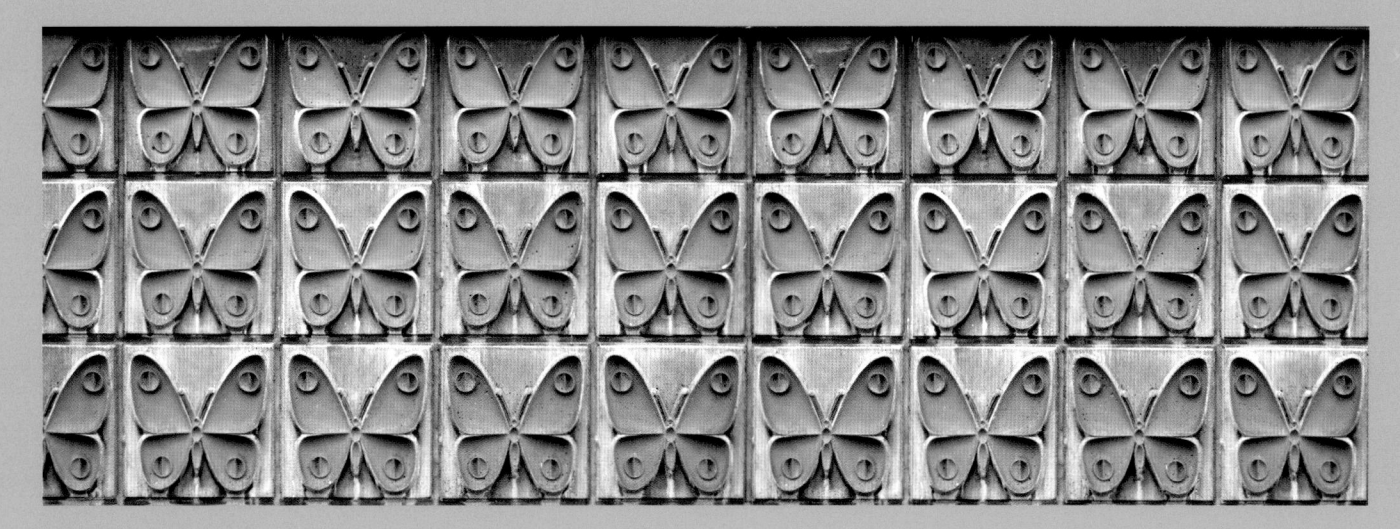

Walter Sutkowski: Formsteine an einer *Kinderkombination 90/180* in Ost-Berlin, 1974

Walter Sutkowski: Moulded panels on a children's day-care centre, series type 90/180, in East Berlin, 1974

werden. Dies geschieht nicht zuletzt auch deshalb, weil in jenen Ländern bis zu 98 Prozent der ehemals volkseigenen Wohnungen direkt an die Bewohner verschenkt wurden. Dadurch sind die Plattenbauquartiere vielerorts zu Keimzellen einer neuen Bürgergesellschaft geworden. In Ostdeutschland, wo eine derartige breite Eigentumsbildung verpasst wurde, stehen inzwischen mehrere Hunderttausend Wohnungen leer. Von Leipzig bis Schwerin hat man mit dem Abriss begonnen. Die nächsten Generationen werden es zwar danken, dass der kunsthistorische Wert des industriellen Bauens inzwischen Anerkennung findet und die Architektur der Sechziger- und Siebzigerjahre teilweise bereits unter Denkmalschutz gestellt wird. Dennoch bleibt die Frage, warum die durchaus hohen gestalterischen und sozialen Ansprüche des sozialistischen Bauens größtenteils auf Kosten der alten Substanz durchgesetzt wurden. Während an den Stadträndern Schlafstädte wie Pilze aus dem Boden schossen, gerieten die Zentren regelrecht in Vergessenheit. Erst Mitte der Achtzigerjahre, als in der DDR und den anderen sozialistischen Staaten ein gewisser Unmut über die Monotonie des Massenwohnungsbaus spürbar wurde, rückten die Innenstädte wieder in den Fokus der Planer. Der ökonomische und politische Niedergang des Sozialismus war zu diesem Zeitpunkt jedoch nicht mehr aufzuhalten. Dass mit ihm auch seine Ästhetik in Verruf geriet, war unvermeidlich. Doch bei Weitem nicht immer berechtigt.

over to the people who lived in it. In many places, the panel developments have hence become the nucleus of a new civil society. In East Germany, where the chance was missed to create a broad sector of property owners, several hundred thousand apartments now stand empty. As we know, demolition has begun from Leipzig to Schwerin.

Future generations will be thankful that the value of industrial construction for art history has now been recognized, and 1960s and 1970s architecture has acquired the status of listed buildings. Yet the question remains why the design and social ambitions of socialist construction – which were certainly high – generally won the day at the expense of the old building fabric. While the notorious dormitory towns were mushrooming out of the ground on the periphery, inner cities were being consigned to oblivion. Not until the mid-1980s, when in both the GDR and other socialist states a certain dissatisfaction with the monotony of mass housing developments began to be tangible, did the inner cities reclaim planners' attention. By that time, however, the economic and political collapse of socialism could no longer be averted. And while it was inevitable that socialist aesthetics would also fall into disrepute, this was by no means always justified.

Architecture

TAS

TASCHKENT NACH DEM ERDBEBEN AM 26. APRIL 1966 ERRICHTETEN DIE SOWJETREPUBLIKEN BINNEN DREI JAHREN MEHR ALS 100.000 WOHNUNGEN.

TASHKENT AFTER THE EARTHQUAKE ON 26 APRIL 1966, THE SOVIET REPUBLICS HELPED REBUILD THE CITY. MORE THAN 100,000 HOMES WERE CREATED.

Typenprojekt Schule
School Prototype
Tscheboksary

Bauherr
Volgastroi Projektni Institut

Projektadresse
Wohngebiet *Finnische Aue*
Tscheboksary/Russland

Zeitraum
2007–2009

Dass ausgerechnet der Neubau einer Schule den Auftakt für die Entwicklung des Wohnquartiers *Finnische Aue* bildet, hat durchaus Hintersinn. Denn in dem neuen Viertel sollen sich Familien ansiedeln, deren Nachwuchs man nicht nur eine nahe gelegene Bildungseinrichtung bieten möchte, sondern auch eine Begegnungsstätte. Das Gebäude beherbergt daher neben Klassenzimmern auch ein Schwimmbad, eine Mehrzweck- und Sporthalle sowie eine Bibliothek. Mit seiner Architektur knüpft der dreigeschossige Neubau an die Bautraditionen der Sowjetunion an: ein Stahlbetonskelett mit einer vorgehängten Fassade aus Betonfertigteilen. Der drohenden Eintönigkeit von vorgefertigten Bauelementen begegnet man hier mit Lisenen und plastisch strukturierten Fassadenpaneelen, die den Fronten eine zwar strenge, dennoch differenzierte Anmutung verleihen. Durch geringe gestalterische Intervention gelingt es, die Geschossebenen optisch miteinander zu verknüpfen und dem Gebäude über das sich wiederholende geometrische Motiv einen eigenständigen Ausdruck zu verleihen. Es sind gerade diese Details, in denen die ästhetischen Parameter serieller Produktion zum Vorschein kommen und die zeigen, dass Plattenbau auch anders geht.

The first building to take shape here will be a school. And for good reason: the new residential development is intended above all to attract young families, whose offspring will find that their school has much more to offer than just classrooms. Facilities will include a swimming pool, an indoor sport and event venue, and a library. Pilaster strips and moulded façade panels save the reinforced concrete frame structure from the monotony often associated with prefabrication. Small design details unify the whole, with a recurring geometric motif giving the building a distinctive character.

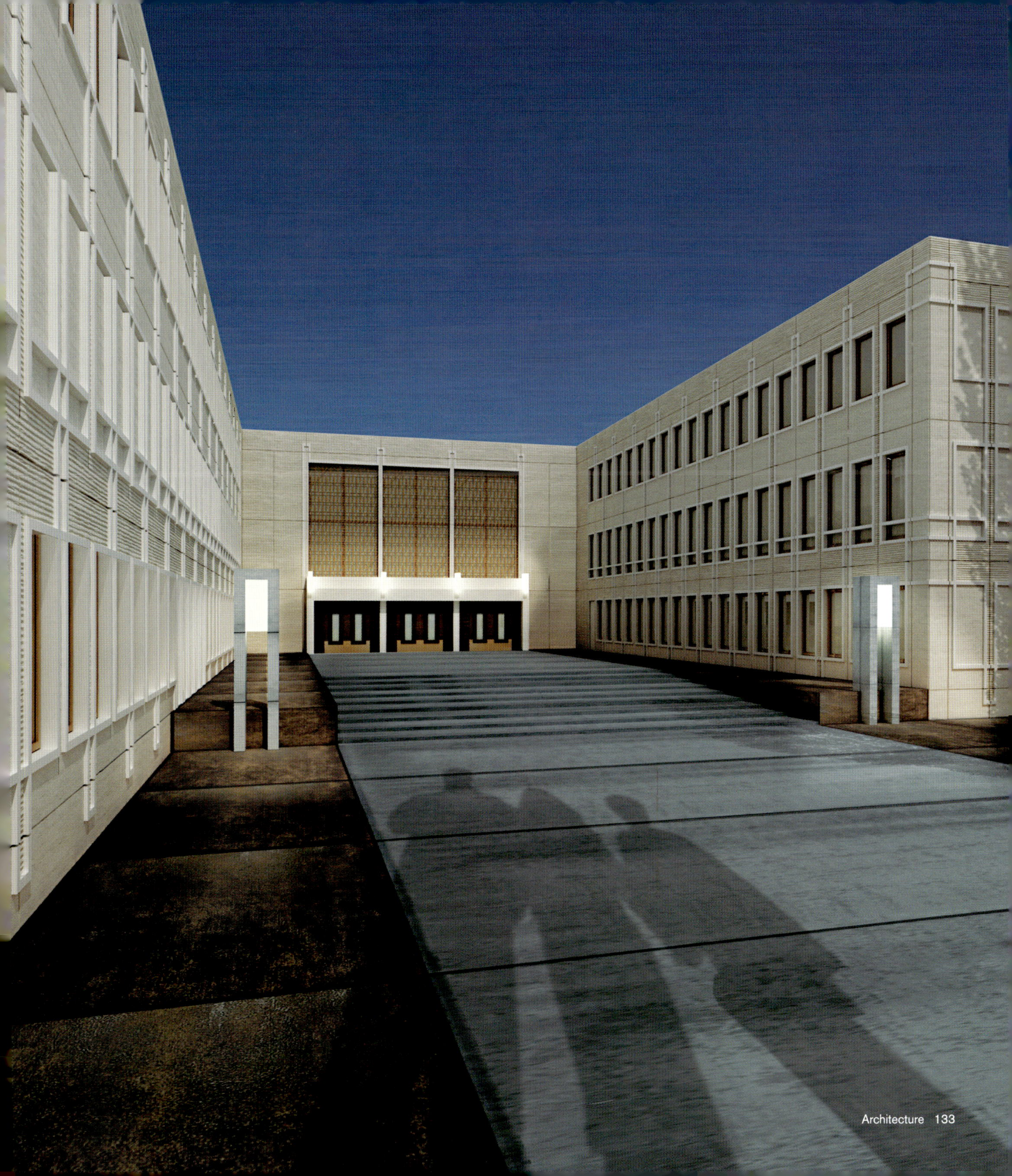

134　Architecture

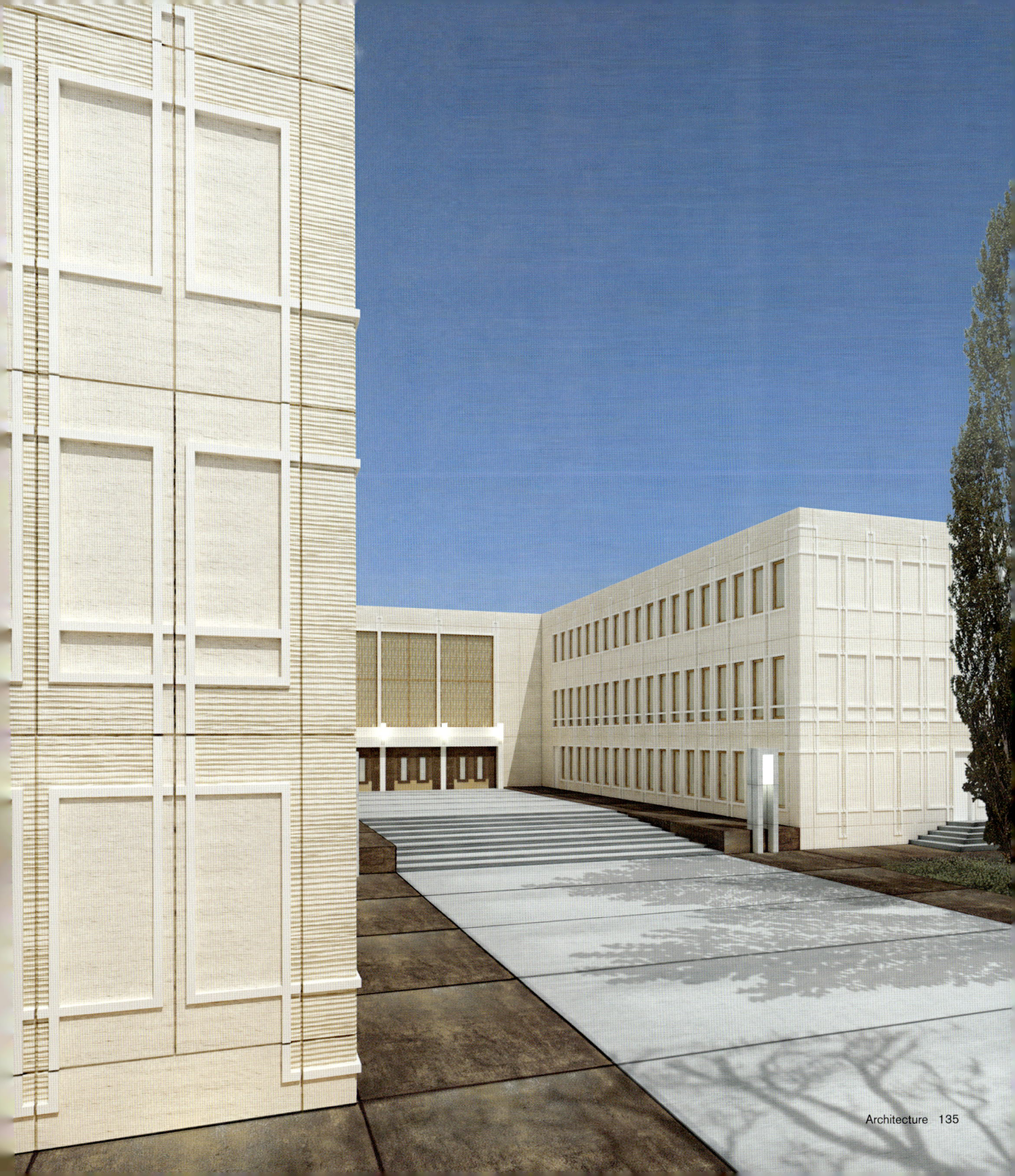

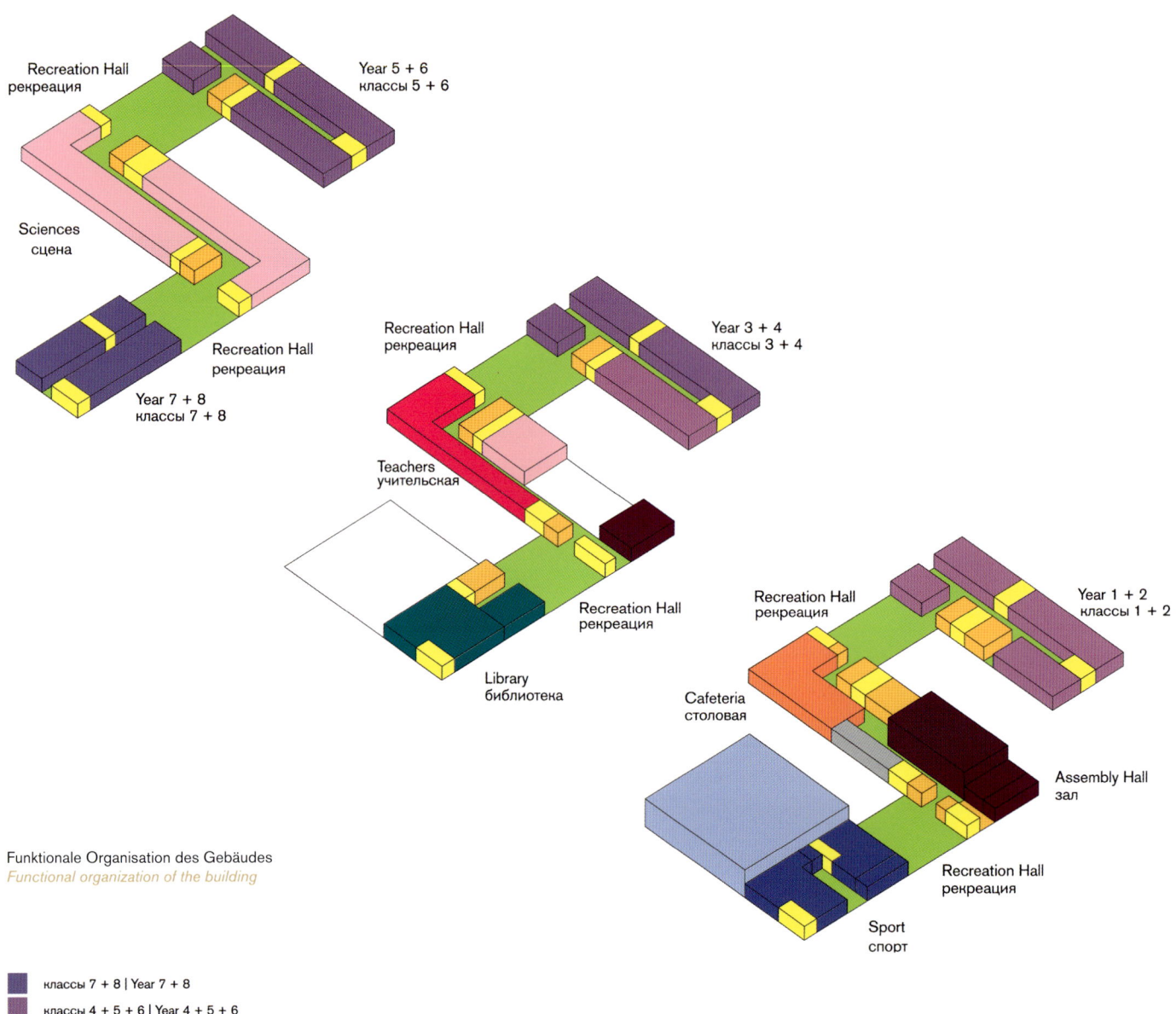

Funktionale Organisation des Gebäudes
Functional organization of the building

- классы 7 + 8 | Year 7 + 8
- классы 4 + 5 + 6 | Year 4 + 5 + 6
- классы 1 + 2 + 3 | Year 1 + 2 + 3
- сцена | Sciences
- учительская | Teachers
- зал | Assembly Hall
- спорт | Sports Arenas
- спорт | Dresseing Rooms
- библиотека | Library
- staircase
- functional areas
- рекреация | Recreation Halls

136 Architecture

Lageplan
Site plan

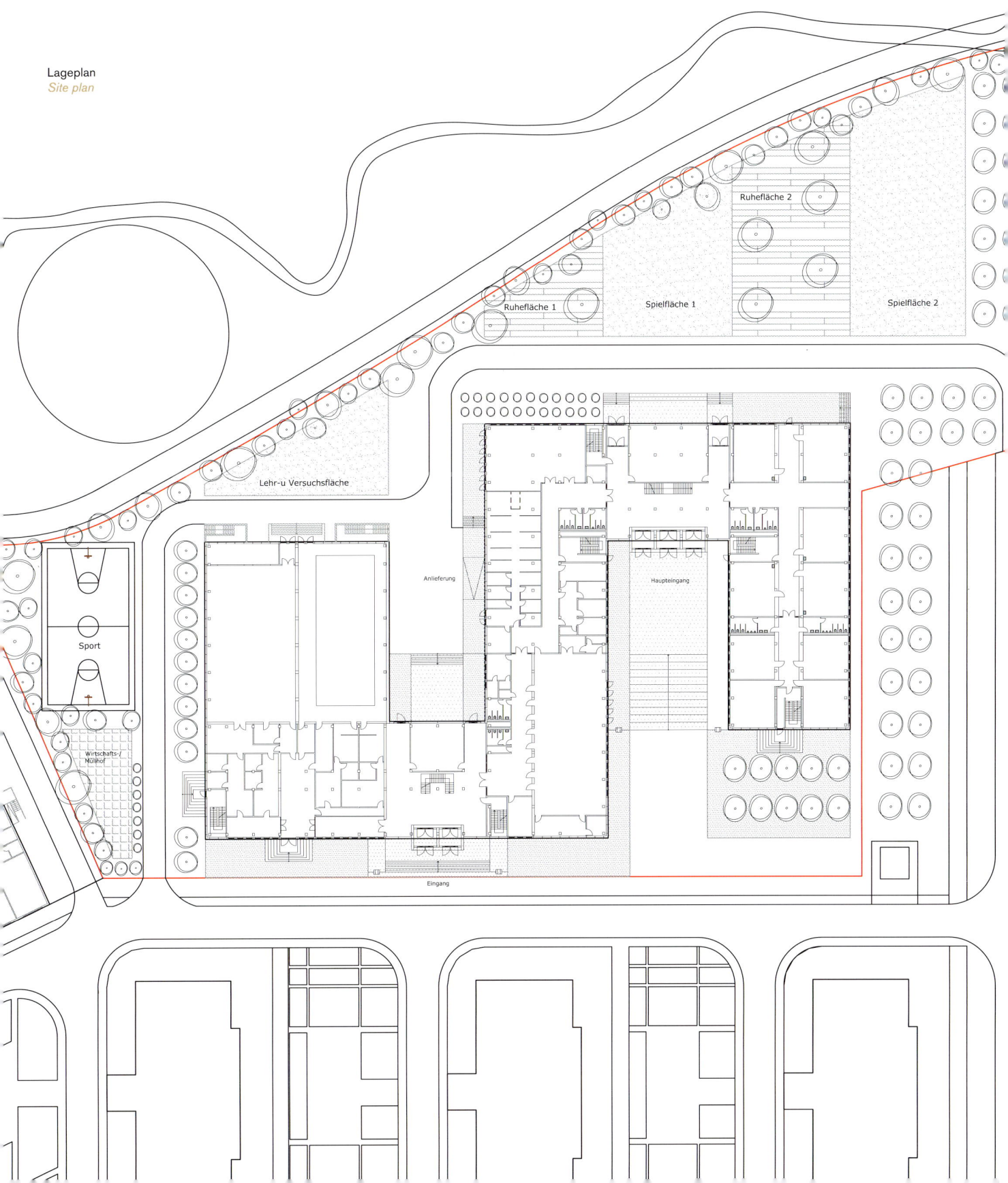

Ruhefläche 2
Ruhefläche 1
Spielfläche 1
Spielfläche 2
Lehr-u Versuchsfläche
Sport
Wirtschafts-/Müllhof
Anlieferung
Haupteingang
Eingang

Erdgeschoss
Ground floor

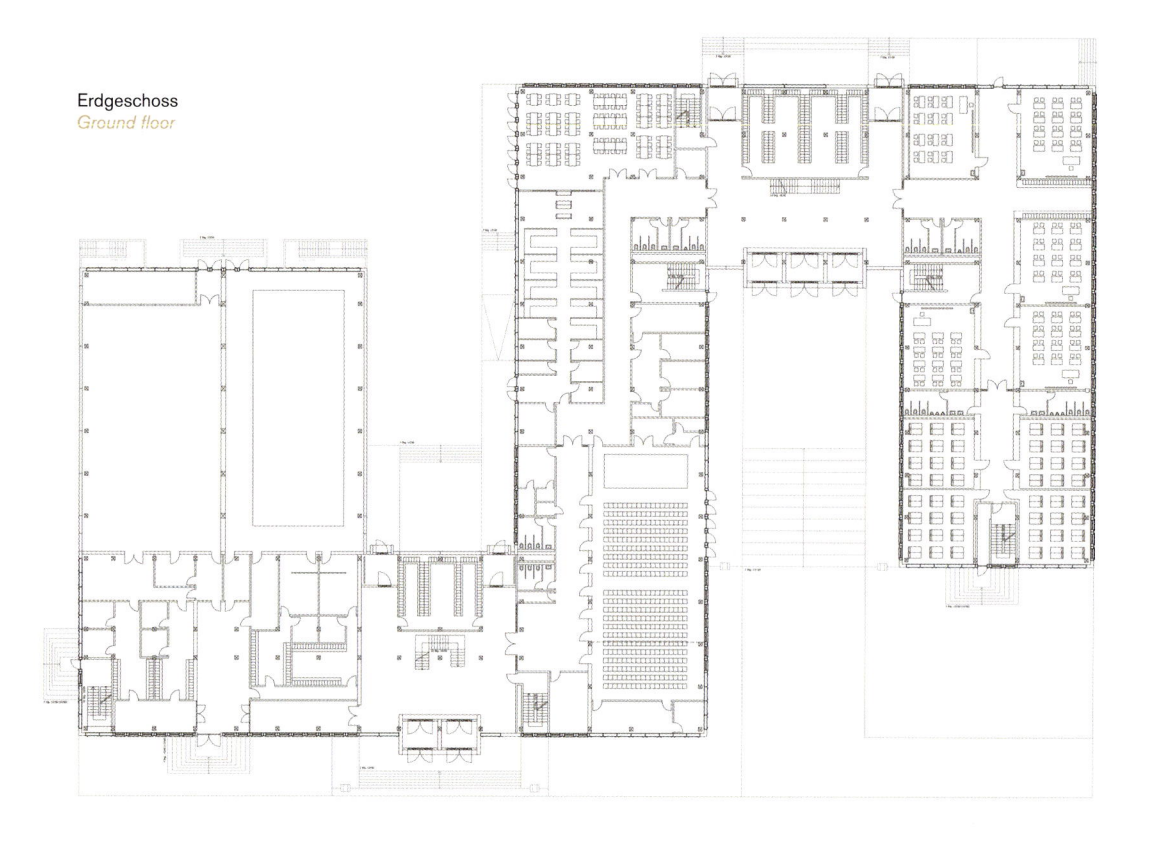

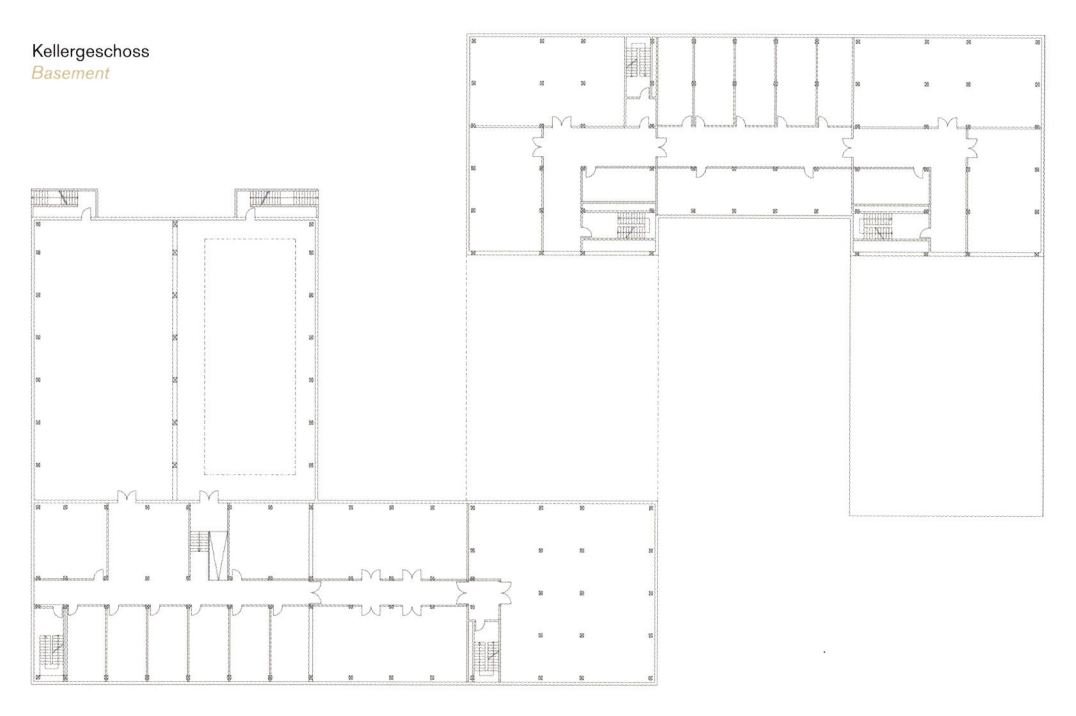

Kellergeschoss
Basement

1. Obergeschoss
First floor

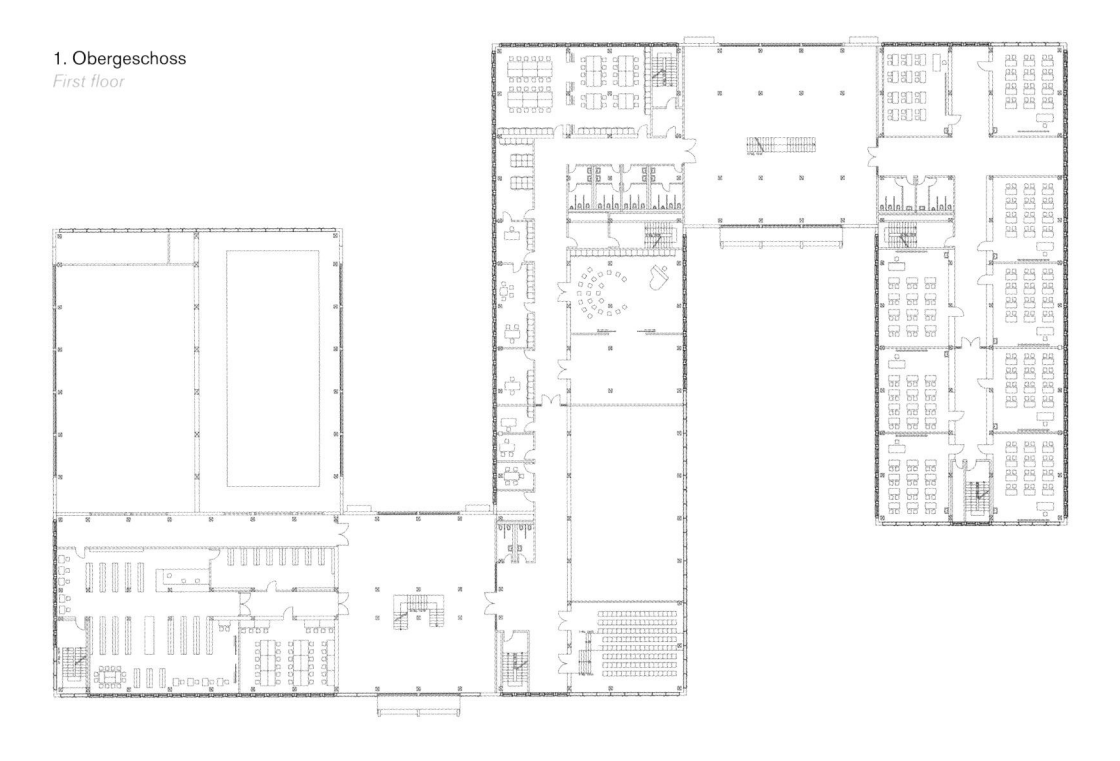

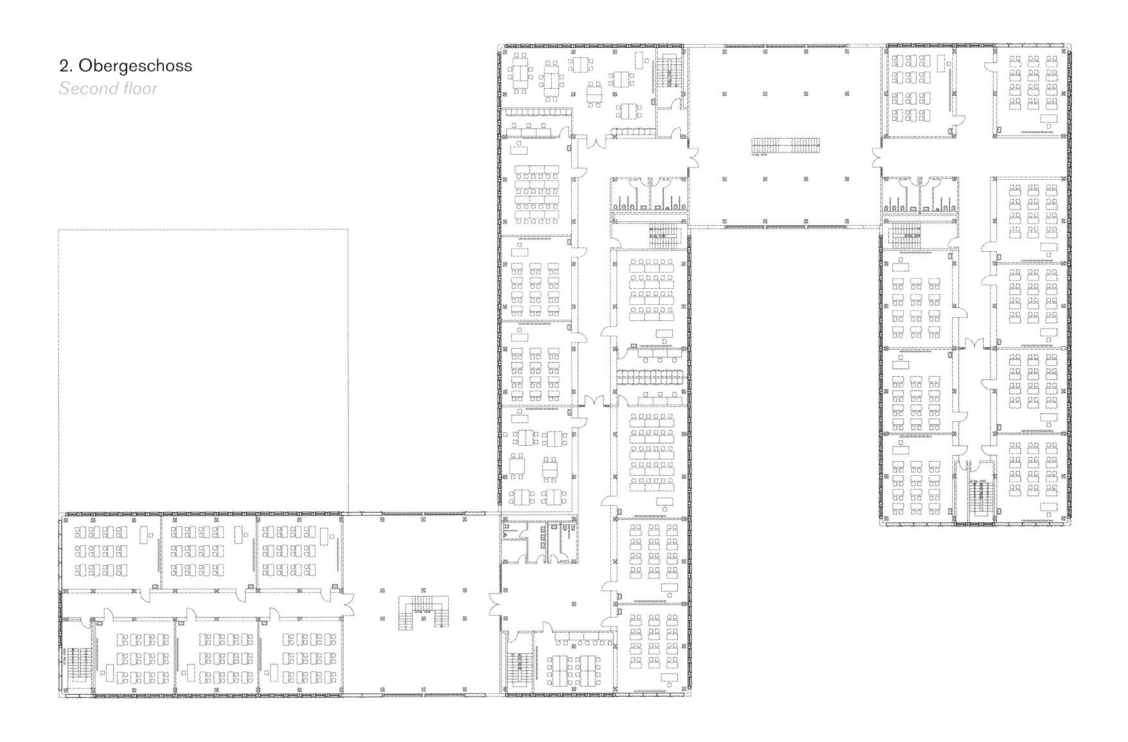

2. Obergeschoss
Second floor

Südfassade (unten) und Ostfassade (rechts)
South elevation (bottom) and east elevation (right)

Architecture 141

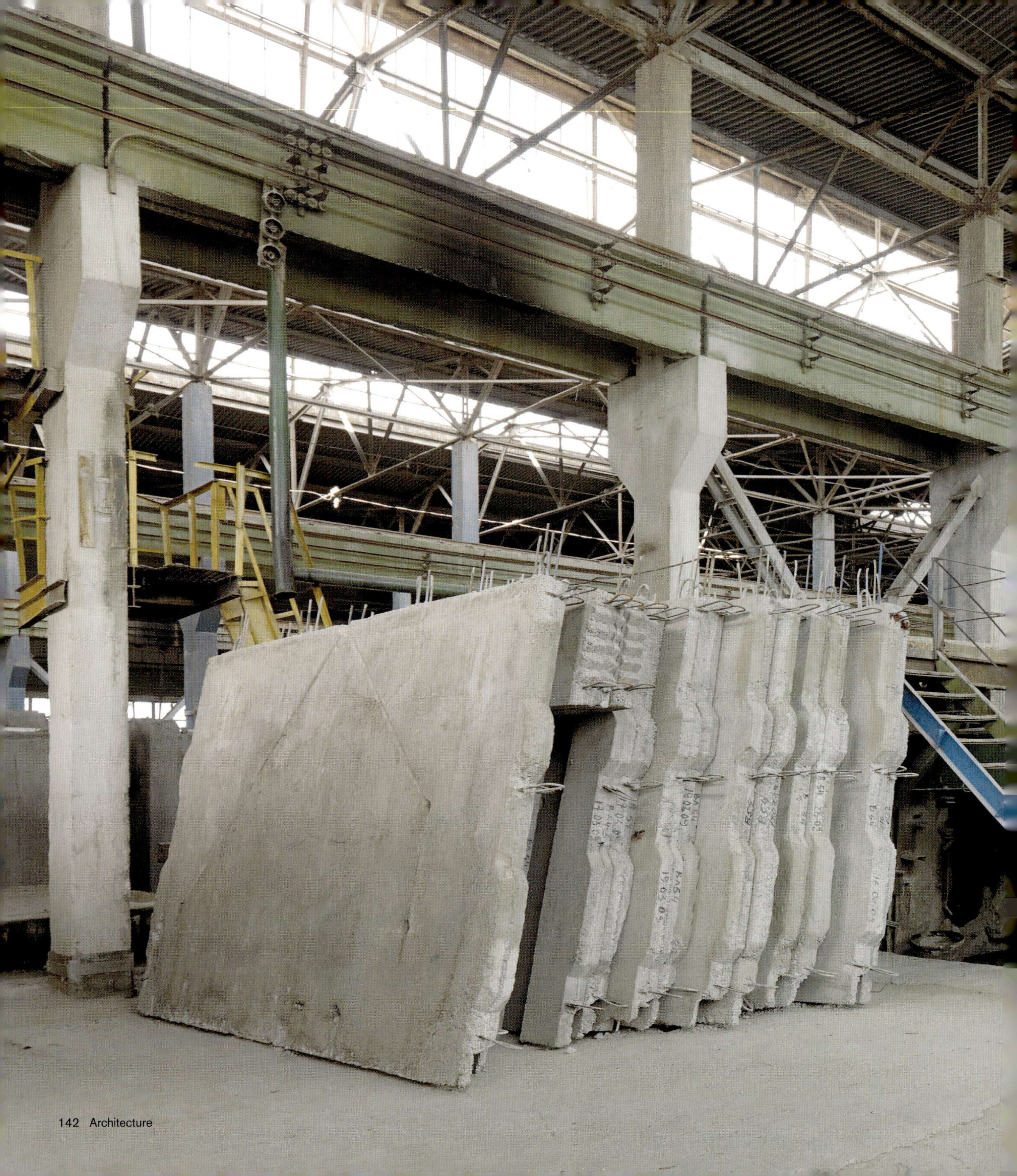

CSY

TSCHEBOKSARY DIE HAUPT-
STADT TSCHUWASCHIENS HAT
SICH ZUM ZIEL GESETZT, DIE
INDUSTRIELLE VORFERTIGUNG
WEITERZUENTWICKELN.

CHEBOKSARY ARCHITECTS
AND URBAN PLANNERS IN THE
CHUVASH CAPITAL BELIEVE IN
THE FUTURE OF INDUSTRIAL
PREFABRICATION.

Typenprojekt Kindergarten
Kindergarten Prototype
Tscheboksary

Bauherr
Volgastroi Projektni Institut

Projektadresse
Wohngebiet *Finnische Aue*
Tscheboksary/Russland

Zeitraum
2007–2009

Ob in dem Ort gut 600 Kilometer östlich von Moskau viele Schmetterlinge vorkommen? Im neuen Kindergarten des Wohnviertels *Finnische Aue* ist das zarte Insekt jedenfalls präsent und beweist, dass Anmut und Leichtigkeit auch grauen Beton beflügeln können. Schmetterlingsmotive prägen nicht nur die 4 × 4,50 Meter großen Fertigteile, aus denen die Fassade des zweigeschossigen Gebäudes zusammengesetzt ist. Auch der Grundriss des Neubaus, der aus vier quadratischen, über eine großzügig verglaste Eingangshalle miteinander verbundenen Kuben besteht, erinnert an die Flügel eines Schmetterlings. Das Motiv findet sich auch im Inneren wieder: als Tapetenmuster, verglaster Wandausschnitt oder grafisches Element im Leitsystem. Verspielt widersetzt es sich erfolgreich der eigentlich recht strengen, klar geordneten Architektur des Hauses, das in den Bereichen zur Straße hin alle Funktions- und Sporträume konzentriert, während es sich über die rückwärtig liegenden Spiel- und Schlafbereiche für insgesamt acht Kindergruppen zur Gartenseite hin öffnet. Geplant wurde dieses Gebäude als Prototyp einer seriellen Bauweise.

Grey concrete can grow wings, and this kindergarten proves it. A stylized butterfly is the recurring motif – on the 4 × 4.5 m prefabricated façade panels, in the interior design, the wallpaper, the wayfinding system. A host of butterflies flutters through the functional rooms and sport facilities facing the street, through dormitories and play areas opening onto the garden at the back. Not to mention the garden itself! The playfully austere building is a prototype for serial construction intended to demonstrate that attractive design for children is reconcilable with industrial prefabrication.

Architecture 145

Ansichten (oben) und Ausführungszeichnungen der Fassadenelemente (rechts)

Elevations (top) and shop drawings for prefabricated façade elements (right)

146　Architecture

Panel Attika
Панель аттики
1:50

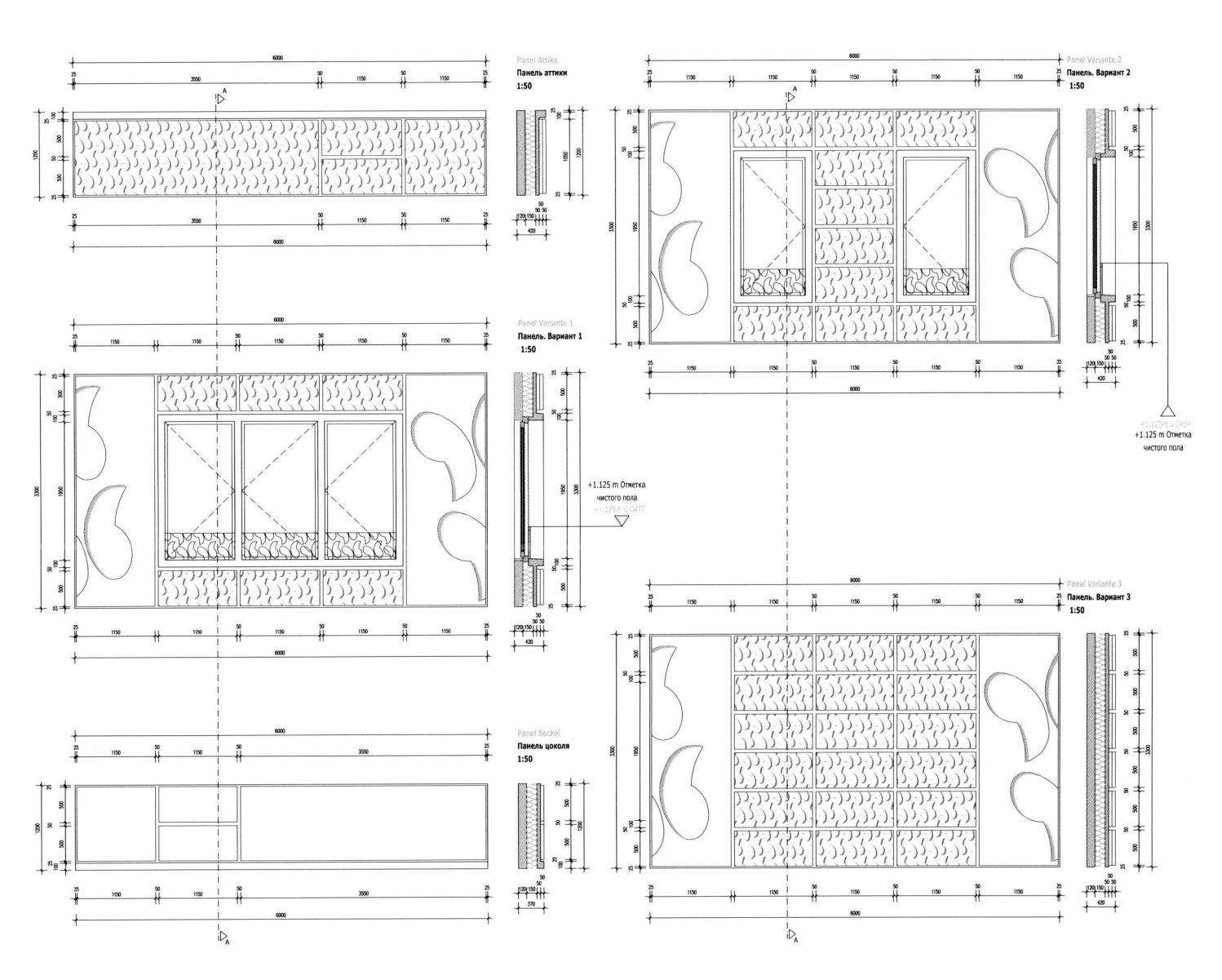

Panel Variante 2
Панель. Вариант 2
1:50

Panel Variante 1
Панель. Вариант 1
1:50

+1.125 m Отметка
чистого пола
+1.125m ü OKFF

+1.125 m Отметка
чистого пола
+1.125m ü OKFF

Panel Sockel
Панель цоколя
1:50

Panel Variante 3
Панель. Вариант 3
1:50

Architecture 147

Erdgeschoss
Ground floor

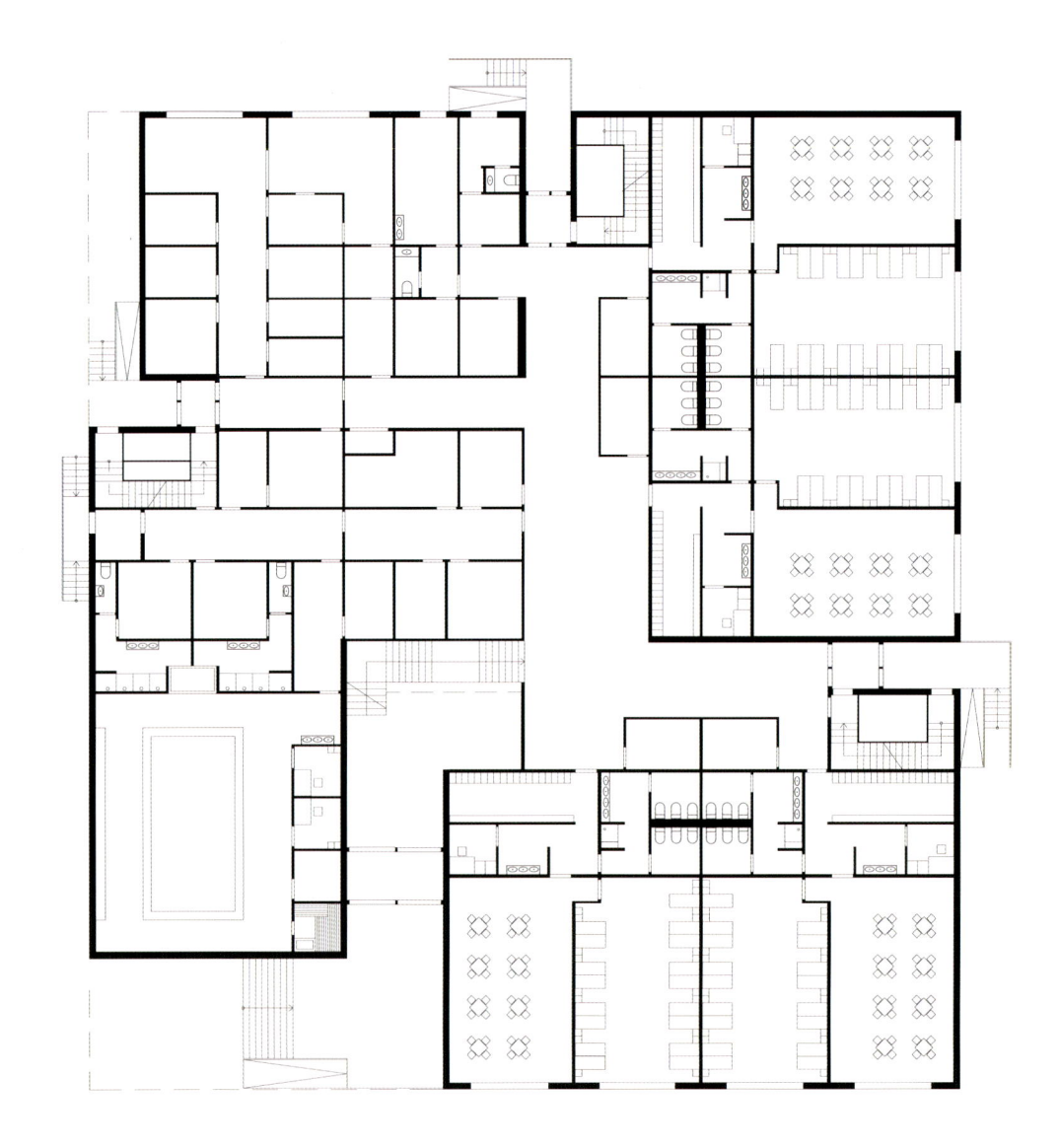

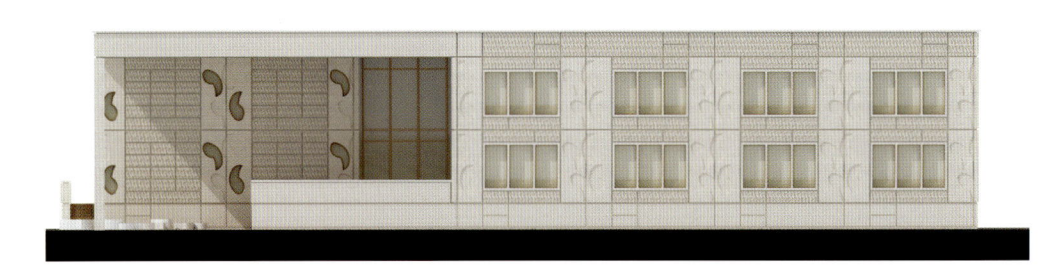

Südfassade
South elevation

Obergeschoss
First floor

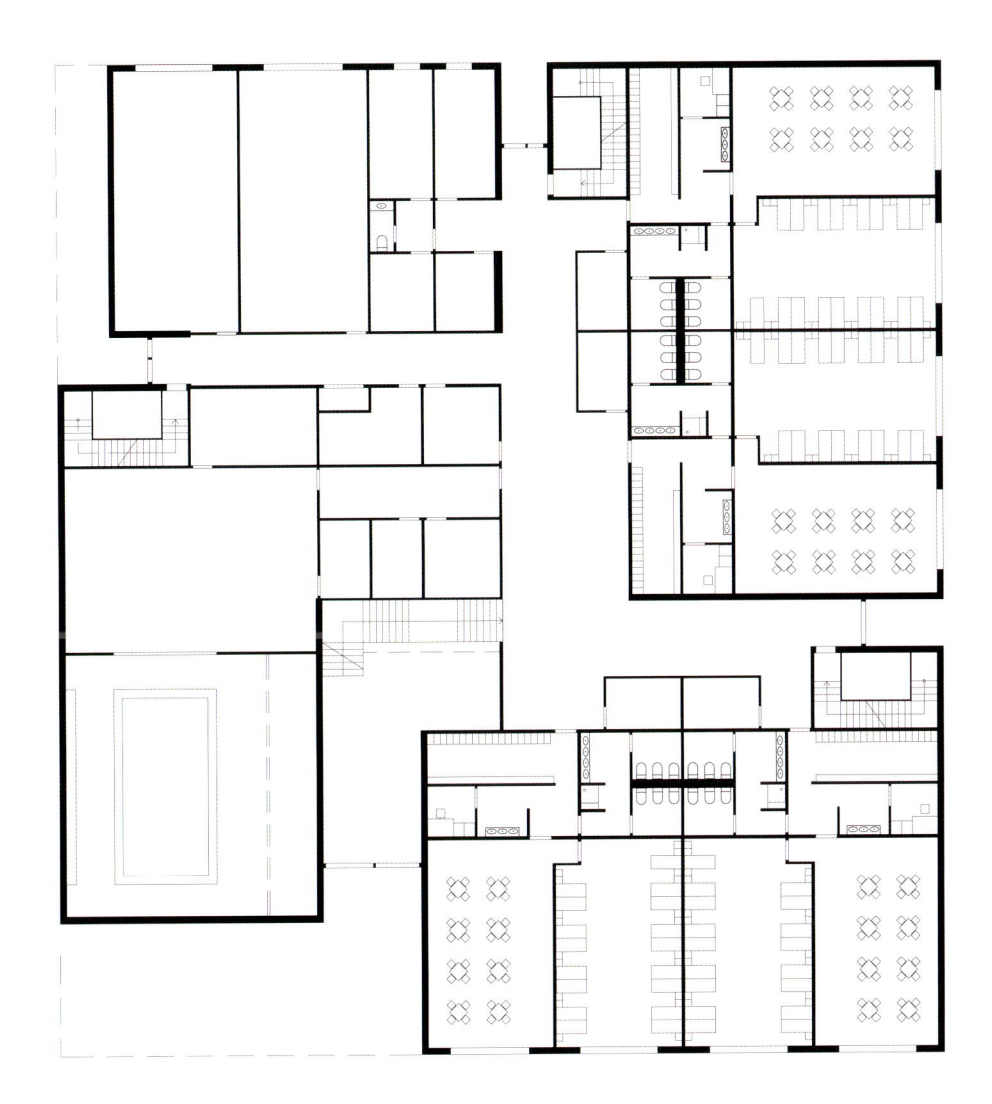

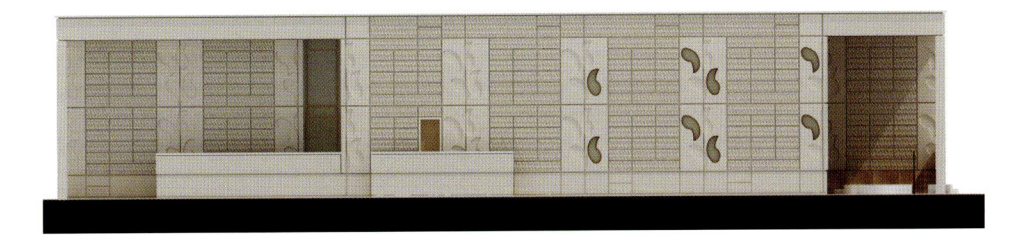

Westfassade
West elevation

150 Architecture

Architecture 151

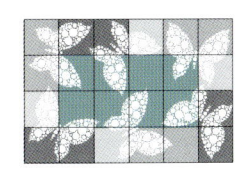

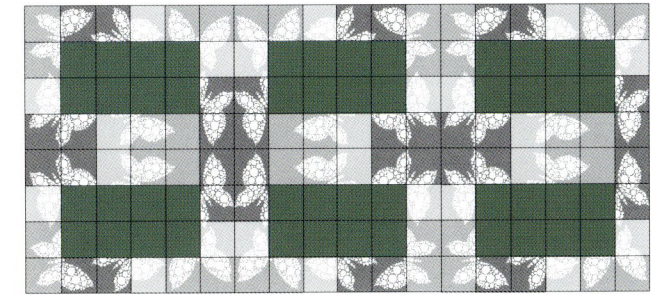

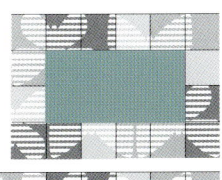

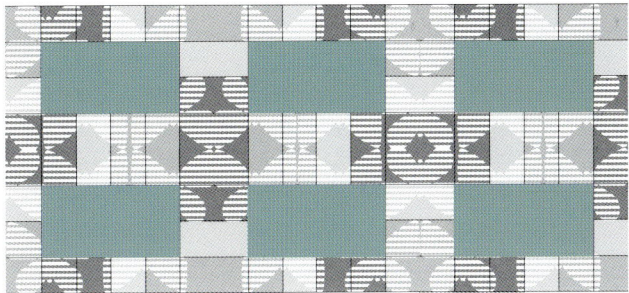

Hauptverwaltung Schleich
Schleich Headquarters
Schwäbisch Gmünd

Bauherr
Schleich GmbH

Projektadresse
Am Limes 69
Schwäbisch Gmünd

Zeitraum
2008–2009

Wenn eine Firma über Jahrzehnte wächst, wird immer dann etwas gebaut, wenn der Platz nicht mehr reicht. Höchst selten gibt es einen strategischen Masterplan, der die wirtschaftliche Entwicklung vorwegnimmt und dem steigenden Bedarf an Fabrikations- und Verwaltungsräumen vorsorglich Rechnung trägt. So war es auch im Falle einer Spielzeugfabrik im Schwäbischen. Als ein Neubau fällig war, sollte dieser Platz für Büros schaffen und zugleich dem disparaten Betriebsgelände eine gestalterische Fassung geben. Man entschied sich für eine ebenso pragmatische wie hochwertige Lösung, die ästhetisch nicht nur dem industriellen Charakter des Ortes entspricht, sondern rasch und wirtschaftlich umsetzbar war. Man sieht dem neuen Trakt nicht an, dass er aus Containern zusammengesetzt wurde. Die Bauzeit umfasste vom Beginn der Arbeiten bis zur Inbetriebnahme der Räume lediglich zwei Monate. Wie stark die Qualitäten eines Modulbauwerks vom gestalterischen Impetus der Architekten abhängen, zeigt sich vor allem in der Gestaltung der Innenräume: Anstelle müder Dekorationsware prangen an den Wänden großformatige Tiermotive; Glasfronten erhellen die Flure und wenige, ausgesuchte Accessoires setzen Akzente.

When a company grows organically over decades, new buildings sprout whenever and wherever they're needed. This was the case with this toy factory, too, until a solution for the longer term was finally found. It is as simple as it is elegant. Underneath its rendered facework, the new office building is a panel-clad steel container – and an economical pattern for future extensions. The creative scope of component building becomes apparent in the interior, where large animal silhouettes adorn the walls, light floods in through tall windows, and bright details catch the eye.

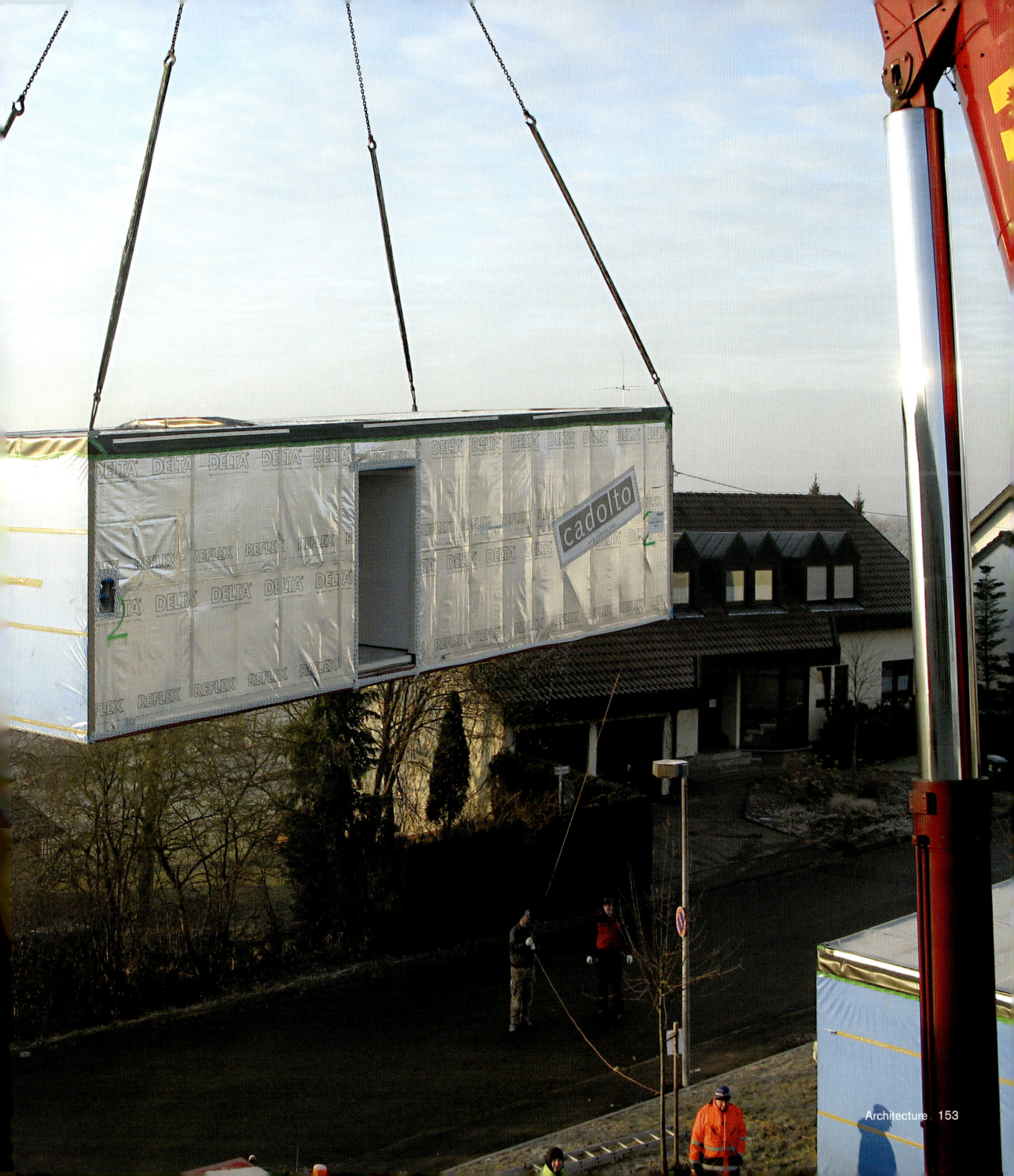
DELTA
REFLEX
cadolto

Werksgelände vor der Erweiterung
Factory premises (pre-extension)

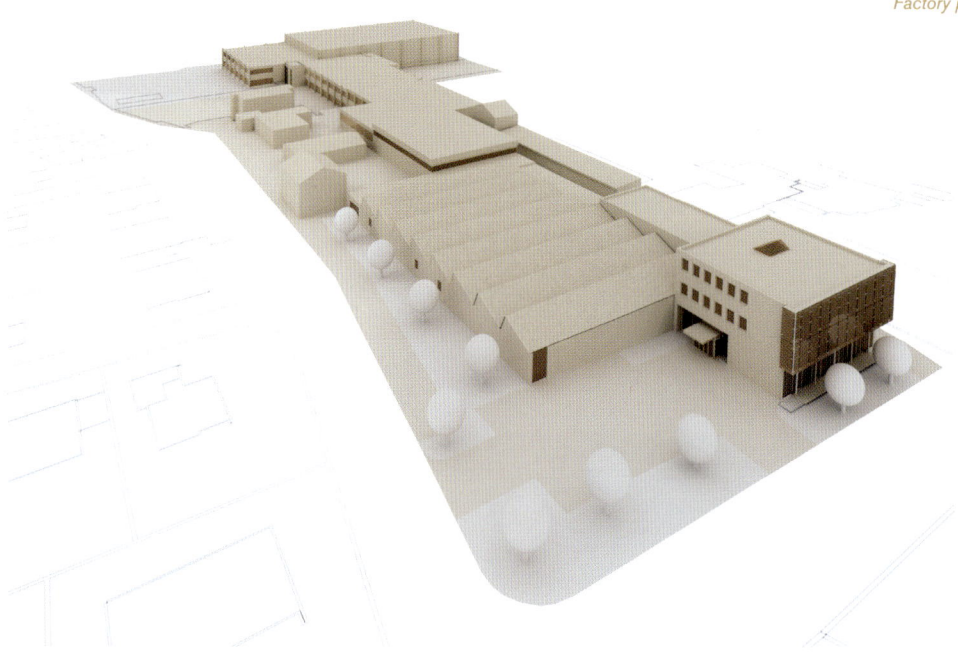

Identifizierung eines Baupotenzials
Integrating the extension

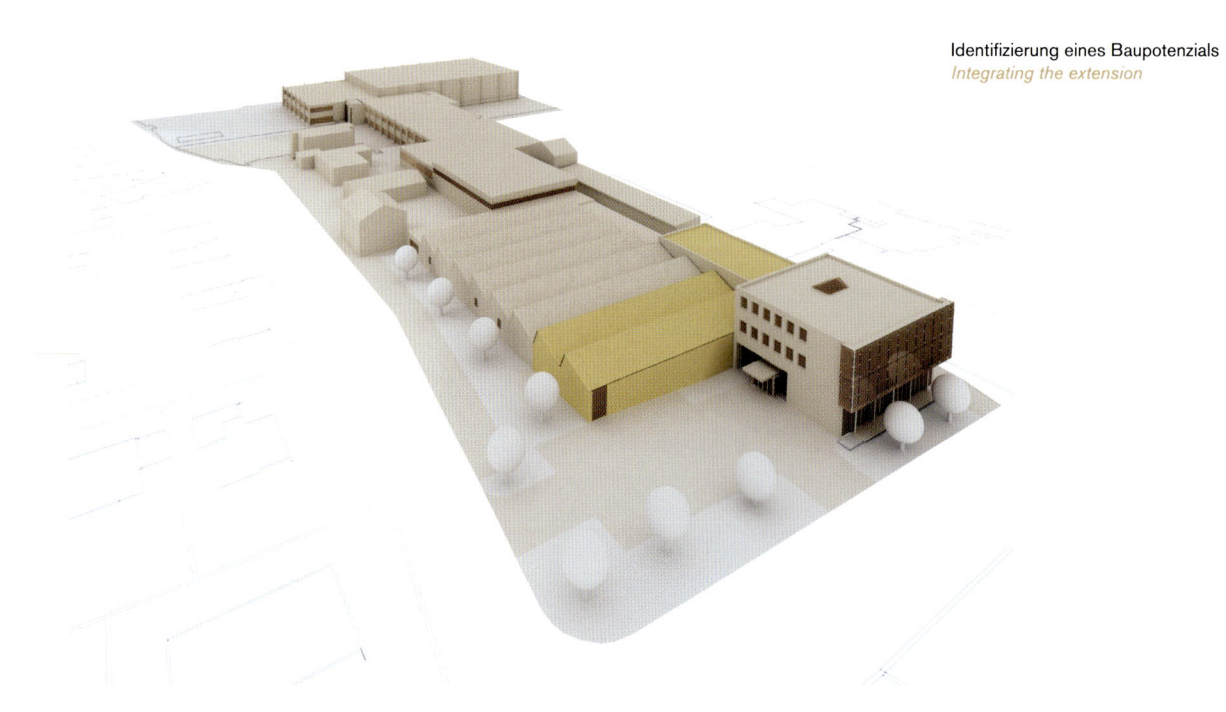

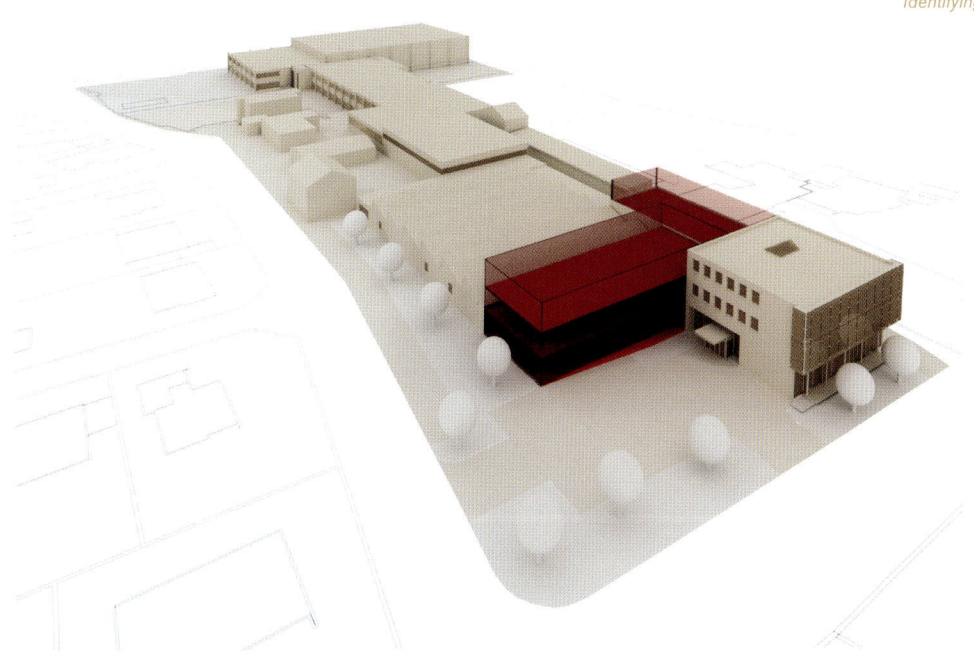

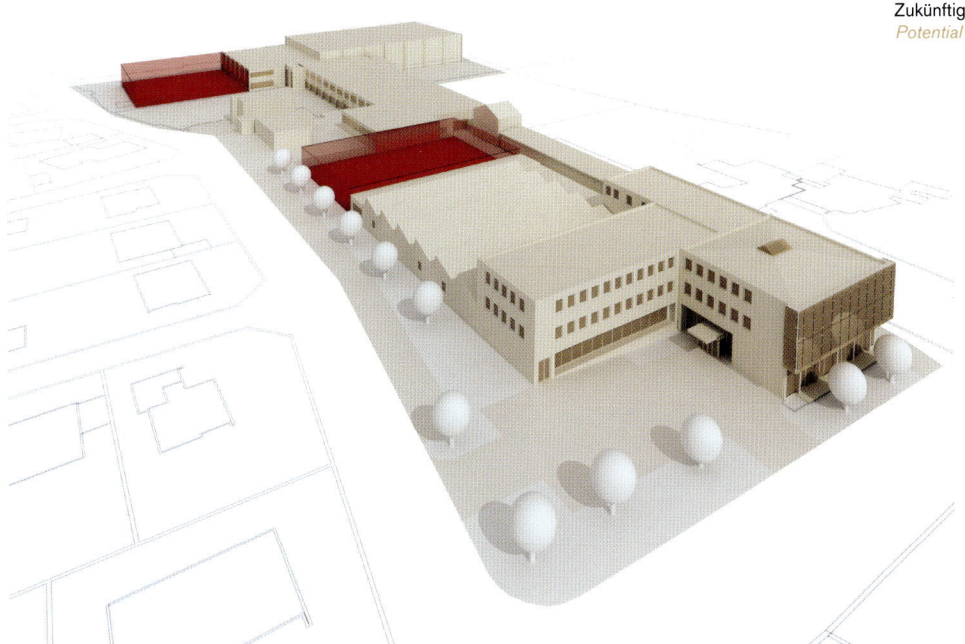

Integration des Erweiterungsbaus
Identifying building potential

Zukünftige Erweiterungspotenziale
Potential for further extension

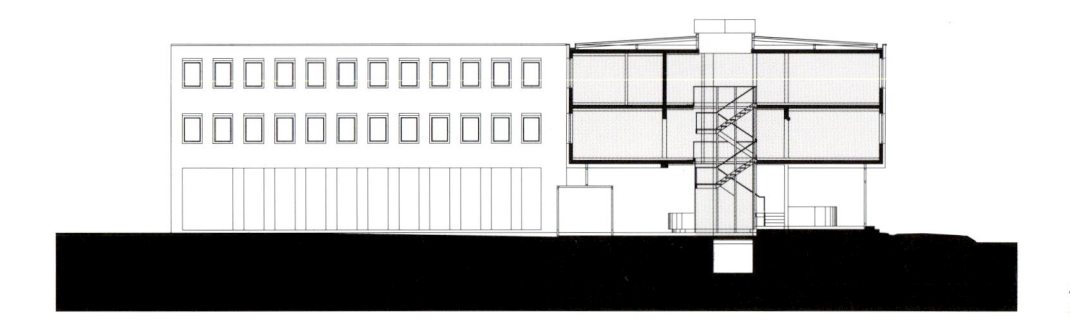

Ansicht Süd und Schnitt
South elevation and section

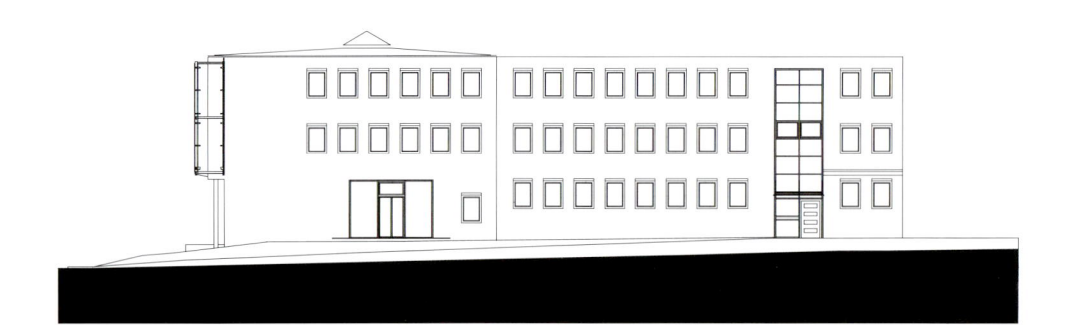

Ansicht Ost und Schnitt
East elevation and section

Montage der Module (1–4)
Assembling components (1–4)

156 Architecture

Erweiterungsbau und Vorplatz
Extension and forecourt

Architecture 157

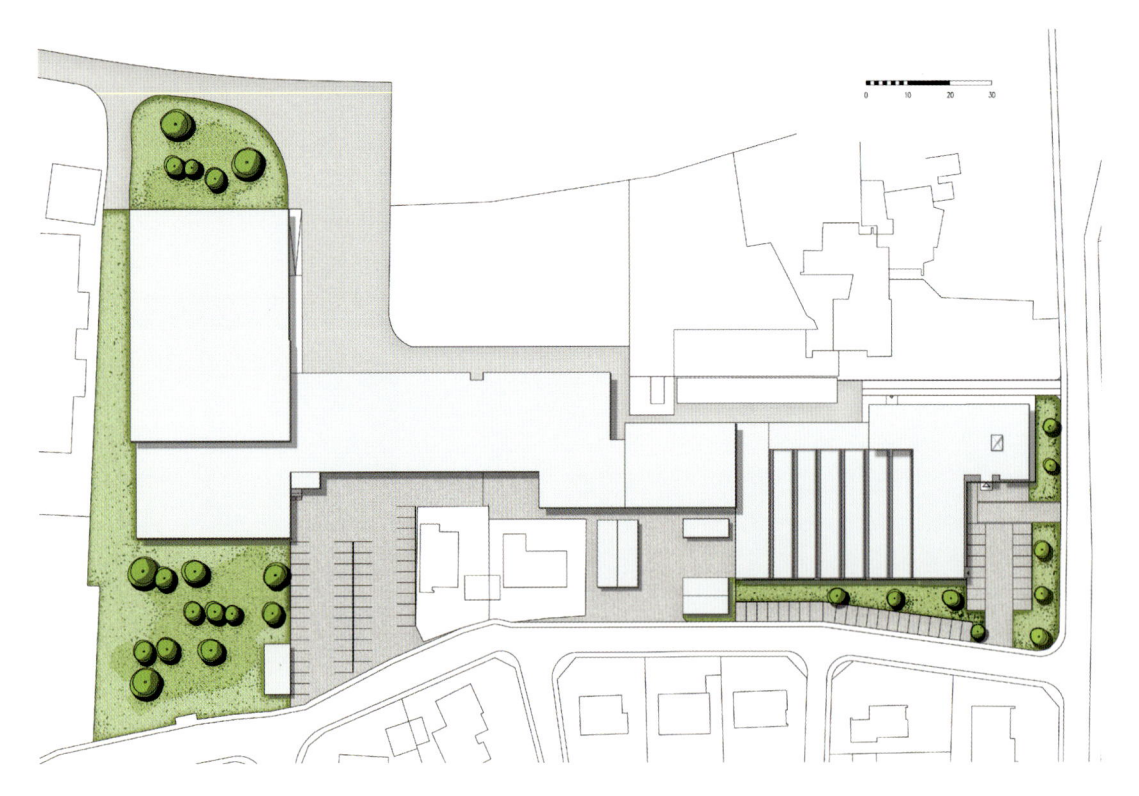

Außenanlagenplan
Landscape plan

Erdgeschoss
Ground floor

1. Obergeschoss
First floor

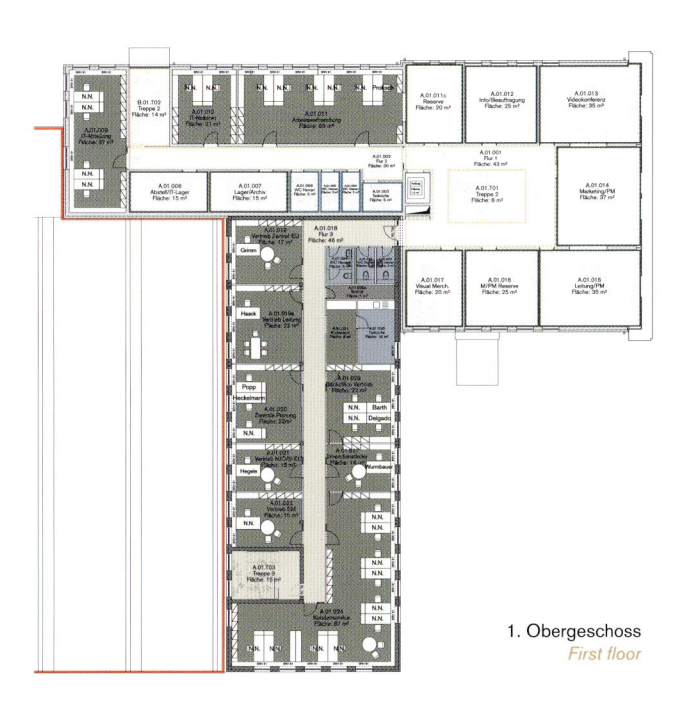

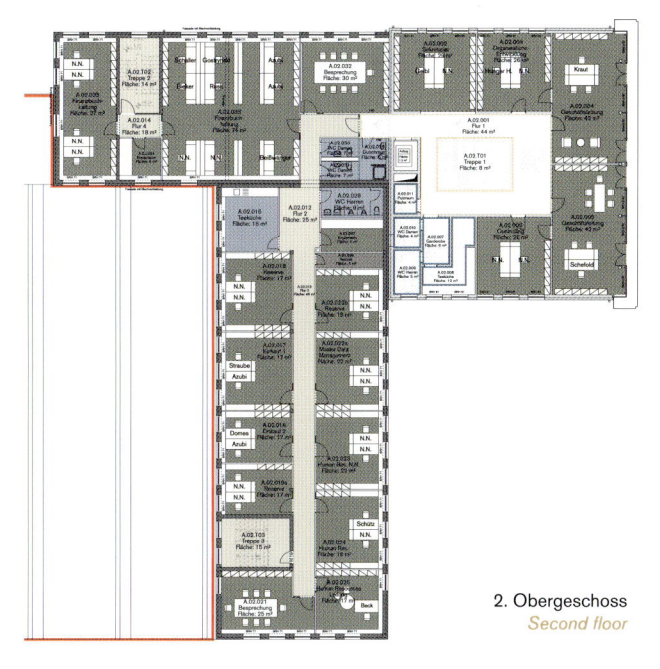

2. Obergeschoss
Second floor

Architecture

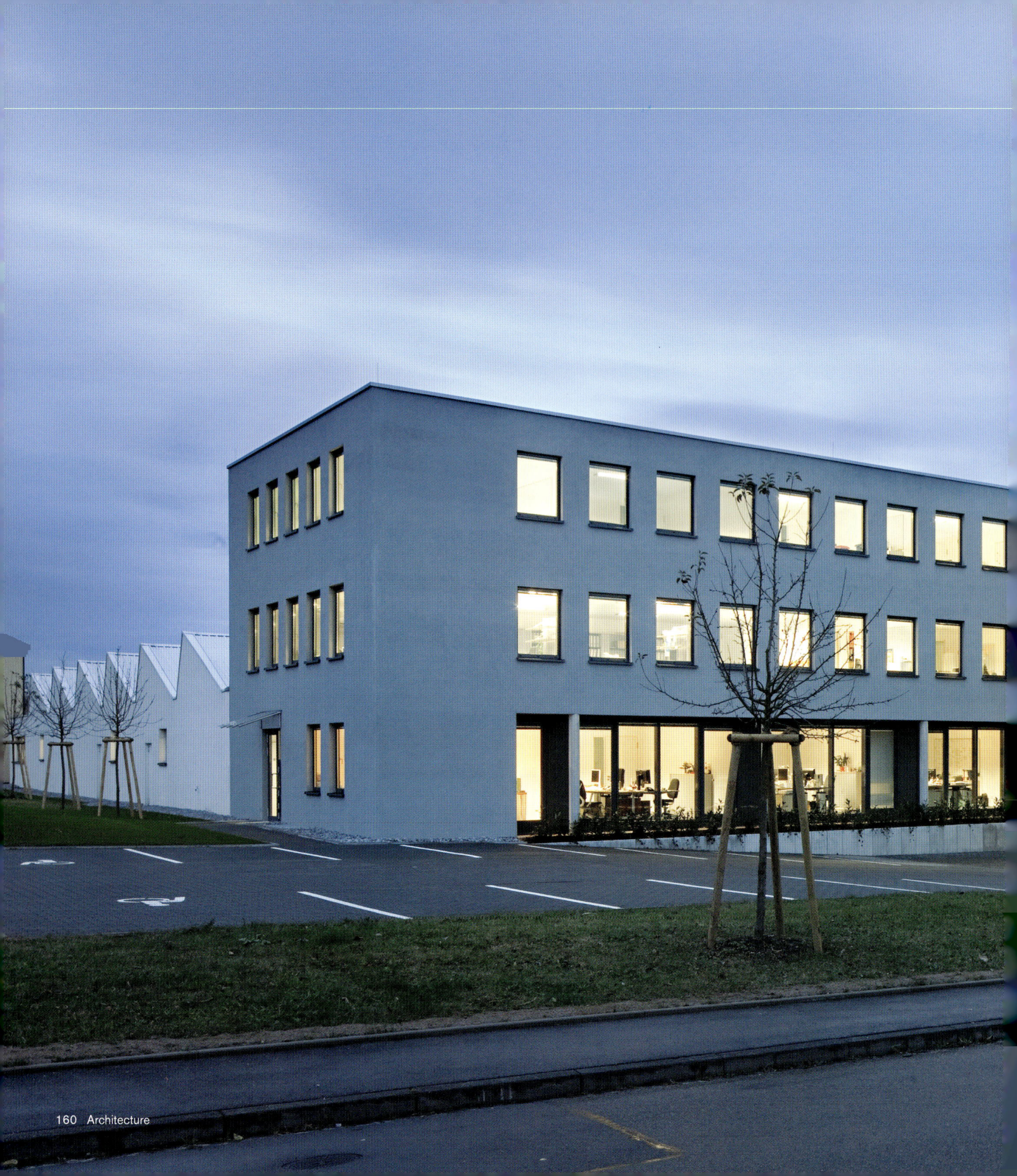

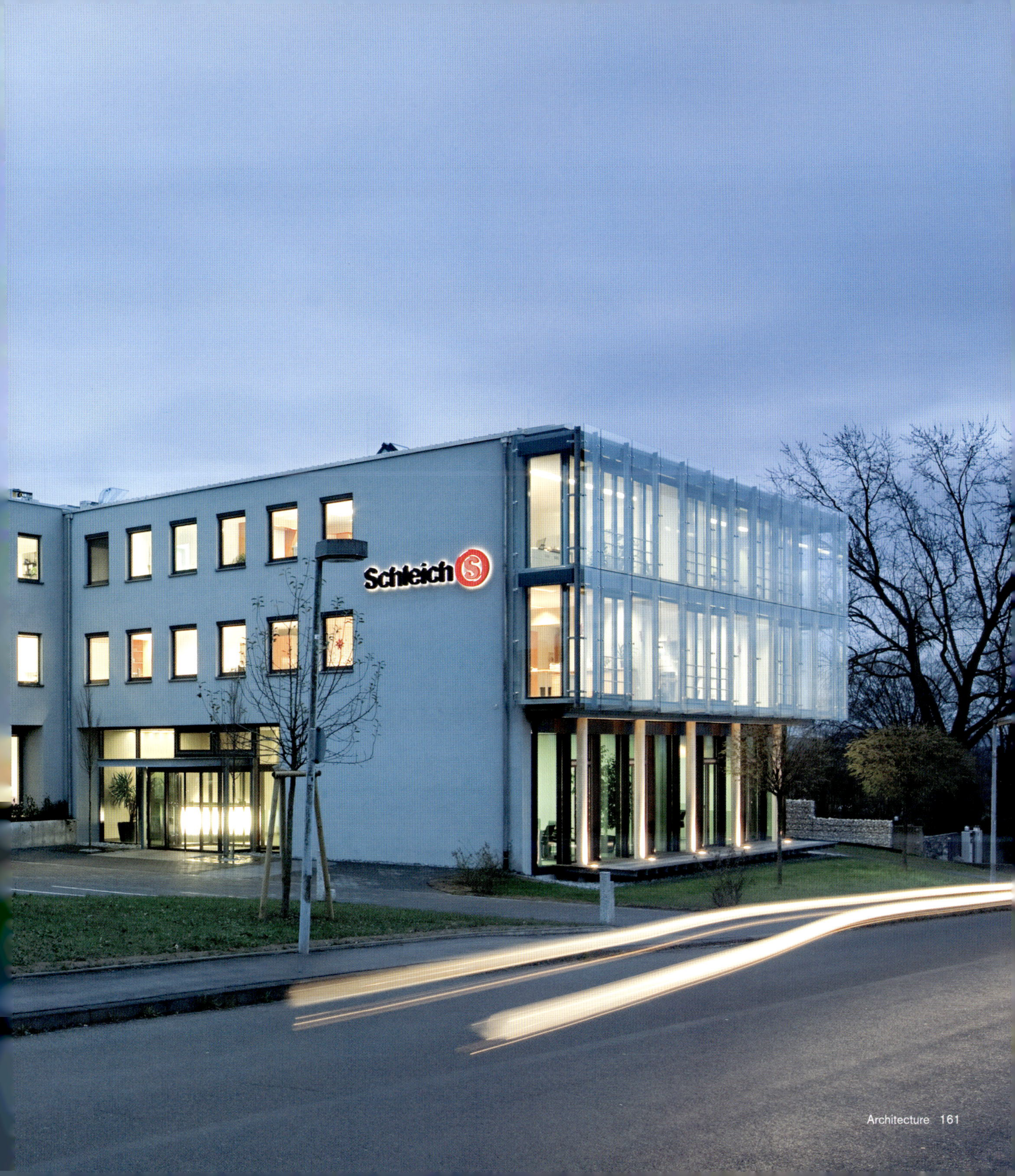
Schleich

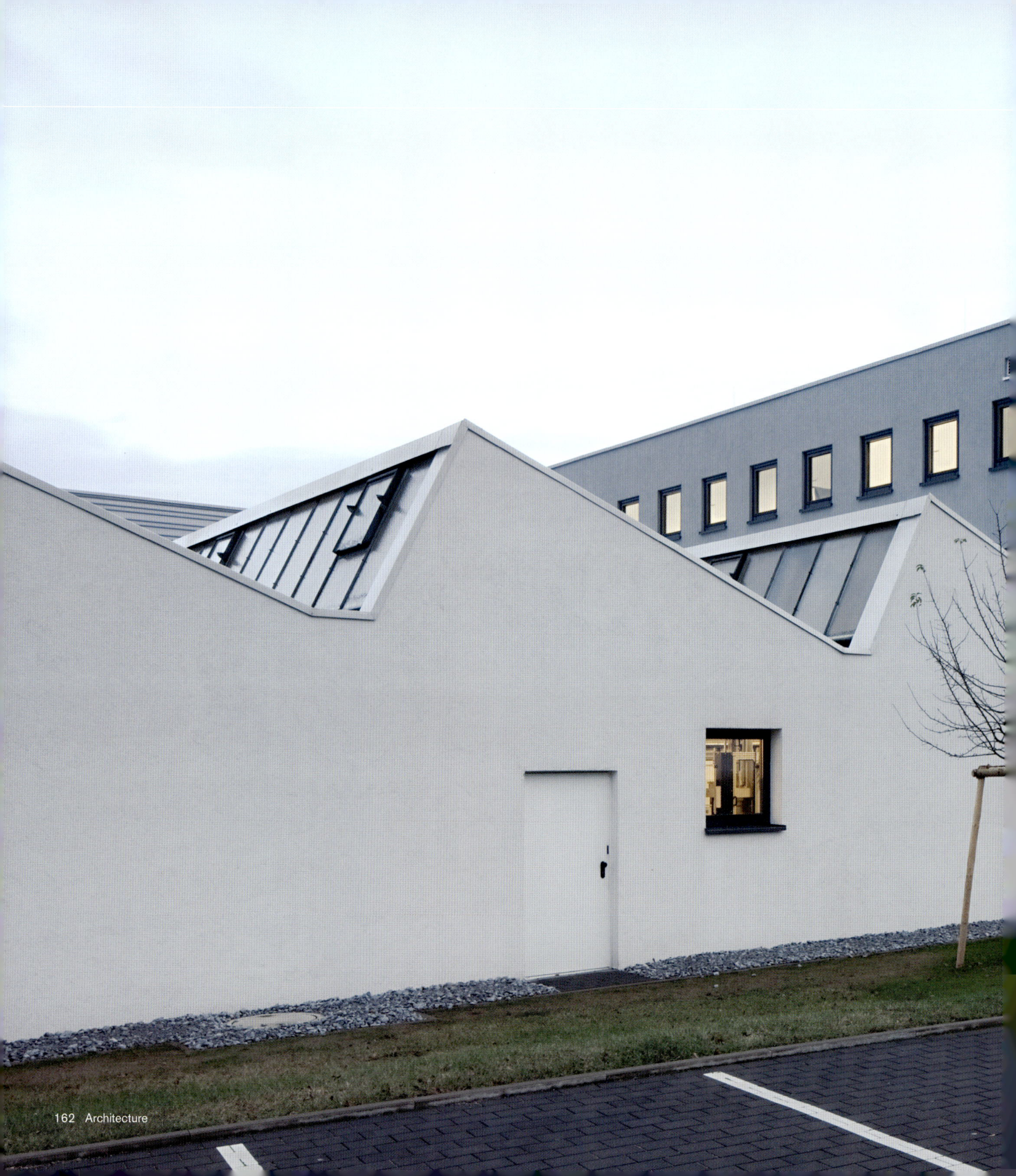

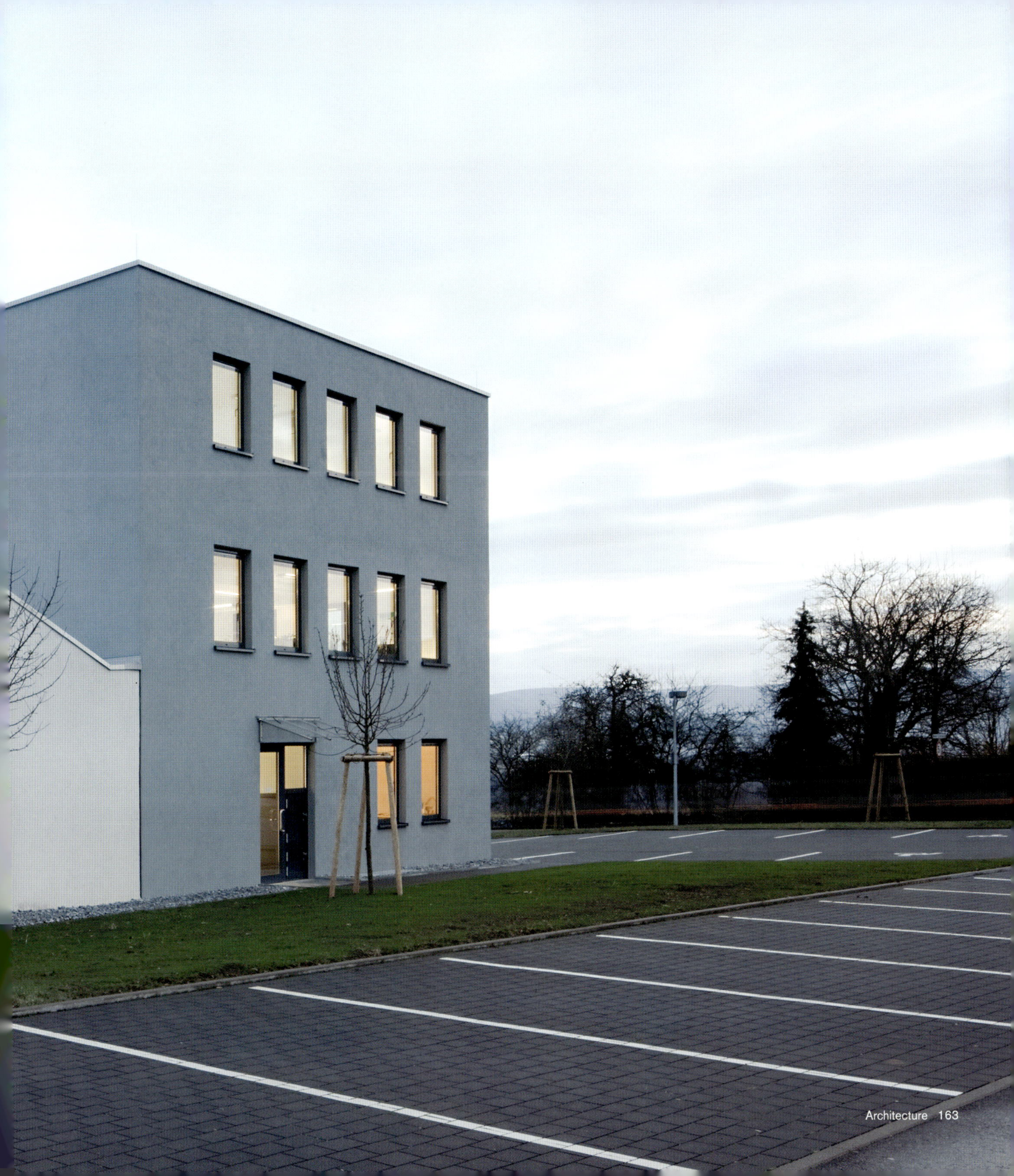

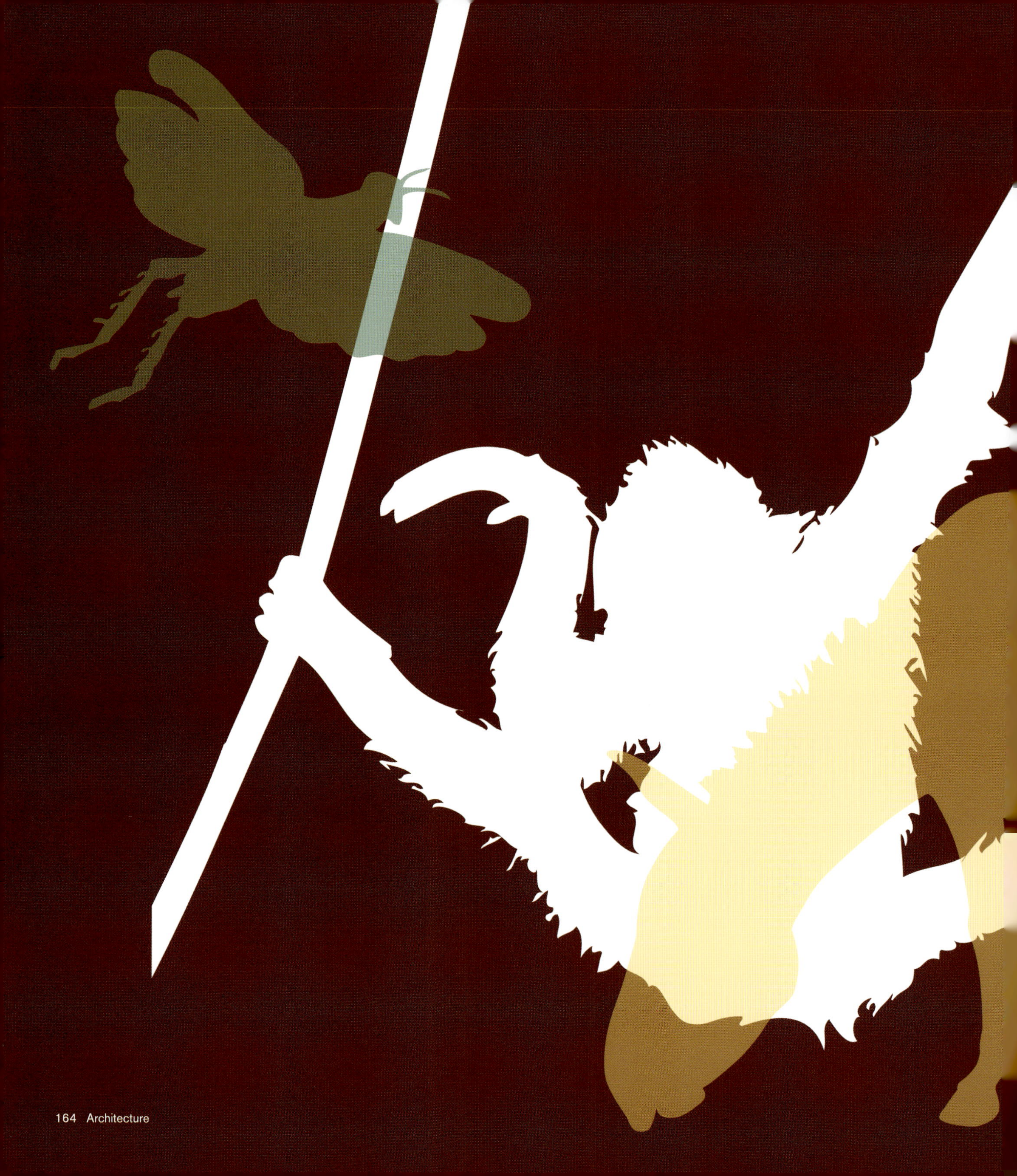

Architecture 165

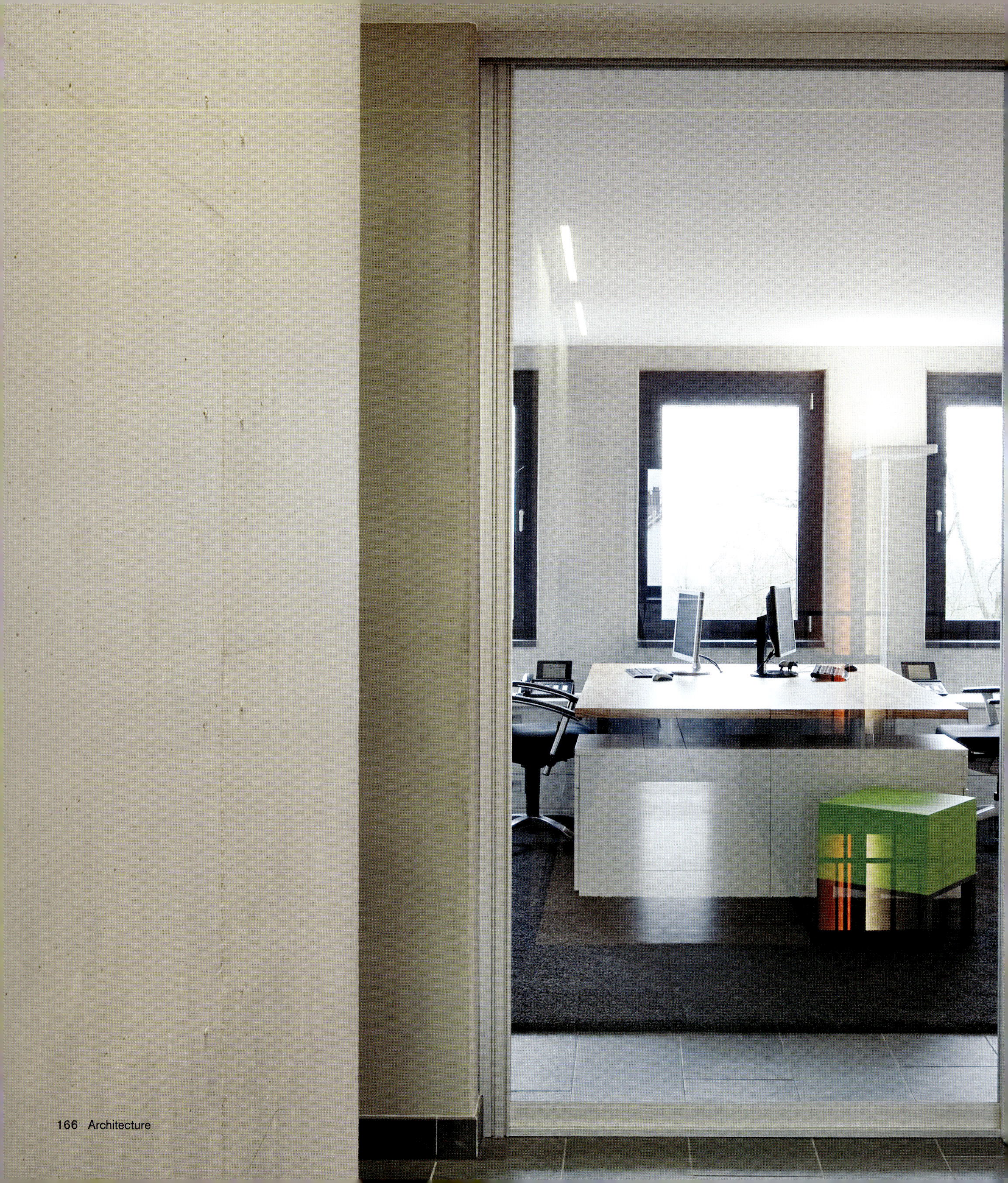

Architecture 167

Siedlung im Altai-Gebirge
Altai Mountain Village
Ridder

Projektkoordinaten
50° 30' 07" N
83° 39' 26" O

Grundstücksfläche
20 Hektar

Planungsstudie
2007–2008

Inmitten der unbebauten Weite eines Hochtals im Altai-Gebirge plant ein privater Investor die Errichtung einer exklusiven Datschensiedlung. Ausgehend vom Archetypus des Giebelhauses wurde dafür ein Gebäude entwickelt, das die charakteristischen Eigenschaften der russischen Datscha wie auch Parameter robuster Hochgebirgsbauweise auf neue Art miteinander verbindet. Die neuen, schlichten Häuser mit einer Nutzfläche von 150 bis 300 Quadratmetern sind vollständig aus Holz und stehen auf Betonplattformen, die gleichzeitig als Fundament dienen. Mit ihrer simplen Architektur und der städtebaulich geschlossenen Formation erinnert die Siedlung in diesem noch unerschlossenen Gebiet zugleich auch an die Forts des Wilden Westens – eine Analogie, die nicht von der Hand zu weisen ist, wenn man die sozialhistorische und topografische Situation der neuen Siedlung bedenkt. Denn hier im Altai wie in den amerikanischen Rocky Mountains sind Goldschürfer und Glücksritter ein Topos der regionalen Entwicklungsgeschichte.

A private investor chose the wide open spaces of a high mountain valley in the Altai as the ideal place for an exclusive holiday resort. Based on the archetypal gabled house, an innovative building type was developed that combines the characteristic features of Russian dachas with the robust architecture of mountainous regions. The plain houses offering usable floor space of 150 to 300 sqm are mounted on concrete foundation platforms. With its simple architecture and cluster layout, the remote development is reminiscent of a Wild West settlement. The analogy is not too far-fetched, either, considering the socio-historical and topographical similarities. As in the Rocky Mountains, tales of gold-digging and adventure abound in the regional history of the Altai.

РЕСЕЙ ШЕКАРАСЫ 62
ГРАНИЦА РОССИИ

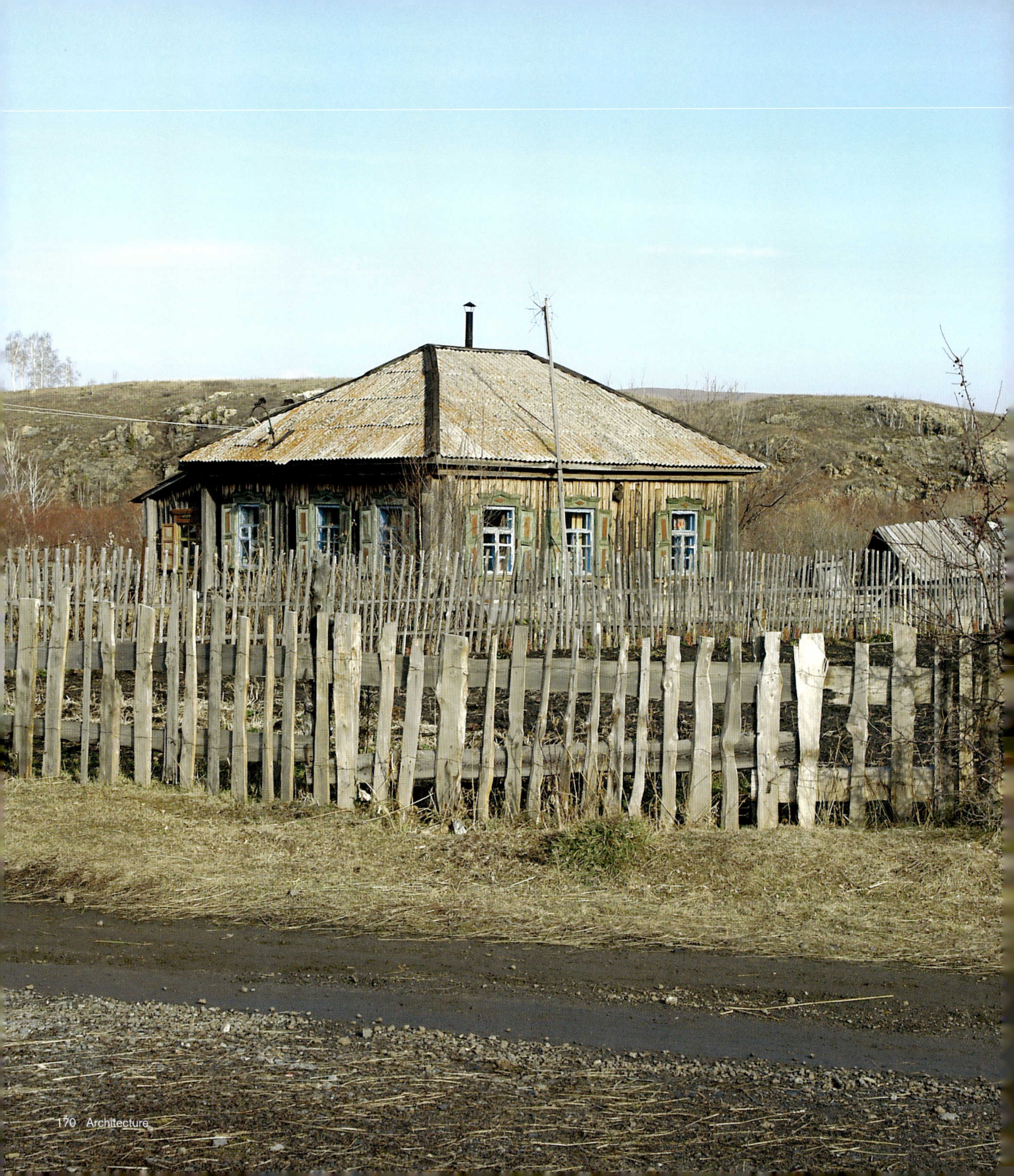

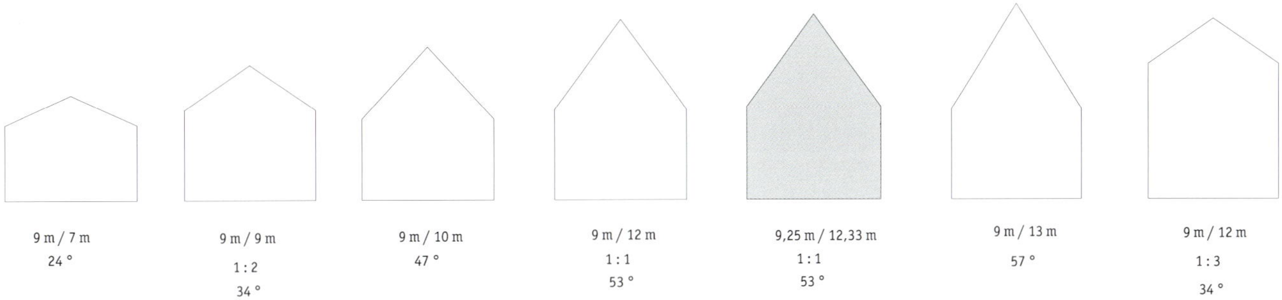

9 m / 7 m	9 m / 9 m	9 m / 10 m	9 m / 12 m	9,25 m / 12,33 m	9 m / 13 m	9 m / 12 m
24 °	1 : 2	47 °	1 : 1	1 : 1	57 °	1 : 3
	34 °		53 °	53 °		34 °

Architecture

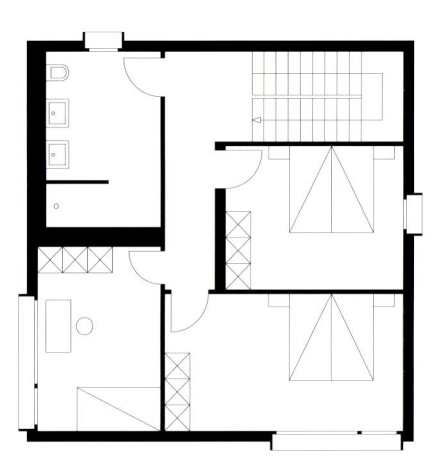

Obergeschoss
First floor

Erdgeschoss
Ground floor

Architecture 173

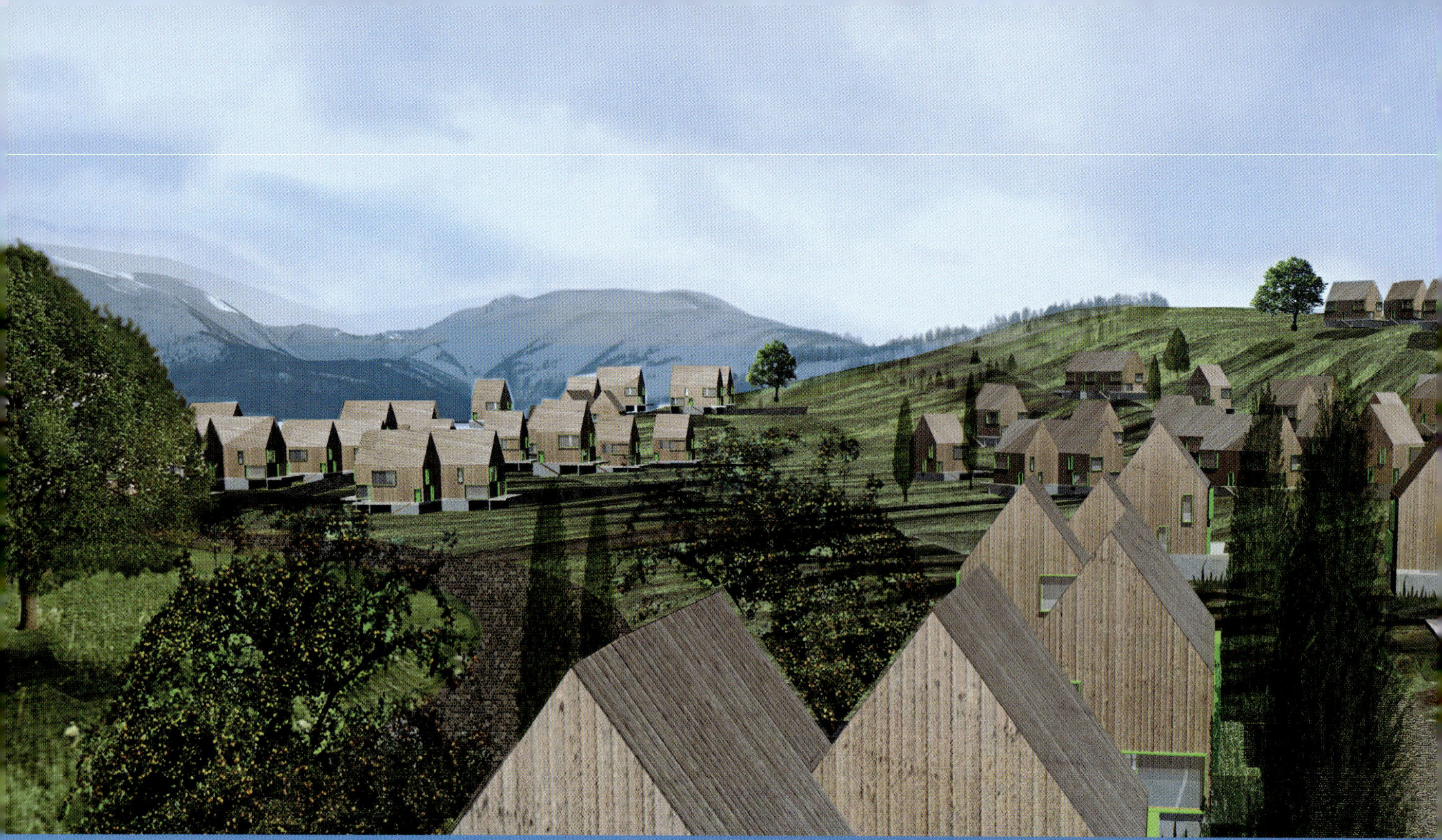

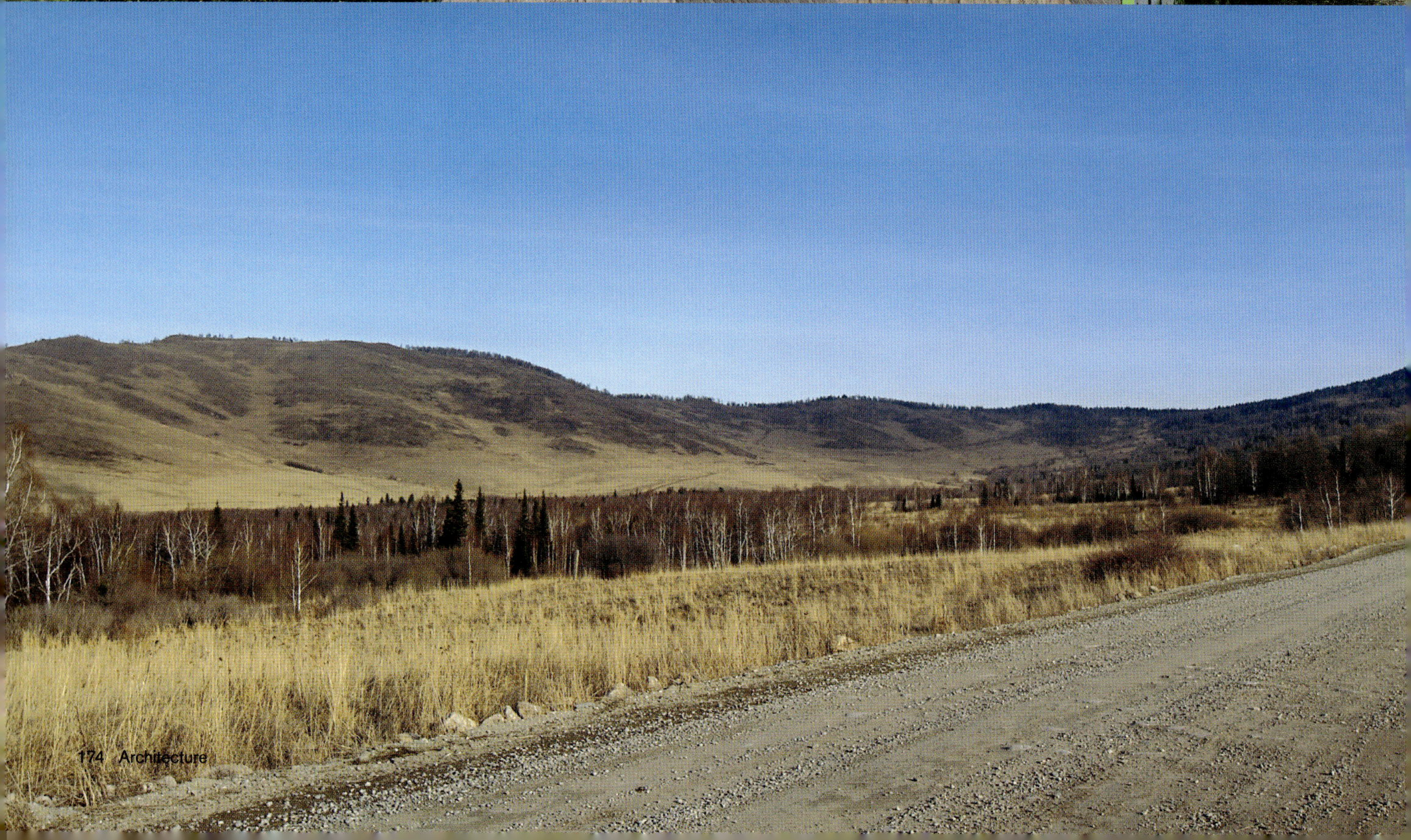

Isometrie
Isometric projection

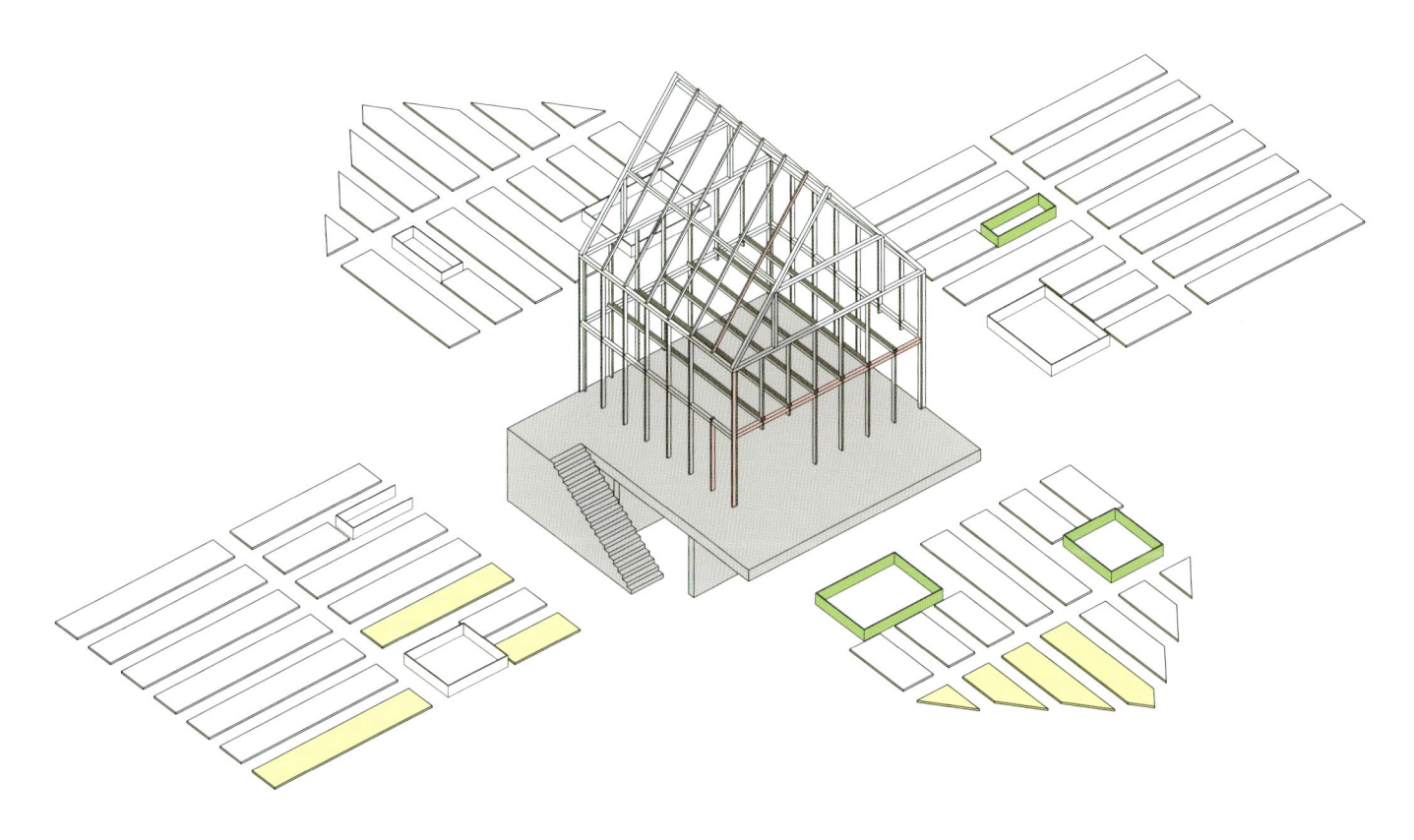

Vorgefertigte Holzbauteile
Prefabricated wooden panels

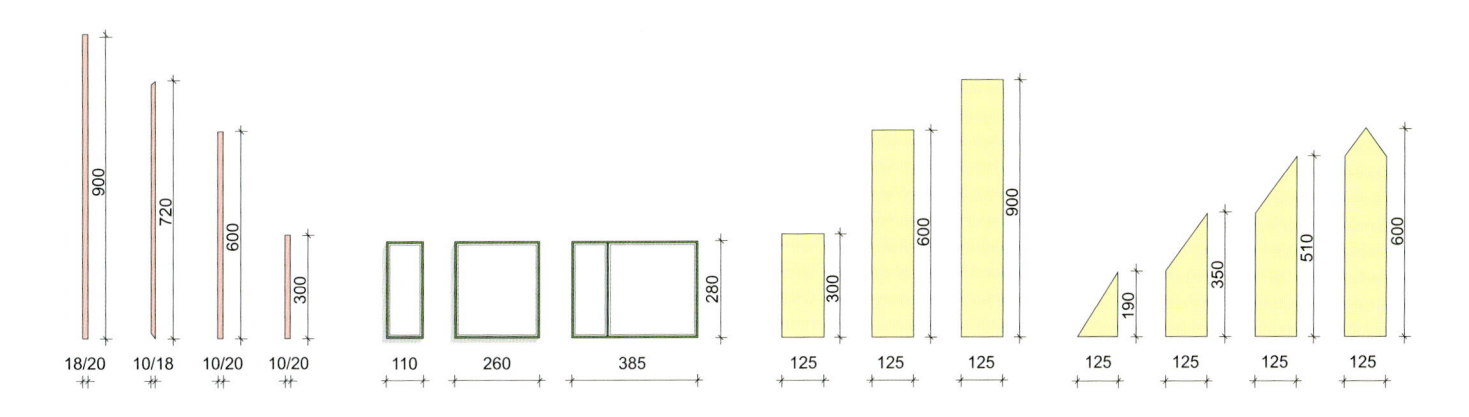

18/20	10/18	10/20	10/20	110	260	385	125	125	125	125	125	125	125
900	720	600	300			280	300	600	900	190	350	510	600

Architecture 175

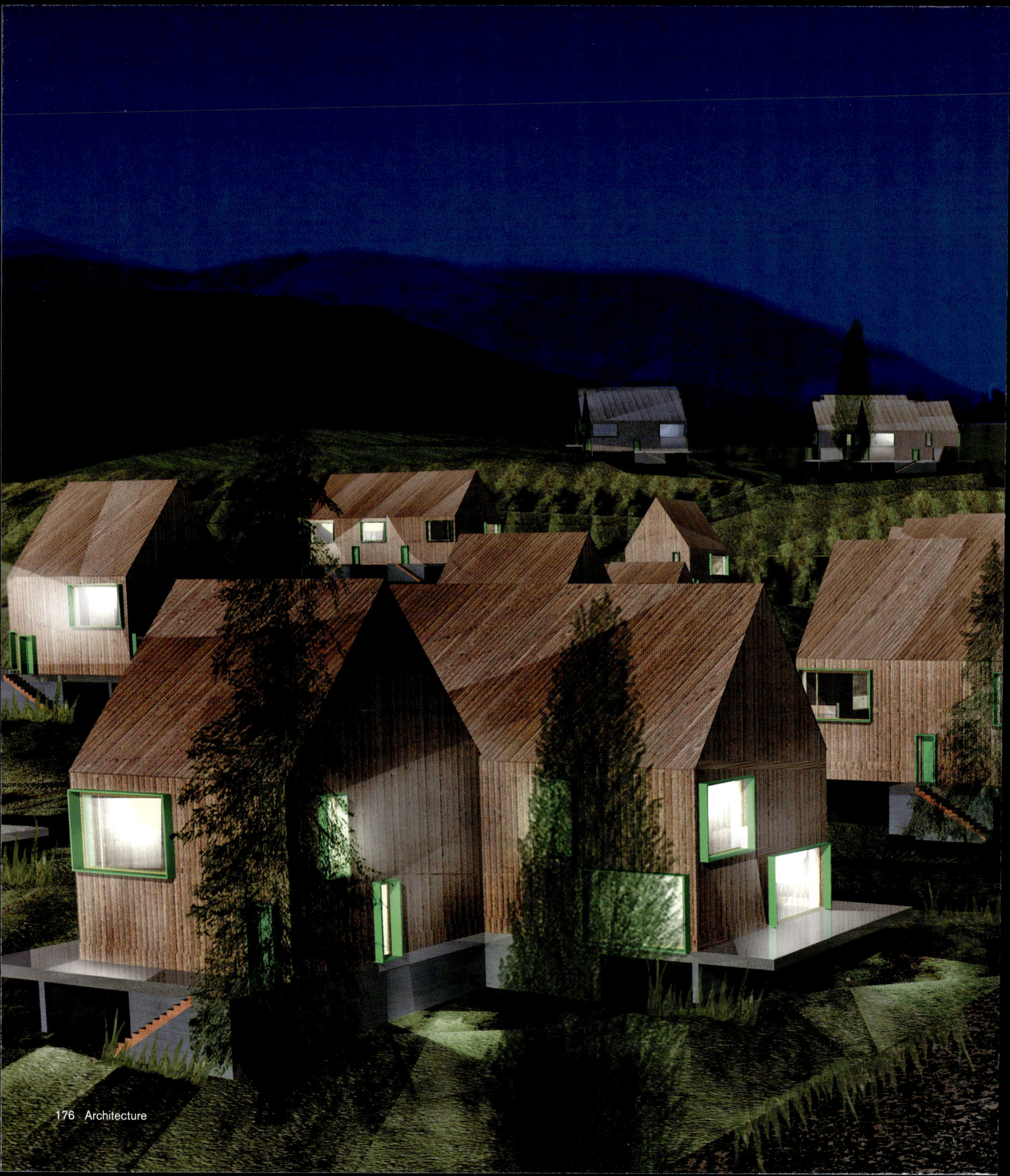

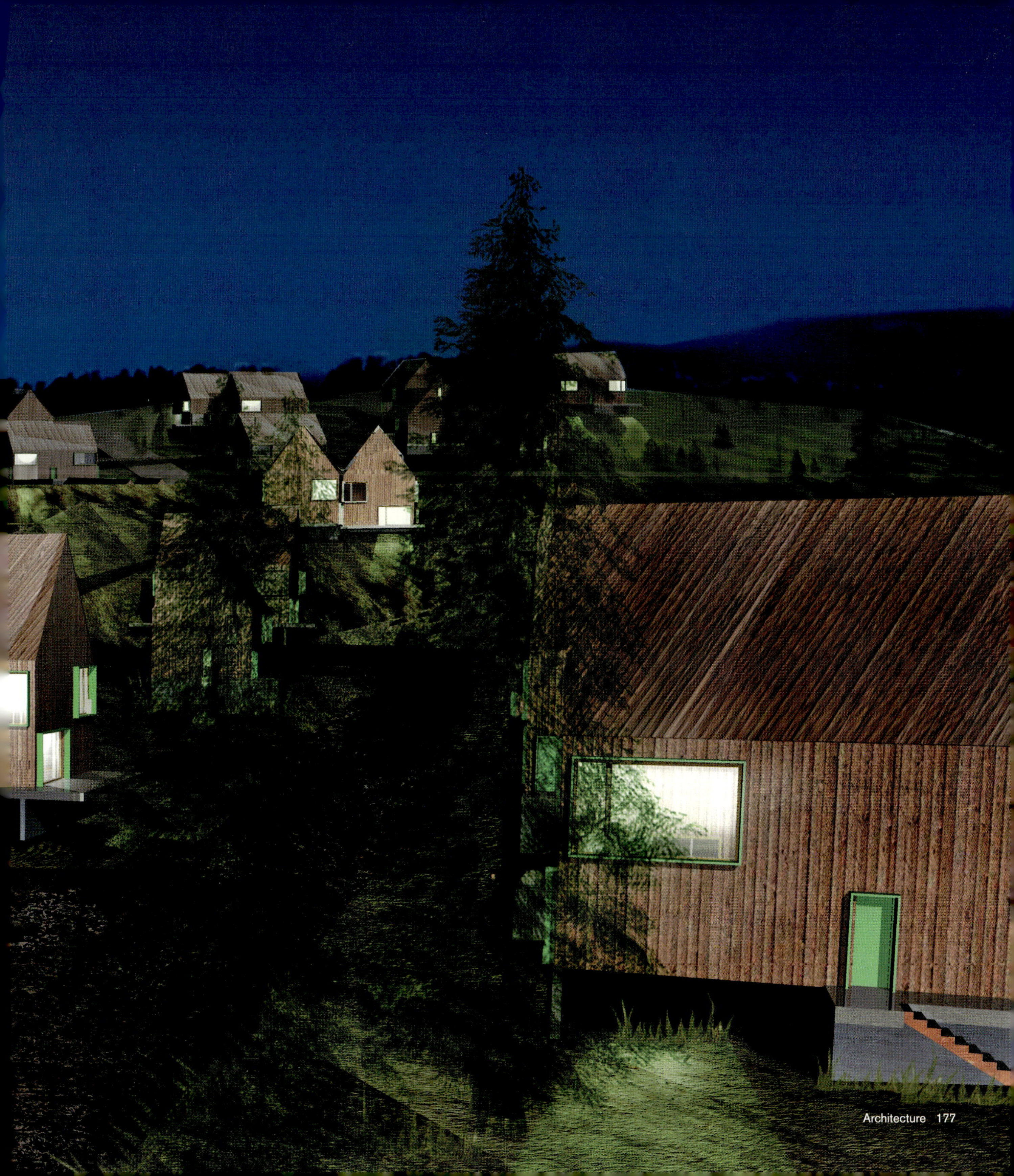

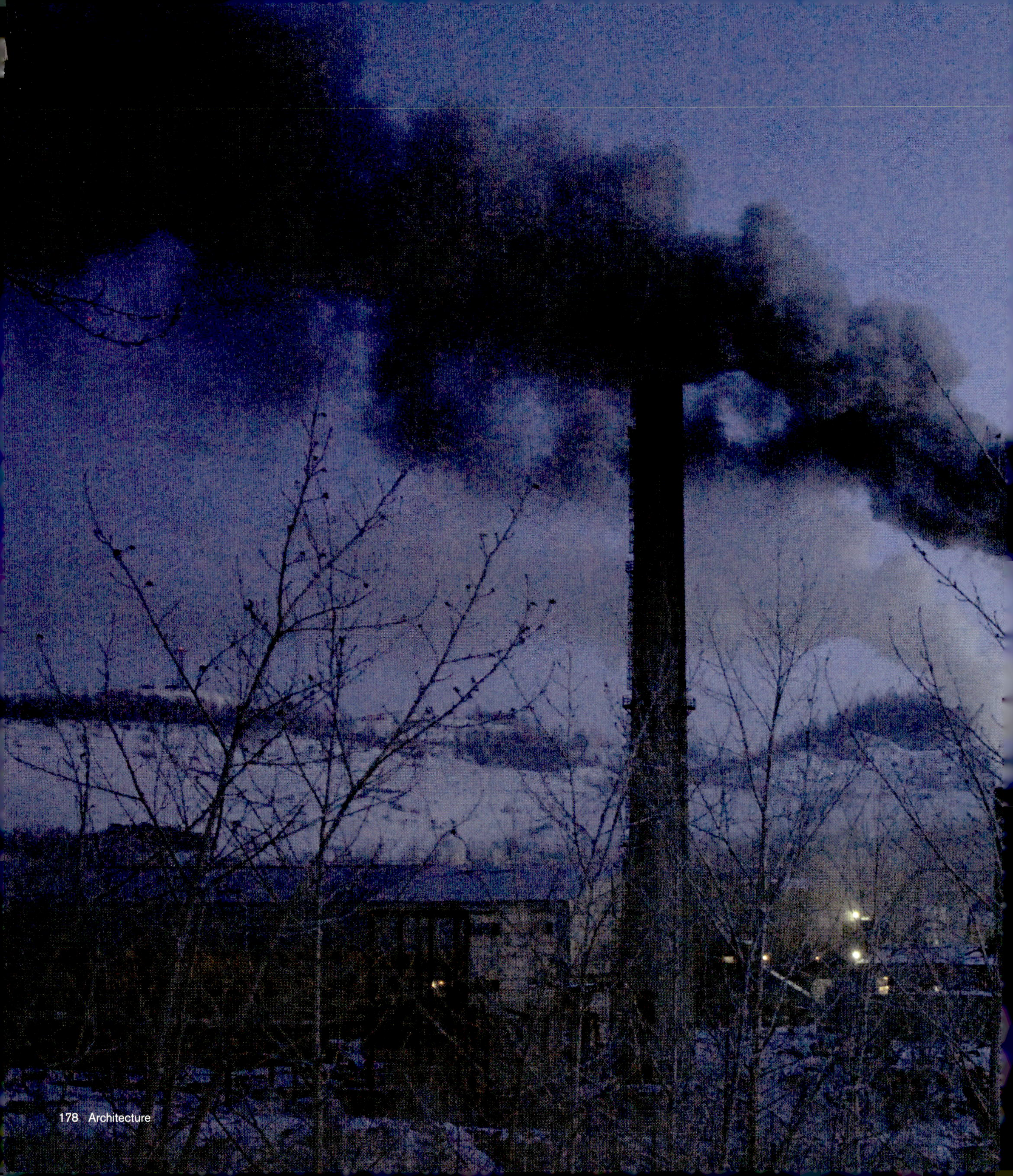

UKK

UST-KAMENOGORSK IN DEN WEITEN KASACHSTANS WIRD DER SCHUTZ DER UMWELT DER PROFITGIER NACH EDELMETALLEN GEOPFERT.

OSKEMEN IN THE FAR CORNERS OF KAZAKHSTAN, PROTECTING THE ENVIRONMENT ALWAYS COMES SECOND TO MAKING A PROFIT FROM NONFERROUS METAL MINING.

Sicherheitsmodul für Büronutzung
Safety Modul for Office Use
Havanna

Auftraggeber
Rühm & Rohrbeck Baubetreuung

Projektadresse
Calle 13 No. 652 esq. a B
Vedado, Ciudad de La Habana

Planung
2009

Die diplomatische Vertretung Deutschlands in Kubas Hauptstadt residiert in einer alten Kolonialvilla. Das betagte Gebäude bot für die Aufgaben der Botschaftsmitarbeiter nicht mehr genügend Platz, so dass nach einer raschen und unkomplizierten Lösung für das drängende Raumproblem gesucht wurde. Es galt, nicht bloß zusätzliche Bürofläche zu schaffen; diese musste auch höchsten Sicherheitsansprüchen genügen und in enger Verbindung zu den Räumlichkeiten in dem schmucken Altbau stehen. Kurzerhand wurde die Villa um einen Dachaufbau ergänzt, der all diese Anforderungen auf denkbar pragmatische Weise erfüllt. Das hochwertige Containermodul ist aus Sandwichpaneelen gefertigt und seine Außenhaut besteht aus einem feinen Stabwerk, das der Fassade Plastizität und Tiefe verleiht und die profane Kiste gestalterisch aufwertet. Diese Stäbe haben jedoch nicht allein eine ästhetische Funktion; sie wirken dank ihres verschattenden Effekts zugleich klimaregulierend. Um dem Ergänzungsbau jeglichen Anschein eines Provisoriums zu nehmen, wurde auch die Regenentwässerung nach innen verlegt.
So krönt ein geradezu künstlerisch erratischer Kubus das Dach der alten Villa. Eine mutige Intervention.

Space had always been rather cramped in the old colonial mansion that houses the German Embassy in Havana. The challenge for the architects was to create an extension that would combine office functions with high security standards and easy accessibility. The highly pragmatic solution was to set a container module consisting of sandwich panels on the mansion's flat roof. The container walls are clad with thin vertical bars that give the façade plasticity while also providing a cooling effect. Rainwater drainage is by an internal system that does not mar the pure lines of this distinctive cube.

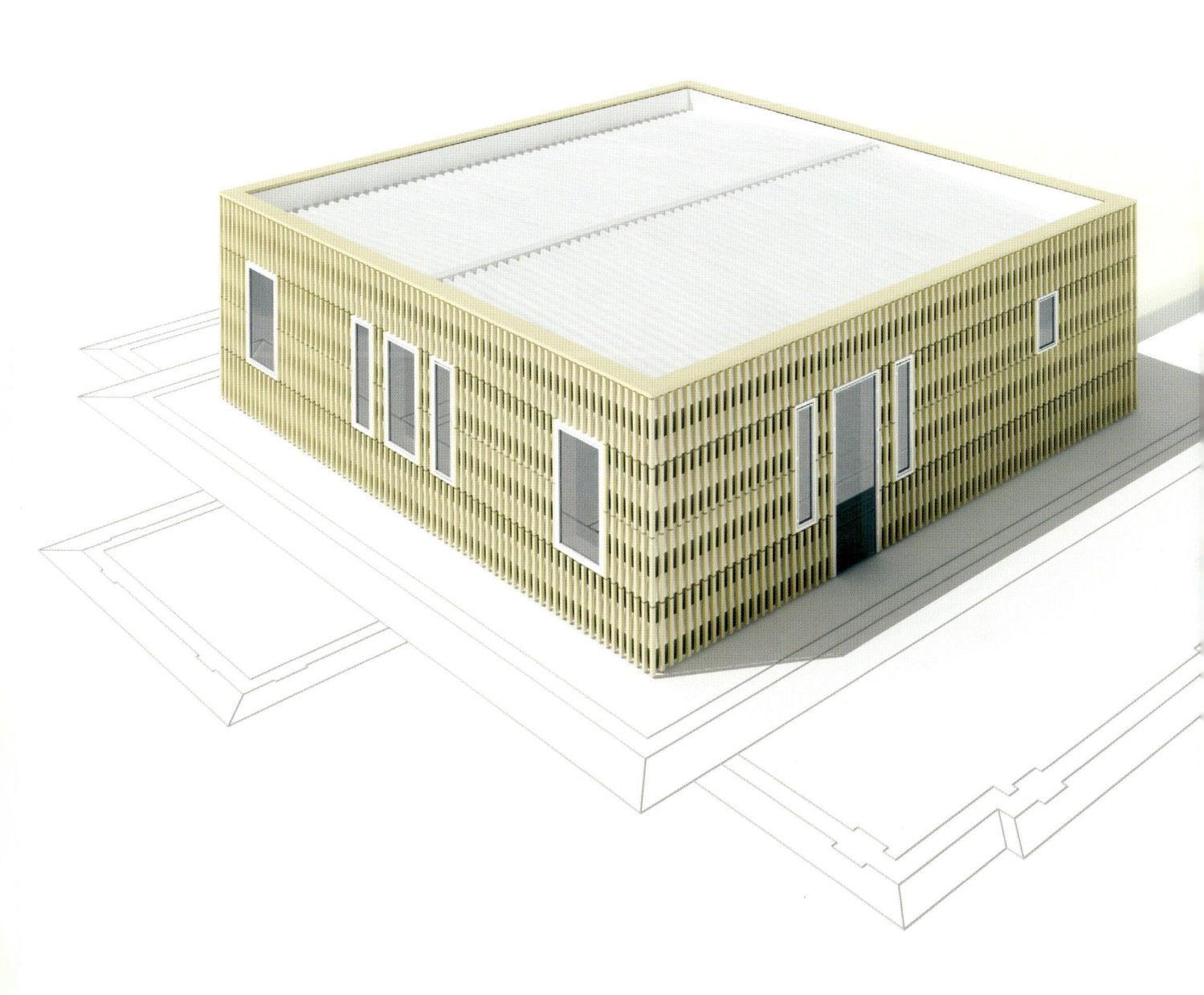

Architecture 181

Ansicht Süd
South elevation

182 Architecture

Ansicht Ost
East elevation

Architecture 183

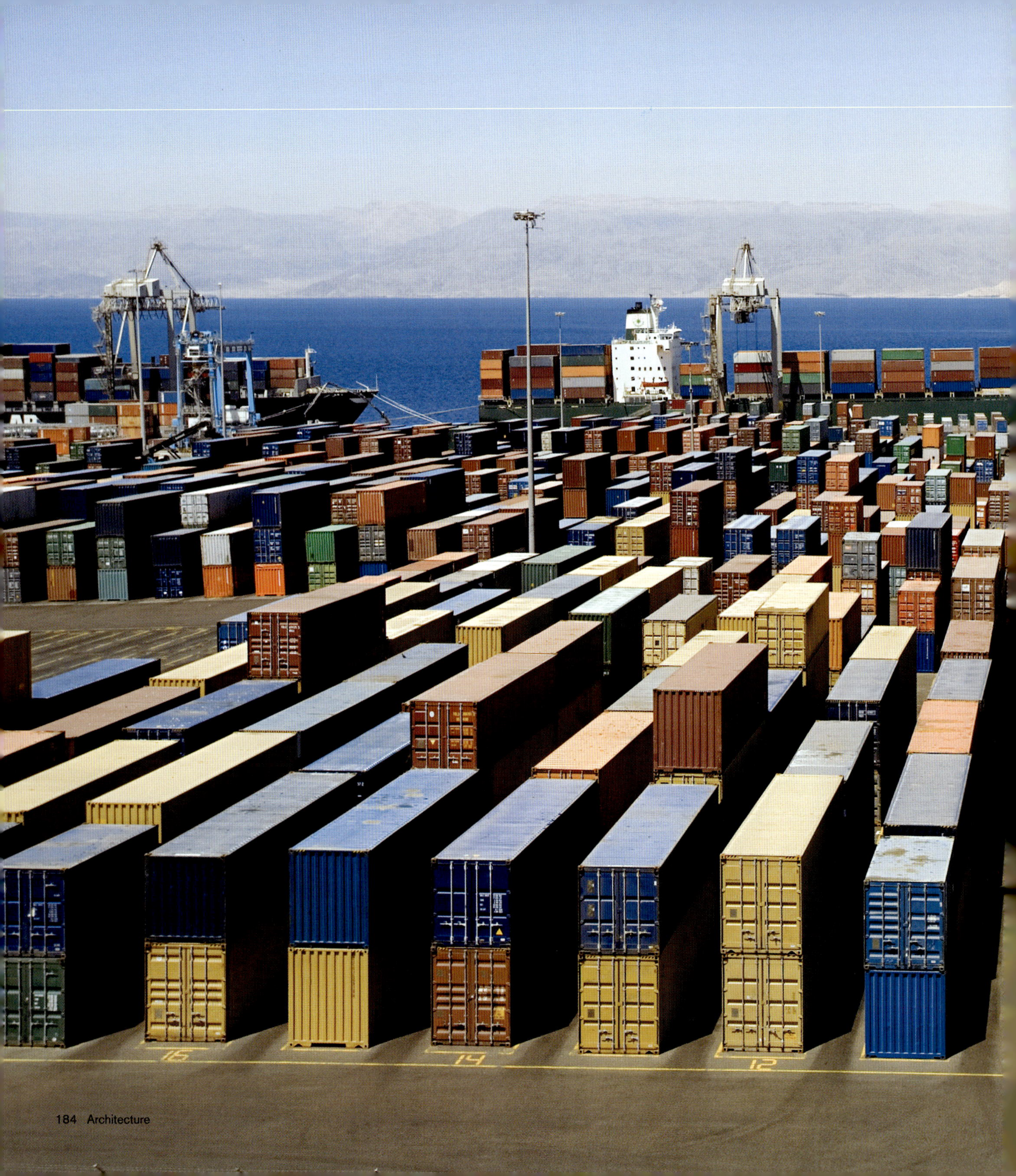

40'

ISO 668 SCHÄTZUNGSWEISE 15 MILLIONEN GENORMTE CONTAINER STAPELN SICH WELTWEIT IN DEN HÄFEN ZU MODULAREN STÄTTEN DER GLOBALISIERUNG.

ISO 668 APPROXIMATELY 15 MILLION STANDARDIZED CONTAINERS STACKED IN CARGO PORTS ALL OVER THE WORLD RESEMBLE MODULAR STRONGHOLDS OF GLOBALIZATION.

Weiterbauen heißt Erhalten!
To Build Is to Preserve!

Philipp Meuser

Maurizio Nannucci:
All art has been contemporary
Kunstinstallation, 2008

*Maurizio Nannucci:
"All art has been contemporary"
Light installation, 2008*

All art has been contemporary (Kunst ist immer zeitgemäß gewesen) prangt es in leuchtend roten Neonlettern hinter den Kolonnaden des Alten Museums. Vor allem nachts wetteifert die Lichtskulptur mit den ehrwürdigen Säulen vor Schinkels erstem kolossalen Bau in Berlin um Aufmerksamkeit. Folgte man dem Selbstverständnis gängiger Denkmalpflege, dürfte der Schriftzug an dem historischen Museumsbau gar nicht sein, käme die Lichtinstallation einer Provokation gleich. Denn Denkmäler pflegen heißt seit gut einem Jahrhundert: das Vorhandene konservieren. Dies bedeutet im landläufigen Verständnis nichts anderes als ein Gebäude, ein Architekturensemble oder eine Landschaft unter freiem Himmel vor dem Zugriff des Jetzt zu sichern, in eine Vitrine zu stellen.

Auf Dauer geht das nicht gut. Denn es steht im Widerspruch zum Wesen alles Geschaffenen auf dieser Erde. Auch ohne menschliche Eingriffe wandelt sich die Welt permanent. Gebäuden ergeht es dabei nicht anders als Landschaften oder Lebewesen: Sie wandeln sich, verändern und entwickeln sich weiter. Auch Denkmäler sind deshalb keine Objekte, bei denen an einem bestimmten Datum plötzlich die Zeit stehen geblieben ist, sondern sie sind Zeugnisse für den Lauf der Geschichte selbst. Sie tragen die Spuren von Epochen, von denen das Heute gleichberechtigt neben einem Gestern steht, das irgendwann einmal selbst Gegenwart gewesen ist. Dafür steht auf exemplarische Weise Schloss Stolzenfels im Rheinland.

Stolzenfels: Von der Burg zum Schloss

Die heute als Schloss bezeichnete Anlage, Teil des UNESCO-Weltkulturerbes Oberes Mittelrheintal, ist eigentlich eine Burg aus dem 13. Jahrhundert. Als Karl Friedrich Schinkel die Ruine

"All art has been contemporary," says the bright red neon sign behind the colonnades of the Altes Museum. At night, the light sculpture competes for attention with the venerable columns fronting Schinkel's first large building in Berlin. According to conventional standards of monument conservation, the neon sign had absolutely no business being installed on the façade of the historical museum building. The presence of the light installation is a provocation because, for the last century or so, preserving historical monuments has been synonymous with conserving the existing substance. And in the minds of most people, this translates into taking steps to ensure that a building, an architectural ensemble, or a landscape under the open sky is protected from the impact of the present as though in a glass display case. There is no way this can work in the long run, because it contradicts the nature of all created things on this earth. The world is continually changing, even in the absence of human intervention, and buildings are no different from landscapes or living things – they go through transformative processes, they change, they develop. And so even a protected monument is not an object where time suddenly ground to a halt at a specific date in history. On the contrary, it is a witness to the progress of history. It bears the marks of different eras, and among all the eras of history the present ranks on an equal footing with any bygone era that itself was once the present. Schloss Stolzenfels in the Rhineland is a textbook illustration of this principle.

Stolzenfels: From Castle to Palace

Part of the Upper Middle Rhine Valley UNESCO World Heritage Site, Stolzenfels originated in the thirteenth century not as a palace (Schloss), but as a castle (Burg). In the years from 1835

Architecture

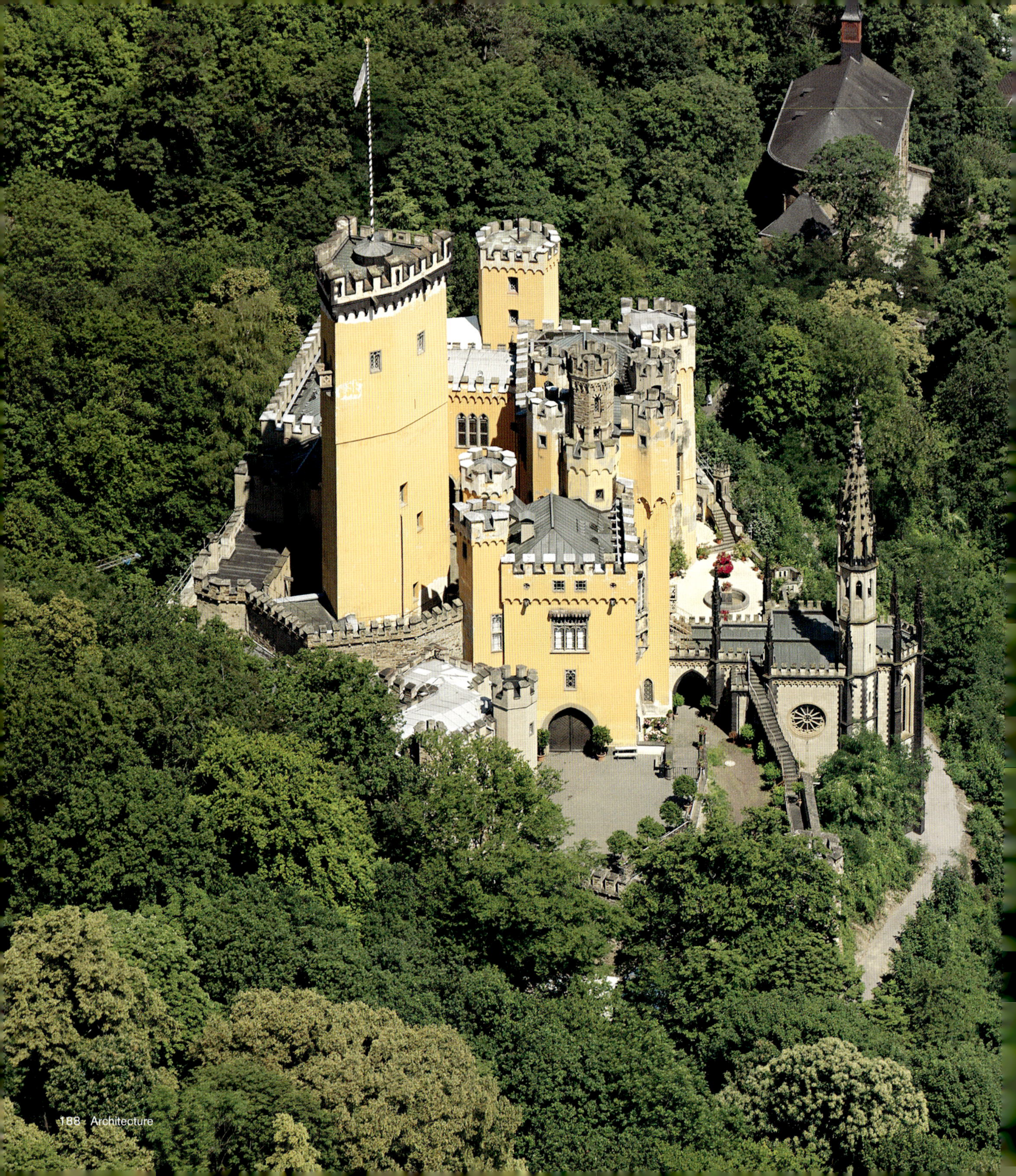

Karl Friedrich Schinkel/
Friedrich August Stüler:
Schloss Stolzenfels bei Koblenz,
Wiederaufbau, 1835–1842 (bis 1839
Bauleitung Schinkel, danach Stüler)

*Karl Friedrich Schinkel and
Friedrich August Stüler:
Stolzenfels Castle near Koblenz,
Reconstruction, 1835–1842*

in den Jahren 1835 bis 1839 zu einem Schloss im regional untypischen viktorianischen Stil umbaute, gingen die historischen Sedimente mittelalterlicher Burgenarchitektur nahezu vollständig verloren. Das Ausmaß des Verlustes an Authentizität lässt sich heute dank eines Korkmodells beurteilen, mit dem Schinkel den Zustand der Ruine vor dem Umbau dokumentierte.
Aus dem Entwurf Schinkels ging indes eine neue Anlage hervor, was dazu führte, dass heute selbst in seriösen Publikationen die Entstehung von Stolzenfels für die Zeit von 1835 bis 1842 angegeben wird. In der öffentlichen Wahrnehmung existiert die mittelalterliche Burg gar nicht mehr. Denn selbst die wenigen Überbleibsel der mittelalterlichen Grenzburg wurden von dem seit 1838 als Architekt des Königs agierenden Schinkel maßgeblich verändert.
So ließ er unter anderem einige Fensteröffnungen am Tor- und Adjutantenturm schließen und mit den für ihn typischen flach geneigten Zinkdächern versehen; Dächer, die lediglich ihren Zweck erfüllten. Schinkels Dächer waren immer unsichtbar und nie gestalterischer Bestandteil seiner Architektur, was vor allem auf die technizistischen Einflüsse seiner Englandreise von 1826 und seiner klassizistischen Ausrichtung zurückzuführen sein dürfte. Deshalb konnte Schinkel, dem die mittelalterlichen Dächer ein Gräuel waren, auch im Falle von Stolzenfels von einem Schloss »fast ohne Dach, mit Zinnen ringsumher« sprechen. Schinkels massiver Eingriff in die Burg war somit eine glatte Geschichtsfälschung, der Wiederaufbau ein Verstoß gegen den 1843 verfügten *Preußisch ministeriellen Runderlass zur Art und Weise des Restaurierens* wonach »es nie Zweck einer Restauration sein könne, jeden kleinen Mangel, der als die Spur vorübergegangener Jahrhunderte zur Charakteristik des Bauwerks beitrage, zu verwischen«.

*to 1839, when Karl Friedrich Schinkel converted the ruined castle into a Schloss in a Victorian style that is highly unusual for the region, the historical remnants of medieval castle architecture were almost entirely destroyed. The extent of this loss of authenticity can be gauged today from a model made of cork in which Schinkel documented the condition of the ruins before the construction work began.
Schinkel's design resulted in a complex so new and different that even reputable publications today list the years 1835 to 1842 as the construction date of Stolzenfels, and the medieval castle that once stood on the site has vanished entirely from public awareness. Even the sparse remnants of the medieval outer bailey were significantly altered by Schinkel in 1838 in his capacity as the king's architect.
For example, he closed several windows in the gatehouse tower and the Adjutants' Tower and added the gently sloping zinc roofs – which serve a purely functional purpose – that are a typical feature of his designs. That Schinkel's roofs were always invisible and never constituted a design element of his architecture may be attributable to the technicist influences he absorbed during his journey to England in 1826 as well as his neoclassical alignment. Thus Schinkel, who loathed medieval roofs, described Stolzenfels as a castle "almost without a roof, with battlements all around". Schinkel's massive intervention in the substance of the castle therefore represents an explicit distortion of history. Moreover, the reconstruction was a blatant violation of a Prussian ministerial circular decree on restoration methods passed in 1843, in terms of which "it can never be the purpose of a restoration to obliterate even the smallest blemish that remains as a trace of bygone centuries and contributes to the character of the building".*

Damit die Vergangenheit jung bleibt

Von jeher wurden Bauten gemäß den Ansprüchen ihrer Zeit umgebaut, erweitert und technisch neu ausgestattet. Der nun erfolgte Einbau eines Fahrstuhls für Behinderte im Torwächterhaus neben dem Haupteingang ist in diesem Sinne ein Beitrag zur Denkmalpflege gemäß Artikel 9 der Charta von Venedig (1964). Darin heißt es: »Dort, wo es sich um eine hypothetische Rekonstruktion handelt, wird jedes Ergänzungswerk, das aus ästhetischen oder technischen Gründen unumgänglich notwendig wurde, zu den architektonischen Kompositionen zu zählen sein und den Charakter unserer Zeit aufzuweisen haben.«
Die (selbst) erklärte Aufgabe der Denkmalpflege besteht deshalb darin, den Lebenslauf eines Ortes, Gebäudes oder Objekts, seine Entwicklung als Zeugnis kultureller, politischer und sonstiger Einflüsse deutlich zu machen und die jeweiligen historischen Schichten freizulegen und ihren eigenständigen Wert anzuerkennen. Nur so ist zu begreifen, warum das aus einer Burg hervorgegangene Schloss Stolzenfels ein eingetragenes Denkmal ist, dem unsere Gegenwart eine neue Schicht hinzufügt. Wir glauben, dass Altes weitergebaut werden darf, um es für veränderte Verhältnisse nutzbar zu machen.

1. Aus Gründen der Architektur
Barrierefreiheit ist neben den konstruktiven und gestalterischen Aspekten ein wesentliches Merkmal unseres Entwurfs. Der Einbau eines Aufzugs in das Torwärterhaus folgt dem berechtigten Anspruch der Behinderten unter den jährlich rund 35.000 Besuchern auf einen ihren Bedürfnissen gemäßen Zugang zu den Räumlichkeiten.

Making the Past New Again

Since time immemorial, people have been adapting, extending, and refitting old buildings to meet the requirements of their times. The recent installation of a lift for disabled persons in the gatehouse of Schloss Stolzenfels, next to the main entrance, is a measure that fully conforms with the preservation of monuments according to Article 9 of the Venice Charter of 1964, which states: "[Where reconstructions become conjectural,] any extra work which is indispensable must be distinct from the architectural composition and must bear a contemporary stamp." The (self-)declared task of preservation consists of illustrating the biography of a place, building, or object and its development as a witness to cultural, political, and other influences – of exposing each historical stratum in full awareness of its independent value. That is why Schloss Stolzenfels, built as it is on the ruins of an older castle, is a protected monument, and why it is possible to add a new stratum in our time.
We believe that it is permissible to build upon the old in order to preserve its usefulness under changing conditions.

1. For reasons of architecture
Together with structural and design aspects, barrier-free construction is one of the fundamental features of our proposal. Installing a lift in the gatekeeper's lodge addresses the justifiable desire to provide adequate access for the disabled persons among the 35,000 people who visit the complex each year.

2. For reasons of accessibility
Installing a lift in the gatekeeper's lodge was the only option for providing barrier-free access not only to the gatehouse and the

2. Aus Gründen der Erschließung
Die vertikale Erschließung des Torwärterhauses mit einem Aufzug ist die einzige Möglichkeit, neben Torwächterbau/Kassenhaus auch alle anderen Flächen barrierefrei zu erschließen. Zudem ist eine Kontrolle des Besucherstroms nur durch den Fahrstuhl im Torwärterhaus gewährleistet.

3. Aus Gründen der Political Correctness
Indem auf diese Weise 91 Prozent der öffentlich zugänglichen Flächen barrierefrei erschlossen werden, haben alle Besucher die Möglichkeit, die Anlage eigenständig zu erkunden. Dies entspricht neben der angestrebten gleichberechtigten Teilhabe aller Menschen in einer modernen Gesellschaft auch dem erklärten und weithin akzeptierten Ziel des Denkmalschutzes, das kulturelle Erbe und seinen Schutz als Wert an sich zu vermitteln. Die Bedeutung dieses Erbes erschließt sich nicht zuletzt über dessen sinnliche Erfahrung. Nach wie vor gilt, dass der beste Denkmalschutz in der aktiven Nutzung des zu erhaltenden historischen Baubestands besteht.

4. Aus denkmalpflegerischen Gründen
Wesentliches Ziel ist es, die von Schinkels Architektur geprägte Gesamtanlage für das 21. Jahrhundert zugänglich und nutzbar zu machen. Die Qualitäten des Originals werden mit dem Einbau des Fahrstuhls in das Torwärterhaus wieder sichtbar. Anbauten aus der zweiten Hälfte des 20. Jahrhunderts, also der südliche Zwinger und das WC-Treppenhaus, wurden entfernt, um das Gebäude wieder in die von Schinkel beabsichtigte Verfassung zurückzuversetzen. Dazu gehört auch, das metallene Dach auf dem Torwärterhaus durch eine Aussichtsplattform zu ersetzen und im Zwinger eine nur 74 Zentimeter breite, durch Schinkel

ticket office, but also to all other parts of the complex. Additionally, the lift in the gatekeeper's lodge provides the only adequate means of monitoring the streams of visitors.

3. For reasons of political correctness
Now that the lift provides barrier-free access to 91 percent of the publicly accessible areas of the complex, all visitors are able to explore the buildings independently. In addition to providing equal access for everyone in accordance with the standards of modern society, this also complies with the goal, widely accepted among conservators, of transmitting our cultural heritage and its protection as values in their own right. And one of the best ways to communicate the significance of our heritage is to enable people to experience it at first hand, while the best way to protect historical buildings is by putting them to active use in the present day.

4. For reasons of conservation
One of the crucial goals of conservators is to make Schinkel's architecture and the complex as a whole accessible and useful in the twenty-first century. The qualities of the original building have once again been made visible thanks to the installation of the lift in the gatekeeper's lodge. Additions dating from the second half of the twentieth century – the southern ward and the stairwell to the toilets – were removed to restore the building to the state envisaged by Schinkel. Additionally, the metal roof of the gatekeeper's lodge was replaced with an observation platform, while a door only 74 centimetres wide, which Schinkel inserted in the ward, was removed and widened to the modern standard of 80 centimetres in order to allow wheelchair access.

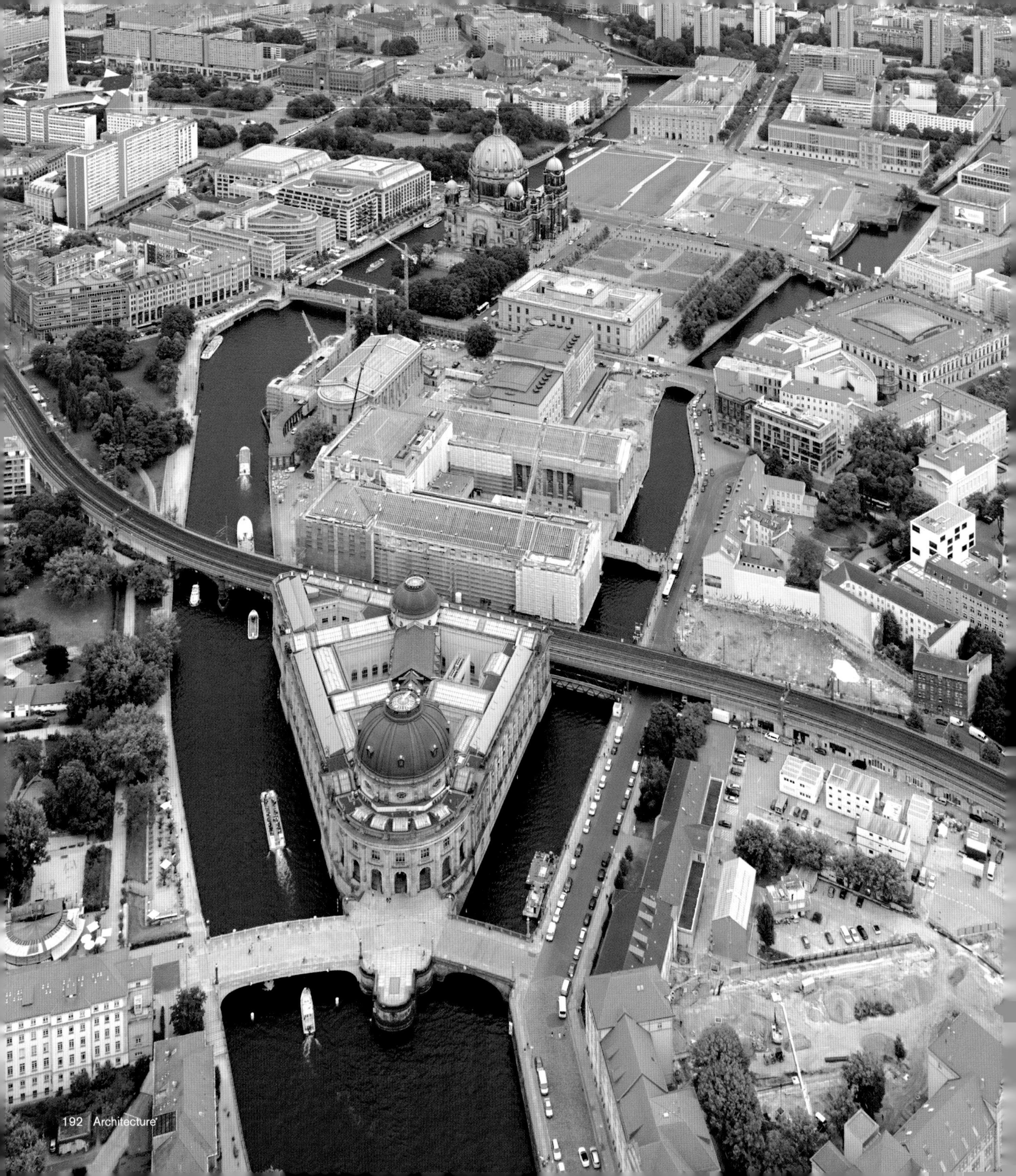

Museumsinsel in Berlin, 2009
Museum Island, Berlin, 2009

eingesetzte Tür abzubauen und auf rollstuhlgerechte, den modernen Normen entsprechende 80 Zentimeter zu erweitern.
All diese Eingriffe entsprechen den Regeln der Charta von Venedig zur Erhaltung eines Denkmals (hier insbesondere Art. 5), die auch im Falle der Berliner Museumsinsel, immerhin einem der bedeutendsten Flächendenkmäler des UNESCO-Weltkulturerbes, praktiziert werden. Auch hier geht es darum, die Häuser des Ensembles für einen modernen Museumsbetrieb zu qualifizieren und neuen Anforderungen anzupassen.

Es wird saniert [lat. sanare: »heilen«, »leistungsfähig machen«].

Es wird restauriert [lat. restaurare: »erneuern«, »wiederherstellen« im Sinne von »ausbessern«].

Es wird rekonstruiert [lat. reconstruere: »wieder(er)baut« beziehungsweise »wiederaufgebaut«, »der ursprüngliche Zustand wiederhergestellt«].

Die feinen Unterschiede dieser oft voreilig verwendeten und gern miteinander verwechselten Begriffe muss man im Falle solcher Vorhaben klar differenzieren. So wird auf der Berliner Museumsinsel eine neue unterirdische Verbindung geschaffen; die *Archäologische Promenade* soll künftig alle Häuser

All these alterations conform to the rules of the Venice Charter for the preservation of monuments, and especially to Article 5 of this document. The same rules were observed in recent work on the Museum Island in Berlin, one of the most significant complexes among UNESCO World Heritage Sites. Here, too, the aim is to adapt the buildings in the ensemble to meet the requirements of modern museums.

They will be renovated (from Latin renovare, "to renew" or "restore").

They will be restored (from Latin restaurare, "to restore" or "rebuild", in the sense of "repairing").

They will be reconstructed (from Latin reconstruere, "to rebuild", "reconstruct", "restore something to its original condition").

The subtle differences in meaning between these terms, which are often used carelessly and interchangeably, must be clearly distinguished in the case of a project such as this one. Thus the Museum Island will receive a new subterranean access, known as the Archaeological Promenade, which will serve as a link between all the buildings. Postwar interior additions will be removed to restore the structural and aesthetic qualities of

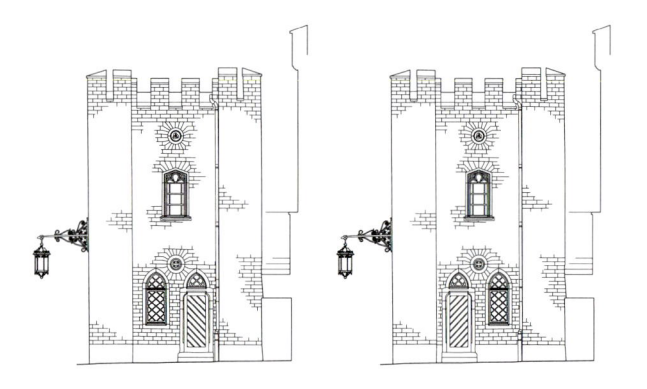

Schloss Stolzenfels:
Ansicht Torwächterhaus

Stolzenfels Castle: Section of the gatekeeper's lodge

Kölner Dom:
Hauptportal West

Cologne Cathedral: Main portal, west side

miteinander verbinden. Außerdem werden spätere Einbauten entfernt, um die konstruktiven und ästhetischen Qualitäten der Originalentwürfe sichtbar werden zu lassen. Der Einbau einer modernen Klimaanlage, neue Aufzüge, behindertengerechte Zugänge und Wegeführungen gehören zu den selbstverständlichen Neuerungen bei diesem Projekt. Denn nur auf diese Weise können sich die berühmten Bauten von Schinkel, Stüler, Ihne und Messel für die Anforderungen des 21. Jahrhunderts habilitieren. Doch über solche Ansätze gibt es erbitterten Streit, auch im Fall von Schloss Stolzenfels. Hier wird zum Teil mit großer Heftigkeit um den Einbau des Fahrstuhls in das Torwärterhaus, den Ersatz des Dachs durch eine Aussichtsplattform, die Verbreiterung einer historischen Tür im Elisabethturm und um den Austausch einer Tür und eines Fensters im Torwächterhaus gerungen.

In dieser Auseinandersetzung lassen sich zwei gegensätzliche Argumentationsstränge ausmachen:

Der konservative Ansatz folgt dem von dem Kunstwissenschaftler und Wortführer der Denkmalpflege Georg Dehio im Jahr 1905 aufgestellten Leitsatz »Konservieren, nicht rekonstruieren« und wird heute hauptsächlich von Georg Mörsch, Dozent für Denkmalpflege an der Eidgenössischen Technischen Hochschule Zürich, vertreten. Dessen Leitthese lautet: »Ureigenstes Anliegen der Denkmalpflege ist das Bewahren von Substanz.«

Das progressive Lager folgt dem auf Schinkel zurückgehenden Ansatz vom Erhalt des Baudenkmals durch Weiterbau, den dieser 1816 für den Kölner Dom proklamiert und an Schloss Ehrenburg in Coburg sowie an der Burg Stolzenfels praktiziert hatte. Zudem belegen zahlreiche unausgeführte Pläne wie zum Beispiel die Umgestaltung der Athener Akropolis in einen Königspalast Schinkels Credo. Seine Auffassung wurde in zeitgemäßer Form vor allem von dem Regensburger Kunsthistoriker Jörg Traeger

the original designs. New additions will include a modern air conditioning system and new lifts as well as wheelchair-friendly entrances and access routes.

All these things are indispensable for enabling the famous buildings by Schinkel, Stüler, Ihne, and Messel to meet the demands of the twenty-first century. But none of these things can be achieved without bitter altercations along the way, and Schloss Stolzenfels was not spared the disputes, either. Installing the lift in the gatekeeper's lodge, replacing the roof with an observation platform, widening a historical door in the Elisabeth Tower, replacing a door and a window in the gatekeeper's lodge – all these changes were accompanied by controversies, some of which reached an extremely heated pitch. Two opposing lines of argumentation can be identified in this debate:

The conservative approach adheres to the injunction to "conserve, not reconstruct" enjoined in 1905 by the art theorist and proponent of conservation Georg Dehio. Its main protagonist today is Georg Mörsch, who teaches monument conservation at ETH Zurich and whose guiding philosophy is that "the quintessential task of conservators is to preserve substance."

The progressive approach follows the dictum, which goes back to Schinkel, that protecting the old means building upon it. Schinkel proclaimed this philosophy in 1816 for the cathedral in Cologne and practised it at both Schloss Ehrenburg in Coburg and Stolzenfels Castle. Many of Schinkel's unrealized designs, such as the conversion of the Athenian Acropolis into a royal palace, also attest to this philosophy, a modern recasting of which was supported by the Regensburg art historian Jörg Traeger (1942–2005). Following Schinkel, Traeger declared, "The rights of history include the right to reconstruction." In their continual quest to preserve, conservators thus have

Architecture 195

Frauenkirche in Dresden,
Wiederaufbau 2005

*Church of Our Lady, Dresden,
reconstruction 2005*

Herzogin-Anna-Amalia-Bibliothek in
Weimar, Wiederaufbau 2007

*Duchess Anna Amalia Library, Weimar,
reconstruction 2007*

(1942–2005) vertreten. Er dekretierte in Schinkels Sinne: »Das Recht der Geschichte schließt das Recht auf Rekonstruktion ein.« Die Denkmalpflege darf in ihrem permanenten Bemühen um das Bewahren also selbst rekonstruieren – auch »Ruinen, welche im Laufe der Jahrhunderte eigene kunst- oder geistesgeschichtliche Traditionen begründet haben«. Aus genuin architektonischer Sicht lässt sich diese Haltung auf einen einfachen Nenner bringen: »Rekonstruieren ist Entwerfen.« (Augusto Romano Burelli)

Denkmalpflege – Auftrag und Selbstfindung

Seit die Denkmalpflege in Deutschland vor gut 100 Jahren institutionalisiert wurde und seit 1900 einmal jährlich der *Deutsche Tag der Denkmalpflege* begangen wird, streiten sich die Protagonisten um den richtigen Weg. Öffentlich verstärkt wurde diese lange nur unterschwellig geführte Debatte vor allem durch den seit 1990 vielerorts diskutierten Neubau von im Krieg oder danach zerstörten und verschwundenen ortsprägenden Gebäuden (etwa die Dresdner Frauenkirche, das Braunschweiger Schloss, das Neue Museum auf der Berliner Museumsinsel, die Waidhäuser und Bibliothek des Augustinerklosters in Erfurt). Die Haltung der Konservativen, ureigenstes Anliegen der Denkmalpflege sei das Bewahren von Substanz – und nicht die Herstellung von Bildern, die immer Interpretationen sind –, zu diesen

the right to reconstruct – even to reconstruct "ruins that have given rise to their own artistic or historical traditions over the centuries." From a purely architectural perspective, this attitude can be reduced to a simple common denominator: "Reconstruction is design" (Augusto Romano Burelli).

Conservation as a Mission and a Quest for Identity

Ever since the conservation of historical monuments was institutionalized a century or so ago, and ever since 1900, when Germany celebrated its first annual Monument Conservation Day, conservators have been arguing about the "correct" way to preserve buildings. After long periods when this debate was conducted largely behind the scenes and by implication, it gained public visibility after 1990 due to the controversies surrounding the reconstruction of significant buildings that had been destroyed during or after the war, such as the Church of Our Lady in Dresden, the Royal Palace in Braunschweig, the New Museum on the Berlin Museum Island, and the Waidhaus buildings and the library of the Augustinian monastery in Erfurt. The conservative attitude "the quintessential task of conservators (is) to preserve substance, not to create images, which are invariably interpretations" is to reject reconstruction, as its ultimate verdict is that what is gone is irrevocably gone. In this

196 Architecture

Christus-Erlöser-Kathedrale in Moskau,
Wiederaufbau 2000

*Cathedral of Christ the Saviour,
Moscow, reconstruction 2000*

Hotel Moskau in Moskau,
Wiederaufbau 2010

*Moscow Hotel, Moscow,
reconstruction 2010*

Vorhaben ist ablehnend; lautet ihr Verdikt doch schließlich: Was weg ist, ist weg. Dieser Logik folgend war es ein Frevel, die 2004 durch einen Brand teilweise zerstörte Herzogin-Anna-Amalia-Bibliothek in Weimar wiederaufzubauen. Und in letzter Konsequenz muss diese Haltung auch mit Karl Friedrich Schinkel über Kreuz liegen, der mit seinen Plänen, Um- und Neubauten eine romantische Erhabenheit ins Bild setzte. Diese Sicht hat auch der preußische Hof- und Landschaftsmaler Caspar Scheuren in seinem Aquarellzyklus von Schloss Stolzenfels vertreten, das er in seinem Werk als eine romantisch mittelalterliche Fantasiewelt darstellt. »Die harmonische Abgeschlossenheit und Harmonie des Gesamtkunstwerkes Stolzenfels« wird in diesen Bildern noch überhöht. Diese traumtänzerische Vedute wird bis heute von weiten Kreisen der Denkmalpflege als Realität beschworen. Massiver kann niemand auf die Inszenierung einer Wirklichkeit hereinfallen.

Andererseits hat Schinkel für das Königreich Preußen mit einem Gutachten über die »Grundsätze zur Erhaltung alter Denkmäler und Altertümer unseres Landes« (1815) die Disziplin der Denkmalpflege als eine staatliche Aufgabe in Deutschland etabliert und nach der Maxime »Erhalt durch Weiterbau« selbst praktiziert. Es stellt sich also die Frage, wie es die Denkmalpflege selbst mit ihrem Gründervater Schinkel hält.

line of reasoning, the reconstruction of the Duchess Anna Amalia Library in Weimar, which was partly destroyed in a fire in 2004, should be branded as a sacrilege.
This attitude conflicts with the philosophy of Karl Friedrich Schinkel, whose designs, conversions, and new buildings showcased a romantic grandeur. The same philosophy was espoused by the Prussian court and landscape painter Caspar Scheuren in his watercolour series of Schloss Stolzenfels, which he depicted as a romantic, medieval fantasy world. "The harmonious completeness and concord of the work of art that is Stolzenfels" finds its apotheosis in these paintings. Even today, many conservators invoke this fanciful veduta as the "reality" of the historical Stolzenfels. One could hardly be more completely taken in by a feigned historical reality.
On the other hand, an expert opinion by Schinkel for the Kingdom of Prussia on the "Principles of the Conservation of Old Monuments and Historical Sites of Our Country" (1815) ultimately established monument conservation in Germany as a responsibility of the state, and Schinkel himself adhered to the dictum of "conservation through reconstruction" in his work as a conservator.
It is therefore legitimate to ask how faithful conservators have been to the principles of the founder of their discipline.

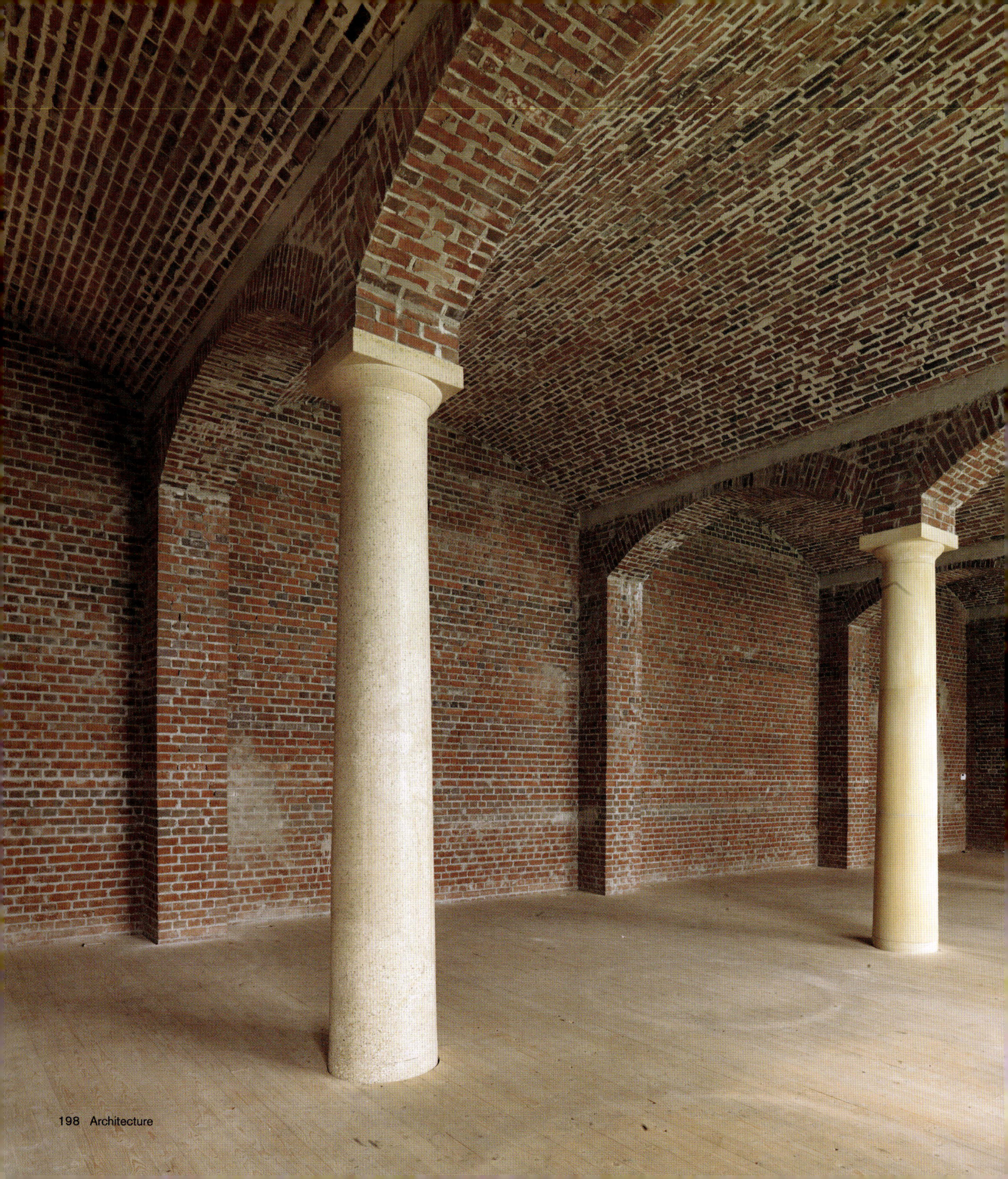

links:
Tobias Nöfer: Wiederaufbau
des Roten Saals in der Berliner
Bauakademie, 2005

oben:
Schinkelplatz, 2009

left:
Building Academy (Bauakademie),
Red Hall partly reconstructed by
Tobias Nöfer, 2005

top:
Schinkelplatz, 2009

Schinkel aus seiner Zeit heraus verstehen

Der preußische Hofbaumeister des 19. Jahrhunderts wird von Denkmalpflegern und Kulturästheten nach wie vor als Säulenheiliger behandelt. Das Erste, was Not tut, ist eine sachliche Annäherung sowohl an die Person Schinkels als auch an die treibenden Kräfte seiner Zeit sowie an die ihn und diese leitenden Ideen. Zu den wenigen Fachleuten, die sich dieser Frage mit Blick auf den Städtebau und insbesondere den von Schinkel gebauten und geplanten Großprojekten zugewandt haben, gehört der Kunsthistoriker Tilmann Buddensieg:
»In Berlin bildete sich aus einem intellektuellen Geflecht von Aufklärung, romantischem Klassizismus und universalgeschichtlicher Reflexion eine Art Spaltpilz: die Dekonstruktion. Dieser Begriff kann durchaus bereits auf das beginnende neunzehnte Jahrhundert angewandt werden, als die feudale Stadt des achtzehnten Jahrhunderts auf mehreren Ebenen angegriffen und aus ihrer vollständigen Homogenität herausgehoben und aufgebrochen wurde. Schinkel kann in dieser Hinsicht als der erste Gegner der historischen Stadt Berlin, wie sie aus dem achtzehnten Jahrhundert überkommen war, bezeichnet werden. Die Kritik an der historischen Stadt Berlin [ging] von einem selbstbewussten, durch die Freiheitskriege gestärkten, patriotischen Bürgertum aus, dem auch Schinkel, Borsig, Zelter und andere angehörten.«

Schinkel as a Child of His Time

The Prussian court architect of the nineteenth century is still something of an idol in the eyes of conservators and cultural aesthetes today. The most immediate need is for an objective examination both of Schinkel himself and of the prevailing ideas that shaped him as a child of his time. The art historian Tilmann Buddensieg is one of the few experts who have undertaken such an examination, with special reference to urban development and the major urban projects designed and built by Schinkel.
"In Berlin, an intellectual environment dominated by the Enlightenment, Romantic Classicism, and reflection on universal history engendered the discordant spirit of deconstructivism. For this is indeed the term that best describes what was going on at the start of the nineteenth century, when the feudal city of the eighteenth century came under attack on several levels and was stripped of its originally complete homogeneity. Schinkel may be regarded as the first opponent of the historical shape of the city of Berlin that had emerged from the eighteenth century … The criticism of the historical shape of Berlin emanated from a confident, patriotic middle class that had been strengthened by the War of Liberation. Schinkel, Borsig, Zelter, and others were members of this class."

Franco Stella:
Berliner Stadtschloss/Humboldt-Forum,
Wiederaufbau 2013–2018

*Franco Stella:
Berlin Castle – Humboldt Forum,
reconstruction 2013–2018*

Neben dem Bürgertum war der andere Rezipient für das Neue eine humanistisch aufgeklärte Aristokratie, deren Sinn für das Erhabene schließlich auch das preußisch-protestantische Königshaus erfasste; freilich nur in dem Maße, als deren »träumerischer Überdruß von der Stadt ihrer Väter und Großväter« (Buddensieg) einen Widerhall fand. König Friedrich Wilhelm III. und Kronprinz Friedrich Wilhelm (später der König Friedrich Wilhelm IV.) waren angetan von Schinkels italienisierenden Turmvillen, die zurückgingen auf die nachhaltigen Prägungen seiner Reisen durch Italien, insbesondere durch die Toskana. Diese mediterranen Gebäude im kargen Preußen sind letztlich nichts anderes als eine »Herstellung von Bildern, die immer Interpretationen (und damit immer auch Verfälschungen) sind.« (Mörsch)

Doch die adligen oder großbürgerlichen Bauherren, für die Schinkel arbeitete, waren auch angetan von der Idee eines architektonisch-landschaftsgärtnerischen Arrangements, das Potsdam und Berlin miteinander verbinden und die Umgebung beider Städte prägen sollte. Dieses preußische Arkadien war Poesie. Ganz und gar nicht begeistert zeigte sich der Hof indes von Schinkels Plänen eines Kaufhauses am Berliner Boulevard Unter den Linden. Der technizistische Stil, den Schinkel, inspiriert von seinem Englandaufenthalt im Jahr 1826, später einzig in der Bauakademie umsetzen sollte, war 1839 noch zu progressiv, zu bürgerlich, zu revolutionär. Diese Reserviertheit gegenüber Neuem lässt sich nur verstehen, wenn man die von Widersprüchen zerrissene Zeit bedenkt, in der Schinkel wirkte: eine Ära zwischen nationalem Aufbruch und spürbarem bürgerlich-liberalen Freiheitswillen einerseits sowie rückwärtsgewandter Restauration andererseits, eine krisenhafte Nationalökonomie, die sich der beginnenden Industrialisierung nur verhalten öffnete, sowie die durch alle Fugen des morschen Ancien Régime

But it was not only the middle class that was open to the new. Educated in the spirit of Humanist Enlightenment, the Prussian aristocracy, too, developed a sense of the sublime that ultimately infected even the Protestant royal family – though only in the form of a "fanciful ennui with the city of their fathers and grandfathers" (Buddensieg). King Frederick William III and Crown Prince Frederick William (the future King Frederick William IV) were greatly taken with Schinkel's Italian-style turreted villas, which were strongly influenced by his travels in Italy and in particular Tuscany. Set in the austere Prussian landscape, these Mediterranean buildings are precisely those "images, which are invariably interpretations, and thus always falsifications" criticized by Mörsch.

Schinkel's aristocratic and upper-class clients, however, were also fond of the idea of an ensemble of architecture and landscape design that would link Potsdam and Berlin and dominate the surroundings of both cities. This Prussian Arcadia was pure poetry. But there was no enthusiasm at all at court for Schinkel's plans to build a department store on Berlin's Unter den Linden boulevard. The technicist style which inspired Schinkel during his sojourn in England in 1826, which he was subsequently to realize only once, in the Building Academy, was still too progressive, middle-class, and revolutionary in 1839. To understand this reserve towards anything new, one must bear in mind that Schinkel's time was fraught with contradictions. It was an era caught between national resurgence and a palpable desire for freedom on the part of the liberal middle classes on the one hand and retrogressive restorationist tendencies on the other. The national economy was in crisis, hesitant to embrace the first beginnings of industrialization, and the wind of social, cultural, and political protest was blowing through all the chinks in the

Architecture 201

202 Architecture

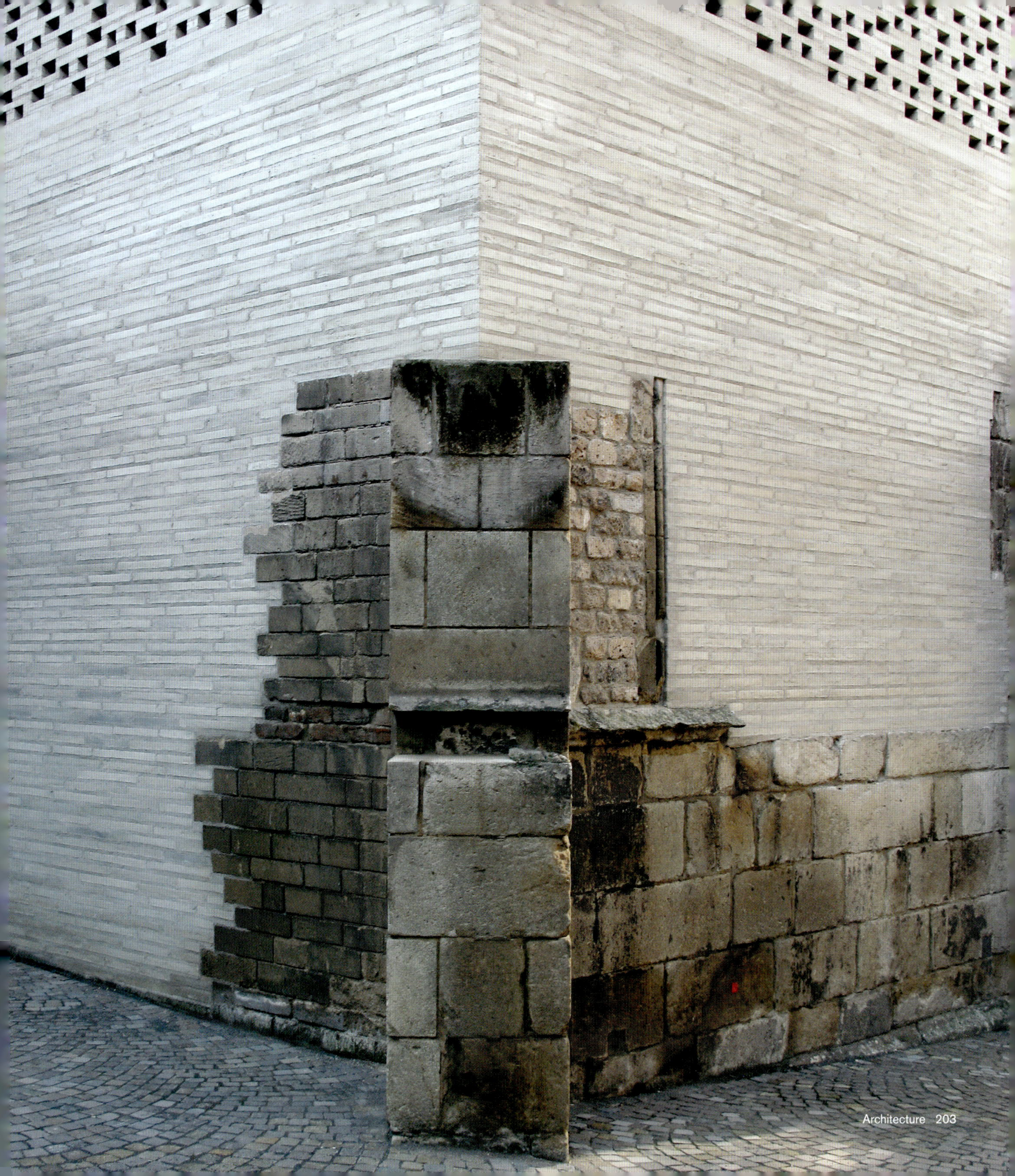

dringende Zugluft des sozialen, kulturellen und politischen Aufbegehrens. Vormärz. 1848 fand die Revolution auch in Deutschland statt.
Architektur war gerade in dieser Zeit keine reine Geschmackssache mehr; sie war gebaute Politik, in Stein gesetzter Zeitgeist, Bekenntnis. Ebenso wenig lässt sich die Romantik allein als Weltflucht deuten, war sie doch vielmehr eine Form nationaler Identitätsfindung und Abgrenzung sowie des kulturellen Widerstands gegen ein verkrustetes politisches System. So ist auch Schinkels Begeisterung für die Gotik keineswegs eine Sache der reinen Ästhetik, sondern zugleich Ausdruck seiner Suche nach einer identitätsstiftenden baulichen Form. Sie hat zu tun mit Schinkels national-patriotischer Gesinnung, die vor allem in den Befreiungskriegen 1813–1815 erstarkte.
Der Klassizismus ist in diesem Verständnis gebauter bürgerlicher Widerstand, der sich im Zentrum der Hauptstadt gegen die feudalen Barockmassive, insbesondere das Berliner Schloss, behauptete. Schon in der baulichen Schlichtheit spiegelt er die bürgerlichen Tugenden der Sparsamkeit, der Abneigung gegen Prunk sowie der Geradlinigkeit wider und bringt sich nicht nur als architektonische Alternative zur repräsentativen Verschwendung, Gefallsucht und höfischen Pracht des Adels in Stellung.

Denkmalpflege: Rettung des Erhaltenen durch Weiterbau

Schinkel betrachtete das historisch Überlieferte unter reinen Nützlichkeitsaspekten, um aus dem Vorhandenen etwas Neues zu schaffen. Nur so ist der Umbau von Burg Stolzenfels zum Schloss, letztlich ein Neubau, überhaupt zu verstehen. Stolzenfels steht beispielhaft für viele andere Burgen entlang des Rheins, die in kriegerischen Auseinandersetzungen sowohl mit

armour of the moribund ancien régime. Finally, in 1848, revolution came to Germany and architecture ceased to be purely a matter of taste. It was politics turned masonry, Zeitgeist carved in stone, an affirmation of a philosophy. Similarly, Romanticism cannot be interpreted as mere escapism; rather, it was the expression of a national search for identity and distinction – of cultural resistance to a hidebound political system. Schinkel's enthusiasm for Gothic architecture was by no means a matter of simple aesthetics, but a by-product of his quest for building forms that would create identity. It was linked to his nationalistic patriotism, which grew to its greatest strength during the War of Liberation from 1813 to 1815.
Classicism in general and its Prussian permutation in particular can thus be read as the architectural expression of middle-class resistance that held its own in the centre of Berlin against the feudal Baroque edifices and especially against the royal palace. In its formal and material simplicity – note that brick buildings are a prominent feature – it reflects the middle-class virtues of thrift, distaste for pomp and superficial beauty, and rectilinear purity, and offers an alternative, not only on the level of architecture, to the notorious ostentatious wastefulness, coquetry, and courtly splendour of the aristocracy.

Conservation: Preserving the Old by Adding the New

Schinkel judged historical buildings solely in terms of their utility, always seeking to adapt new and old. That is why the planned conversion of Stolzenfels Castle in his hands turned into what was basically a complete reconstruction. The history of Stolzenfels exemplifies the fate of many other castles along the Rhine which were destroyed in the wars with France both

Seiten 202/203:
Peter Zumthor:
Kolumba – Kunstmuseum des
Erzbistums Köln, 2007

*Pages 202/203:
Peter Zumthor: Kolumba – Art Museum
of the Roman Catholic Archdiocese of
Cologne, 2007*

dem vor- als auch dem nachrevolutionären Frankreich zerstört wurden und deren Neu- und Wiederaufbau im 19. Jahrhundert unter dem Zeichen eines erstarkenden nationalen Selbstbewusstseins diesseits des Rheins erfolgte.
Der Architekt des preußischen Königs dachte und arbeitete pragmatisch. Er bediente sich bereits vorhandener und etablierter Formen und Stile, modifizierte diese und entwickelte sie weiter. Streng genommen ist Schinkels Werk von den gotischen über die klassizistischen Formen bis hin zu den Tudor-Adaptionen eine einzige großartige Inszenierung von Bildern.
Ginge es nach der konservativen Fraktion der Denkmalpflege, gehörten Schinkels Werke darum sofort von der Liste gestrichen. Dass dies nicht geschieht, hat einen einfachen Grund: Schinkels Bauten verkörpern den Geist ihrer Zeit. Nur so lässt sich begründen, warum Stolzenfels und auch andere historistisch überformte Burgen den Weg in die Denkmalliste gefunden haben.
Trotzdem streitet die institutionalisierte Denkmalpflege nach wie vor lieber über Prinzipien anstatt von Fall zu Fall zu entscheiden, welcher Ansatz dem eigenen Anliegen am dienlichsten wäre. Auch die behindertengerechte Umgestaltung einer historischen Schlossanlage kann als zeitgemäße Fortentwicklung des Alten und als architektonisch-technisches Kunstwerk der Gegenwart als neuer Zeitschicht dazugehören und in diesem Sinne Denkmalschutz in seinem besten Sinne repräsentieren. Entscheidend sollte allein die Qualität des Entwurfs bleiben.
Doch noch kämpfen die beiden Lager der institutionalisierten Denkmalpflege lieber erbittert um Deutungshoheit und merken nicht, dass sie bei allen Gefechten den so einfachen wie überzeugenden Grundsatz vergessen haben, der auch von ihrem Nestor Schinkel stammen könnte:
»[ALL ART HAS BEEN CONTEMPORARY]«

*before and after the French Revolution and which were repaired and rebuilt in the nineteenth century in the spirit of the emerging sense of German national identity. Schinkel was pragmatic in his ideas and his work. He adopted existing, well-established forms and styles, which he modified and developed. Strictly speaking, all Schinkel's designs, from his Gothic and neoclassical forms to his Tudor adaptations, are one vast, grandiose array of images.
So if the conservative approach to the preservation of monuments had its way, Schinkel's works would have to be struck off the list. There is a simple reason, however, why this will not be done. Schinkel's buildings embody the spirit of their times. It is for this reason that Stolzenfels and other castles reworked in the historicist style found their way onto the list of protected monuments.
At the institutional level, meanwhile, conservators still prefer to quarrel about principles rather than proceeding on a case-by-case basis. Even converting a historical castle to improve its accessibility for the disabled can represent an appropriate improvement; a technological and architectural work of contemporary art can legitimately be added as a modern stratum to an old structure. In this sense, such additions can represent conservation in the best sense of the term. What is important is the quality of the design.
However, the two camps within the institutional discipline of conservation still prefer to wage their bitter wars for the prerogative of interpretation, failing to notice that in the heat of the battle, they have forgotten the simple and compelling dictum that might have been coined by their own spiritual father, Karl Friedrich Schinkel:
"[ALL ART HAS BEEN CONTEMPORARY]"*

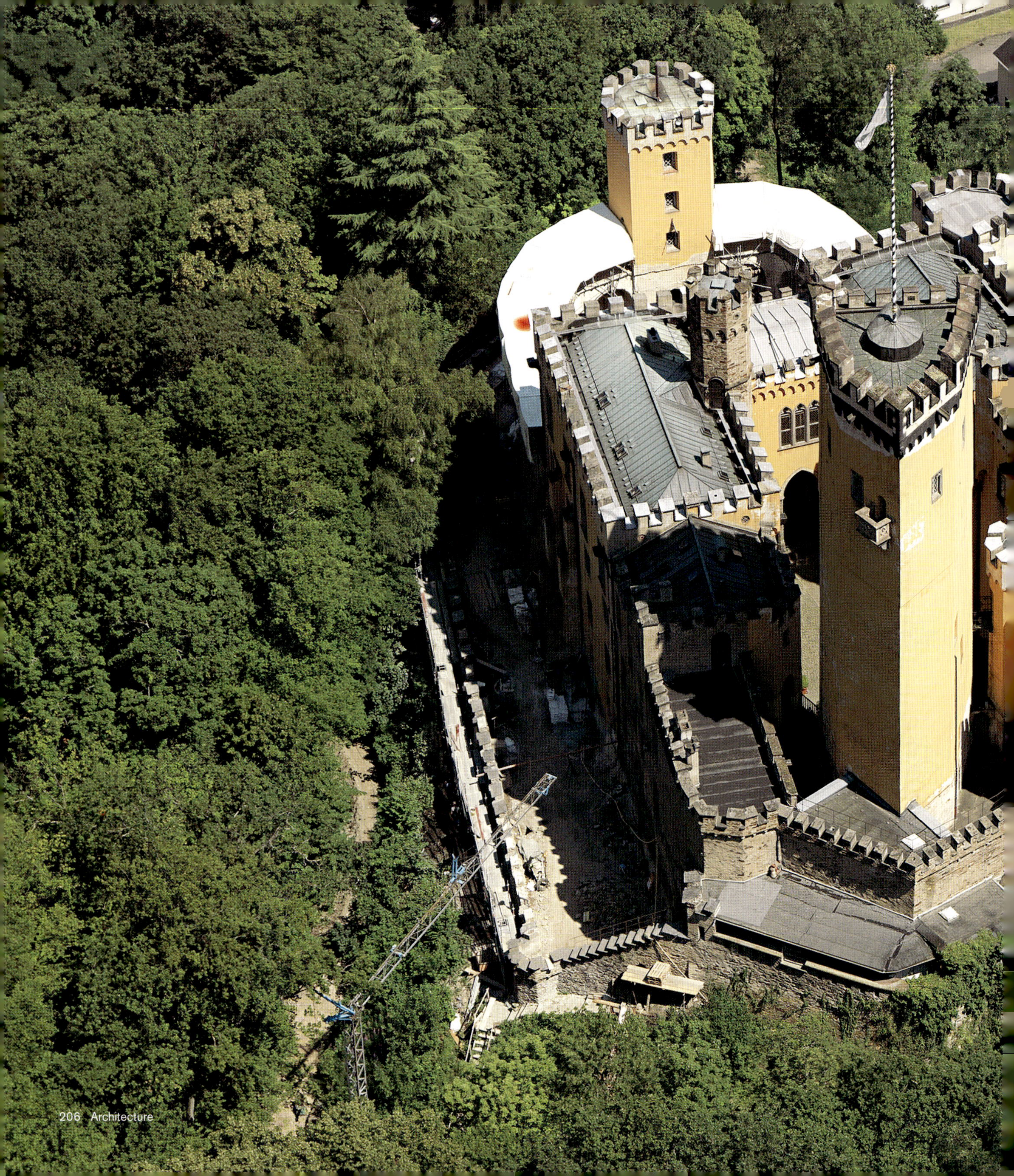

ZNV

KOBLENZ DAS SCHLOSS STOLZENFELS WURDE AB 1835 VON KARL FRIEDRICH SCHINKEL ALS ROMANTISCHER SOMMERSITZ AM RHEIN WIEDERAUFGEBAUT.

KOBLENZ IN 1835 KARL FRIEDRICH SCHINKEL BEGAN REBUILDING STOLZENFELS CASTLE AS A ROMANTIC SUMMER RETREAT ON THE RIVER RHINE.

Schloss Stolzenfels
Stolzenfels Castle
Koblenz

Auftraggeber
Landesbetrieb Liegenschafts- und Baubetreuung (LBB), Koblenz

Projektadresse
Am Schlossweg
Koblenz

Wettbewerb
2005 (1. Preis)

Planung und Ausführung
seit 2006

Die alte Anlage auf der Anhöhe gehört zu jenen erhabenen Schlössern, die das Ufer entlang des Rheins säumen und nicht nur die Vorstellungskraft der Dichter beflügelt haben. Auch Baumeister Karl Friedrich Schinkel hat hier voller Fantasie gewirkt, als er um 1835 mit eklektischen Anleihen bei britischen Tudorschlössern die Reste einer halb verfallenen mittelalterlichen Burg in ein veritables Märchenschloss verwandelte. Schloss Stolzenfels ist heute ein viel besuchtes Ausflugsziel und steht unter Denkmalschutz. Um auch Rollstuhlfahrern den Besuch der Anlage zu ermöglichen, standen Bauherren und Architekten vor der Aufgabe, einen modernen Aufzug zu integrieren und das gesamte Areal barrierefrei zu erschließen. Dass sich die sorgsame Bewahrung bauhistorischer Werte durchaus mit moderner Architektur vereinbaren lässt, beweist nicht nur die mit Bedacht geplante, an Schinkels ursprünglicher Fassung orientierte Renovierung der Fassade. Auch der neue, neben dem historischen Torhaus platzierte Aufzugsturm aus geschlämmtem Ziegelmauerwerk gibt sich klar als moderne Ergänzung zu erkennen und bereichert das Ensemble auf dezente Weise.

The historical ensemble overlooking the Rhine may well have inspired the higher flights of many a poet, and not just poets, either. Architect Karl Friedrich Schinkel gave his imagination free rein when in 1835 he turned the medieval ruin into a Jacobethan fairy-tale castle. Today the listed building is a popular day-trip destination. To enable wheelchair users to visit, an accessibility plan was devised and a lift installed in a washed brickwork tower erected next to the gatehouse. The renovated façade also demonstrates this successful reconciliation of preservation with progress.

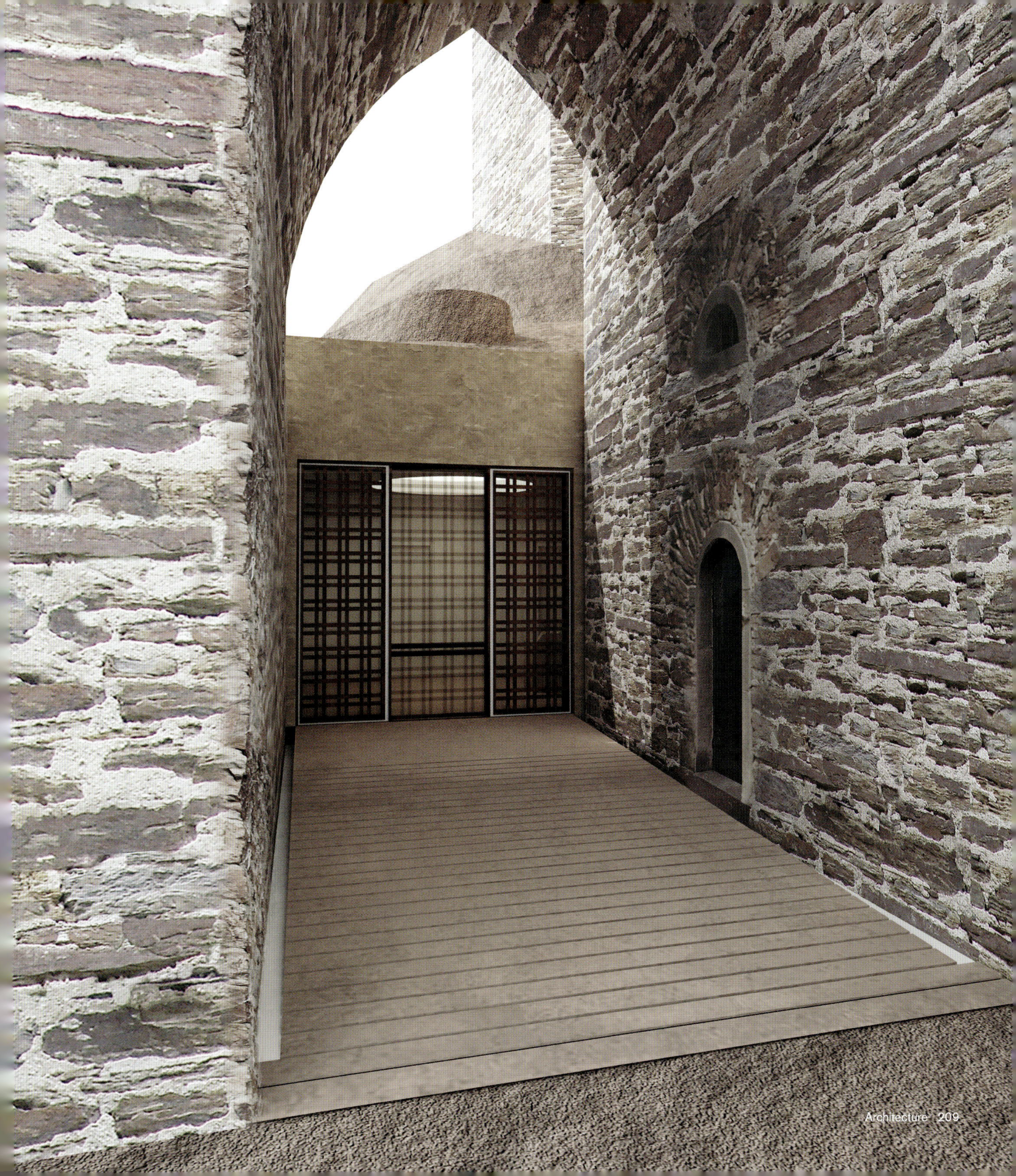

Zustand von Schloss Stolzenfels
vor der Sanierung, 2007

*Stolzenfels Castle before
modernization, 2007*

Geplante Ergänzung des Torwächterhauses mit dem Aufzugsturm, voraussichtlich 2013

The lift tower next to the gatehouse, 2013 (intended)

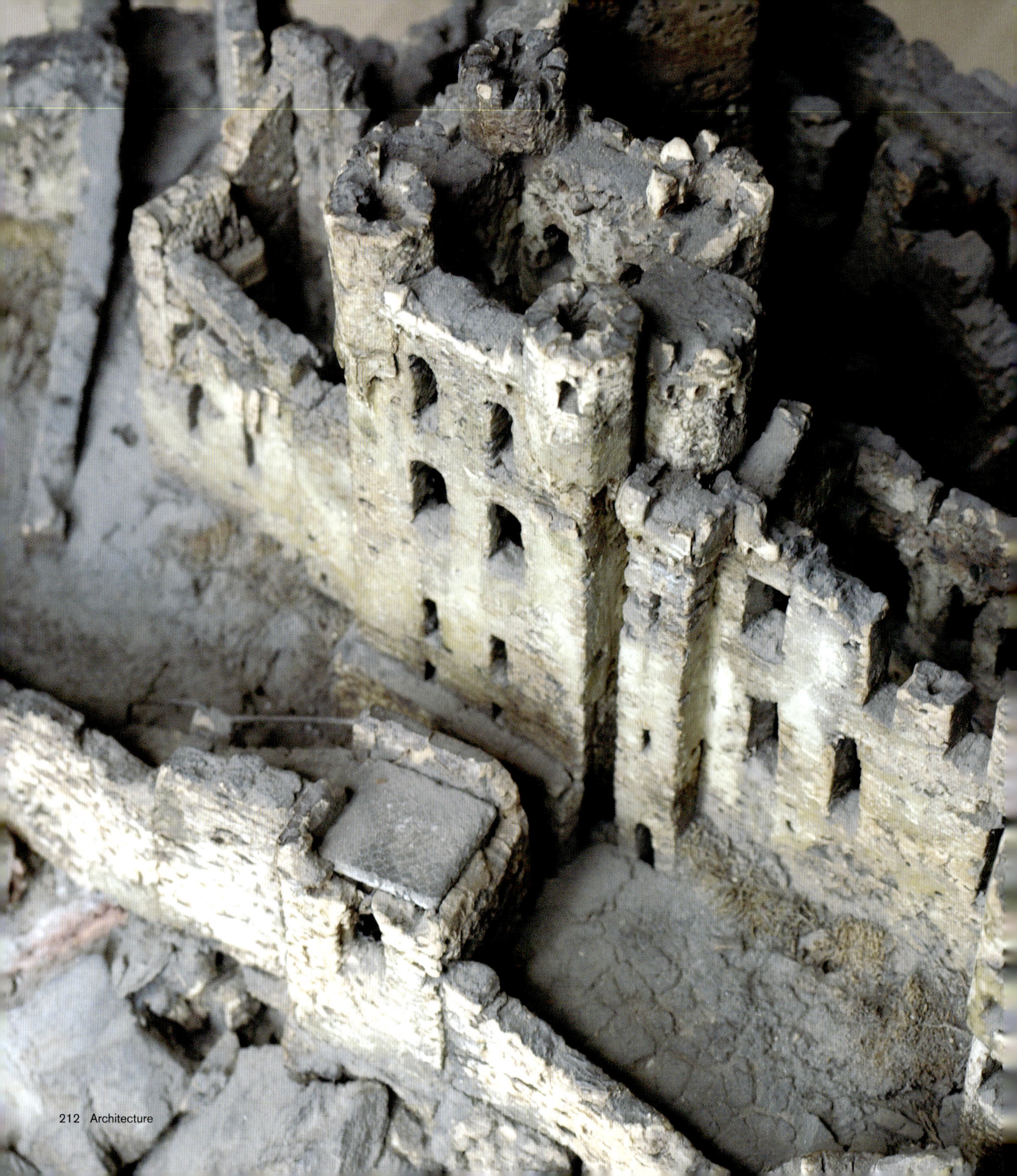

GESAMT ERSCHLIESSUNG = 100 PROZENT

BARRIEREFREIE ERSCHLIESSUNG = 91 PROZENT

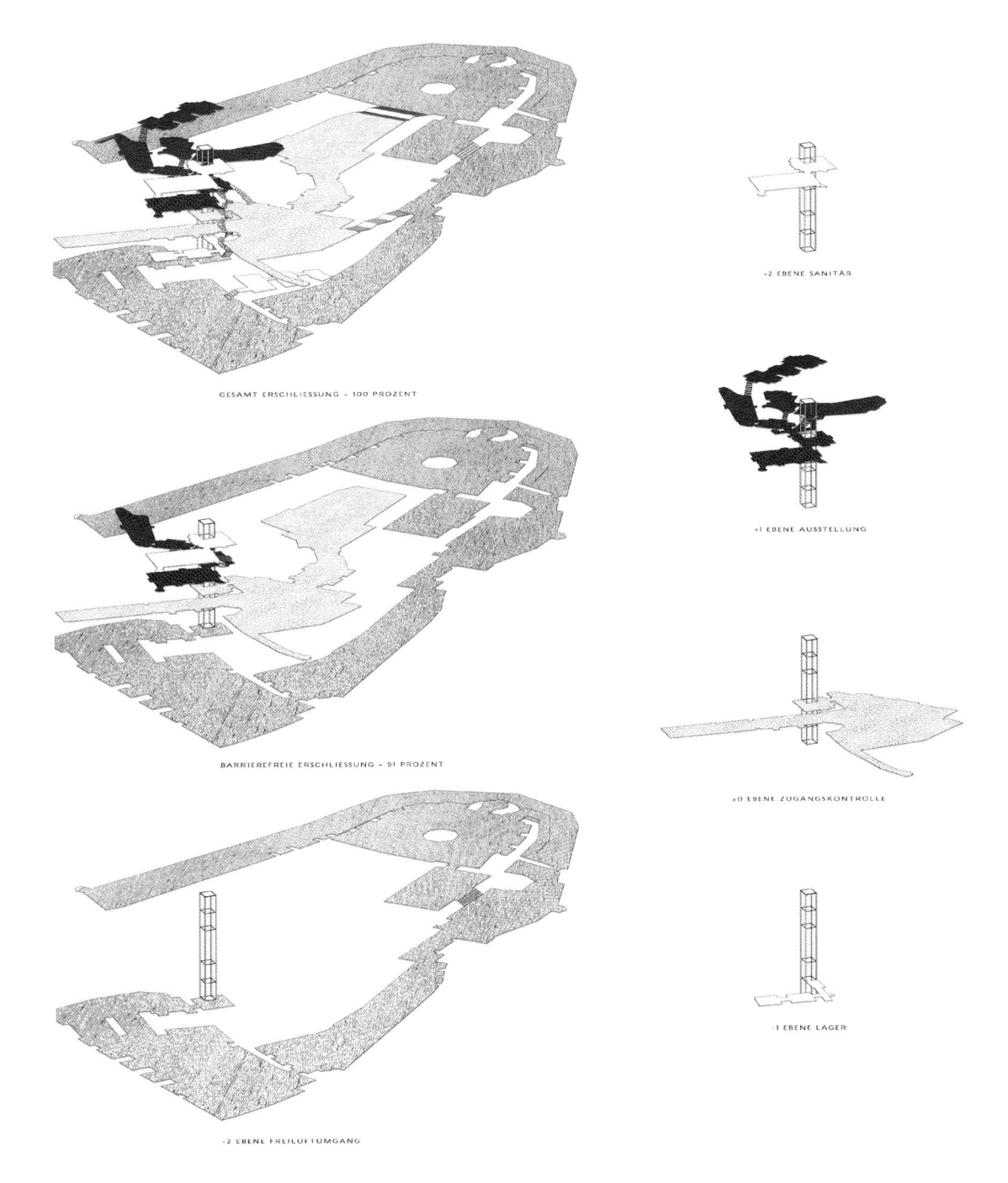

-2 EBENE FREILUFTUMGANG

+2 EBENE SANITÄR

+1 EBENE AUSSTELLUNG

±0 EBENE ZUGANGSKONTROLLE

-1 EBENE LAGER

links:
Korkmodell der Schlossruine,
um 1830

left:
Cork model of the ruined castle,
c. 1830

oben:
Darstellung der barrierefreien
Bereiche von Schloss Stolzenfels

top:
Drawings of handicapped accessible
areas at Stolzenfels Castle

Architecture 213

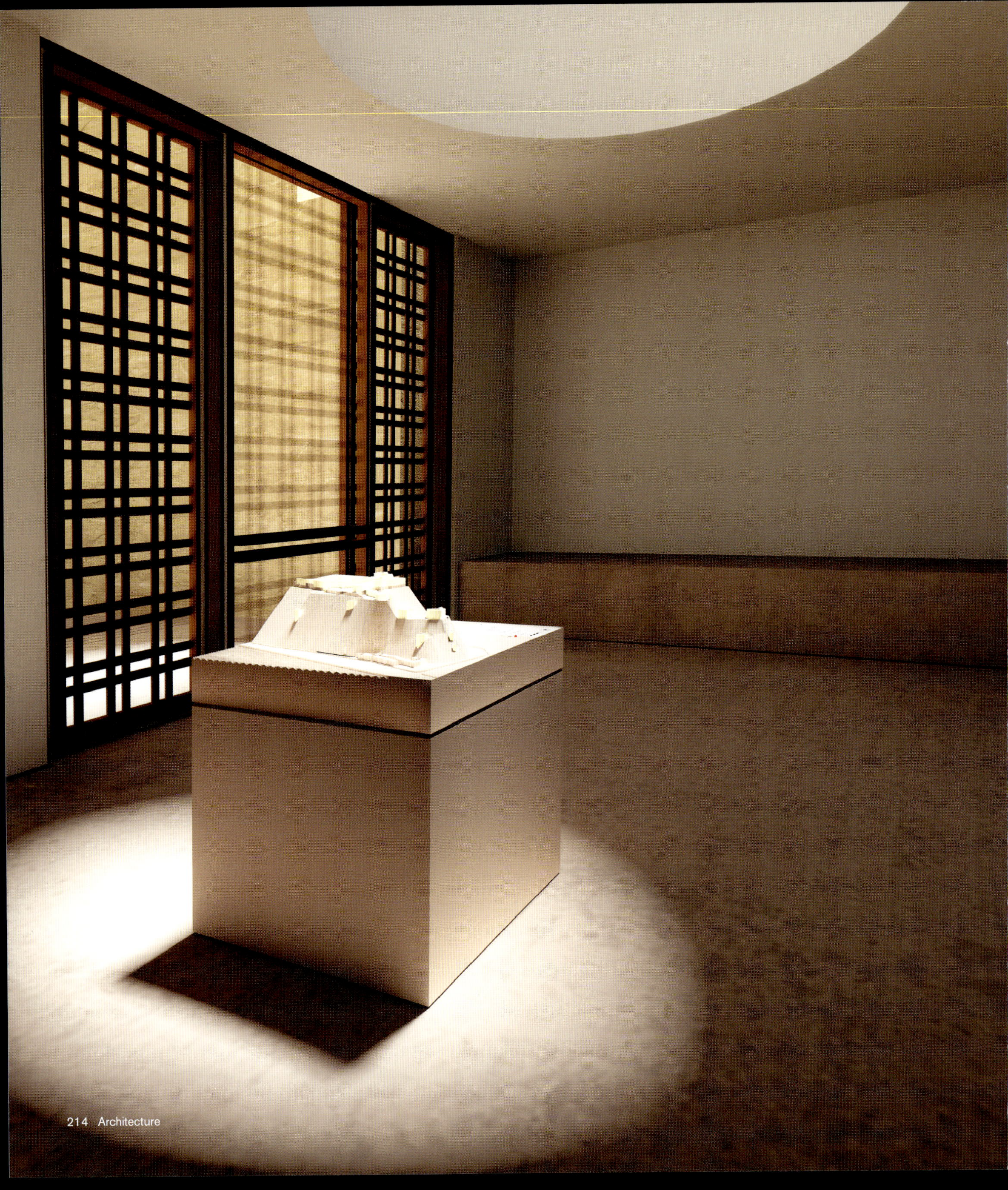

Architecture 215

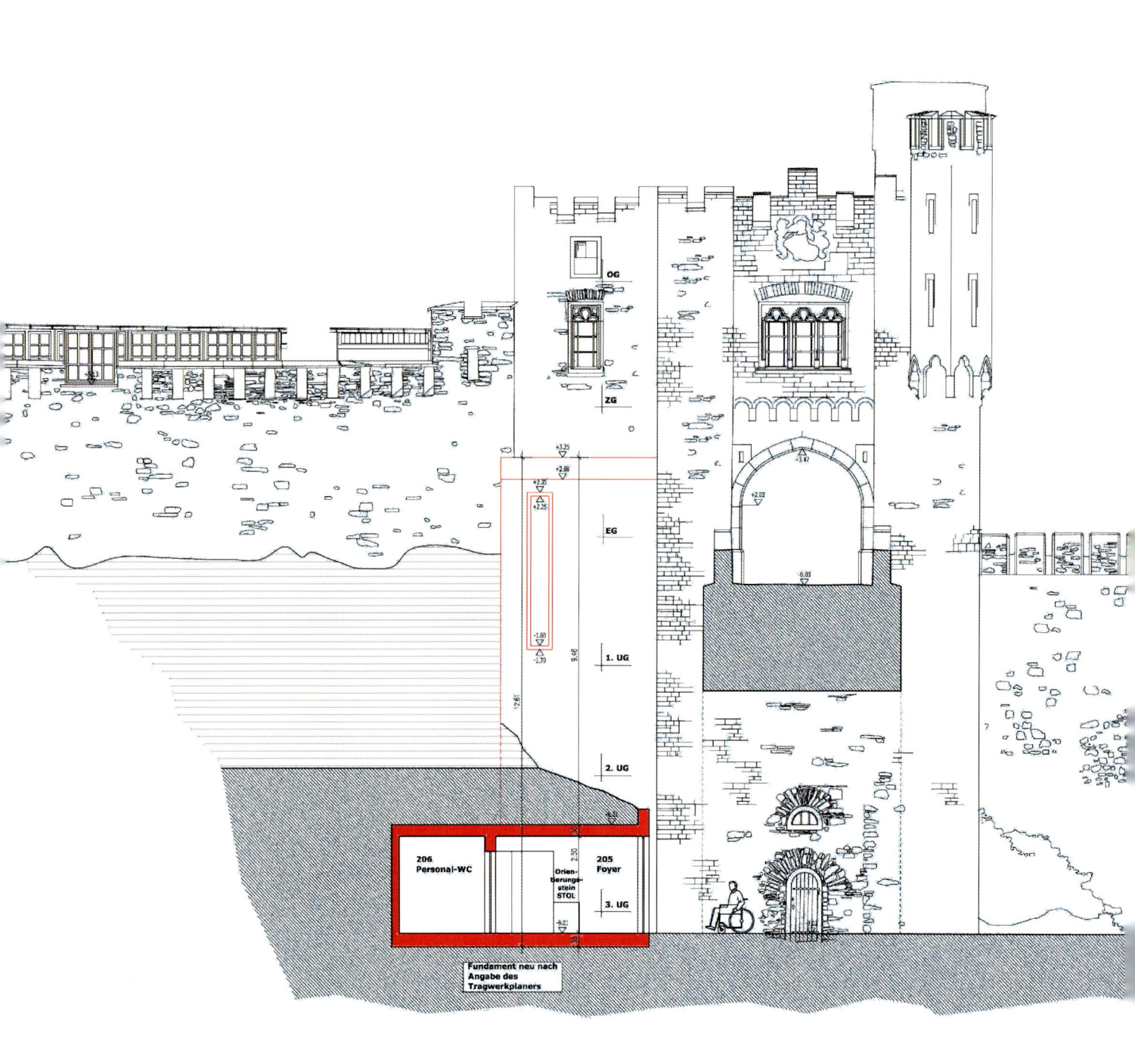

Ansicht Süd und Schnitt
South elevation and section

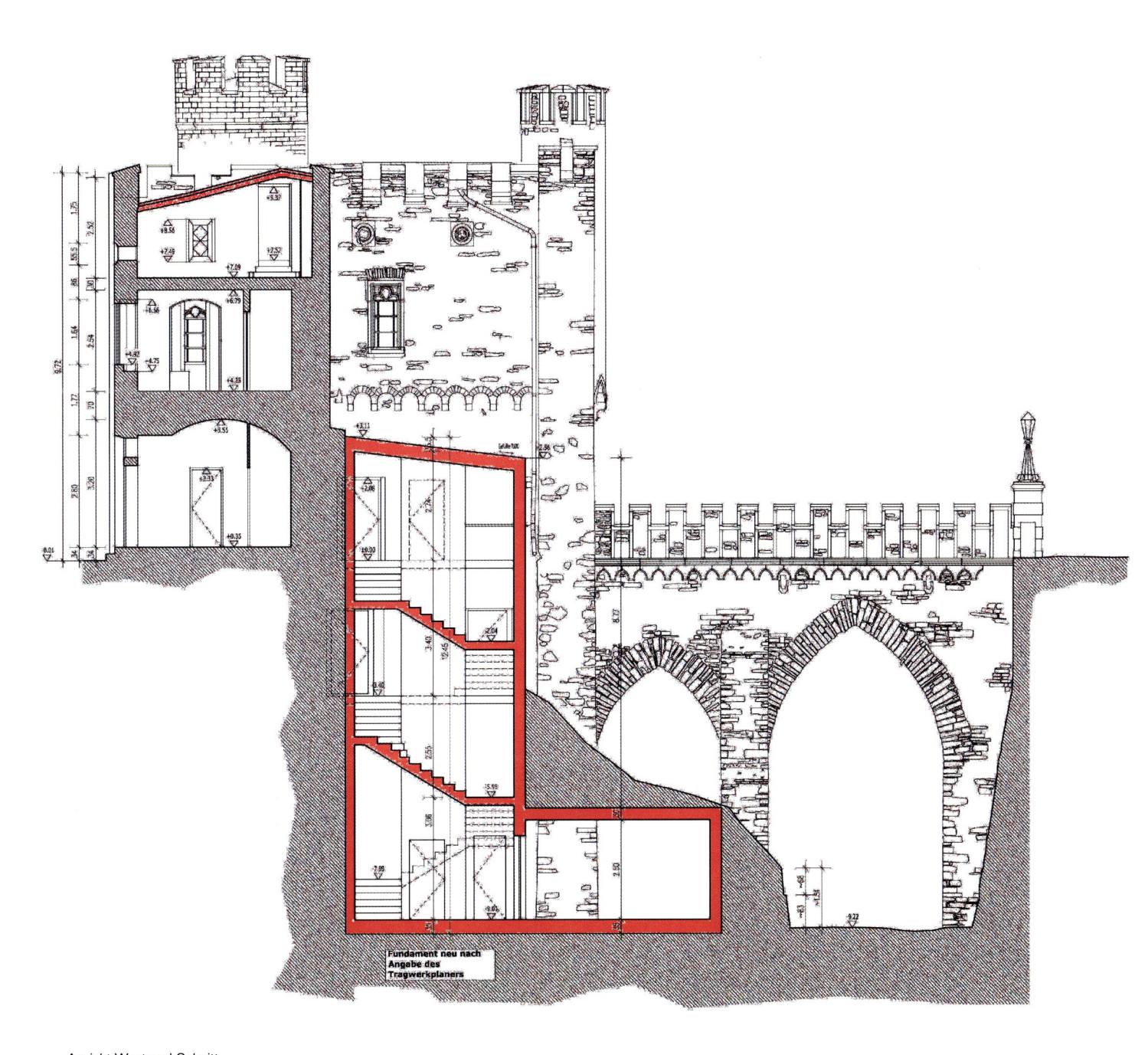

Ansicht West und Schnitt
West elevation and section

Architecture

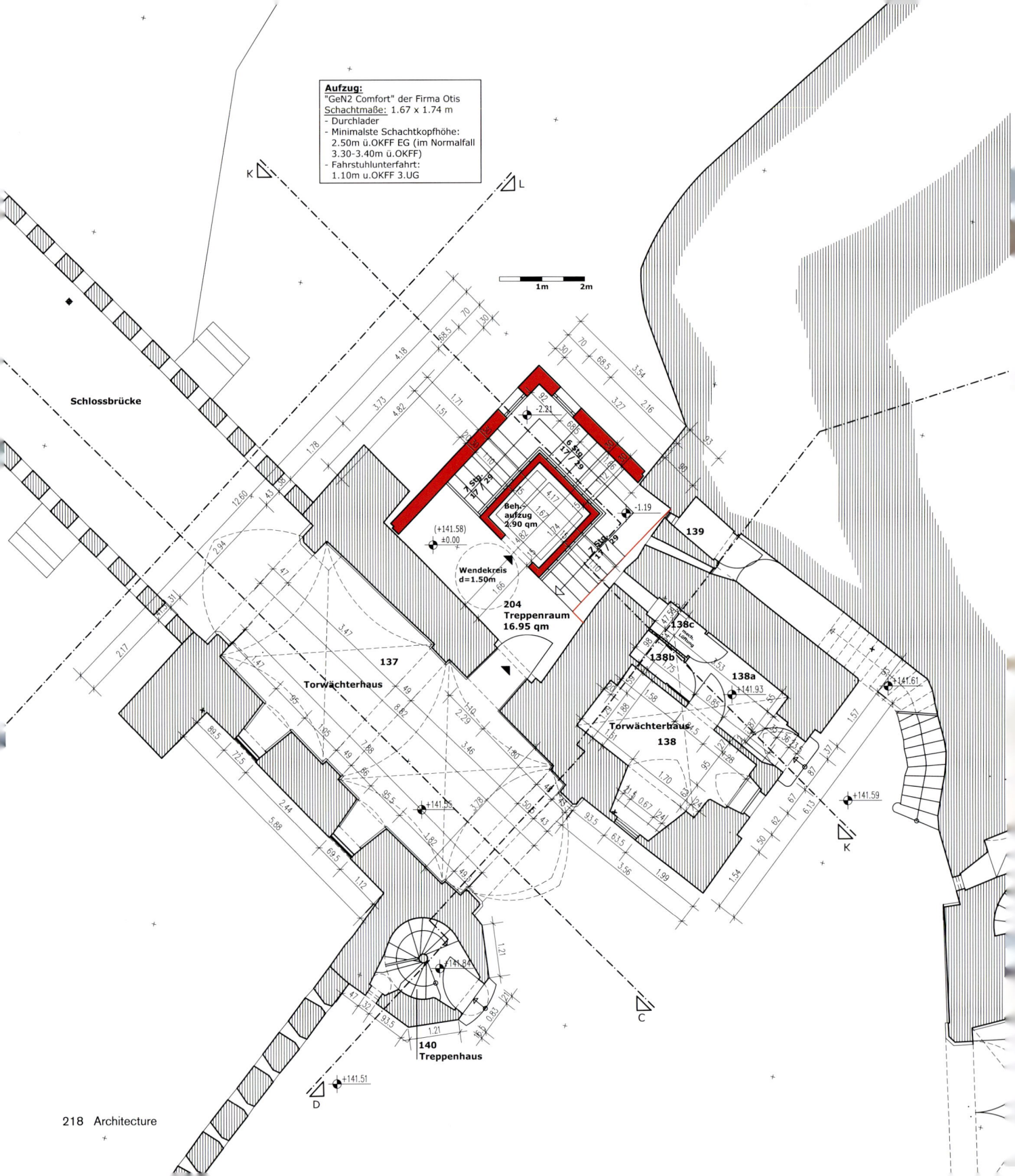

Aufzug:
"GeN2 Comfort" der Firma Otis
Schachtmaße: 1.67 x 1.74 m
- Durchlader
- Minimalste Schachtkopfhöhe:
  2.50m ü.OKFF EG (im Normalfall
  3.30-3.40m ü.OKFF)
- Fahrstuhlunterfahrt:
  1.10m u.OKFF 3.UG

Schlossbrücke

Beh.-aufzug
2.90 qm

Wendekreis
d=1.50m

139

204
Treppenraum
16.95 qm

137
Torwächterhaus

138c
138b
138a

Torwächterhaus
138

140
Treppenhaus

218 Architecture

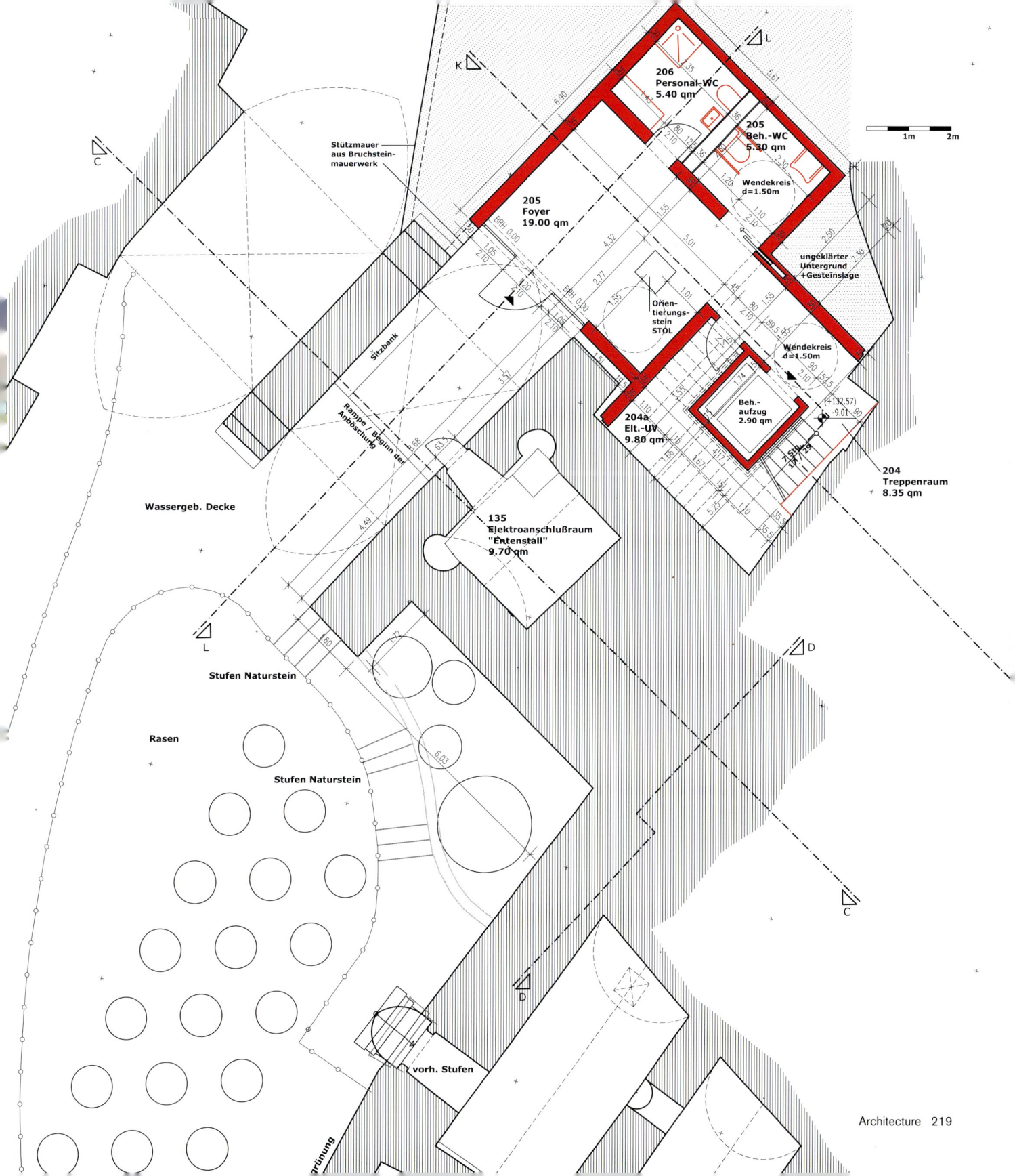

Room	Label	Area
206	Personal-WC	5.40 qm
205	Beh.-WC	5.30 qm
205	Foyer	19.00 qm
204a	Elt.-UV	9.80 qm
—	Beh.-aufzug	2.90 qm
204	Treppenraum	8.35 qm
135	Elektroanschlußraum "Entenstall"	9.70 qm

Stützmauer aus Bruchsteinmauerwerk

Wendekreis d=1.50m

ungeklärter Untergrund +Gesteinslage

Orientierungsstein STOL

Sitzbank

Rampe / Beginn der Anböschung

Wassergeb. Decke

Stufen Naturstein

Rasen

Stufen Naturstein

vorh. Stufen

Begrünung

Vorderes Klausengebäude
Stolzenfels Hermitage
Koblenz

Auftraggeber
Landesbetrieb Liegenschafts- und
Baubetreuung (LBB), Koblenz

Projektadresse
Am Schlossweg
Koblenz

Planung
seit 2006

Vor der historischen Anlage des Schlosses Stolzenfels liegt, an einer Spitzkehre ruhend, das alte Klausengebäude. Ob in diesem kleinen Haus einst ein Einsiedler der Welt den Rücken kehrte? Klausen dienten im Mittelalter der religiösen Einkehr – spartanische, unbeheizbare Unterkünfte, in denen Mönche oder Nonnen in völliger Abgeschiedenheit lebten und die verhängten kleinen Fenster nur dann öffnen durften, wenn die Glocken der nahen Kirche schlugen. Die Klause auf Schloss Stolzenfels gehört wie weite Teile der Anlage zu Resten einer hochmittelalterlichen Burganlage und soll zu einem Apartmenthaus für Feriengäste und Besucher des Schlosses umgebaut werden. »Wohnen im Denkmal« hatte schon Bauherr König Friedrich Wilhelm III. im Sinn, als er Karl Friedrich Schinkel mit dem Umbau der Burg beauftragte. Damals wurden die Gemäuer mit dem Komfort des 19. Jahrhunderts ausgestattet. Nun geht es um die Annehmlichkeiten unserer Zeit, die mit den denkmalpflegerischen Anforderungen versöhnt werden müssen. Die rustikale Atmosphäre des Hauses soll bewahrt und in der schlichten Einrichtung widergespiegelt werden; die Räumlichkeiten des ehemaligen Pferdestalls dienen zukünftig einer gewerblichen Nutzung.

The old Hermitage sits snugly in a sharp bend in the road leading up to Stolzenfels Castle. Was this the retreat of a medieval hermit? He would be hard put to recognize the place. In the nineteenth century Karl Friedrich Schinkel remodelled and modernized it along with the castle for King Frederick William III. Now the Hermitage is to be converted into holiday apartments. Once again the challenge is to reconcile modern convenience with historical architecture. The emphasis on simplicity remains and is reflected in the furnishings. A small business will move into the former stable block.

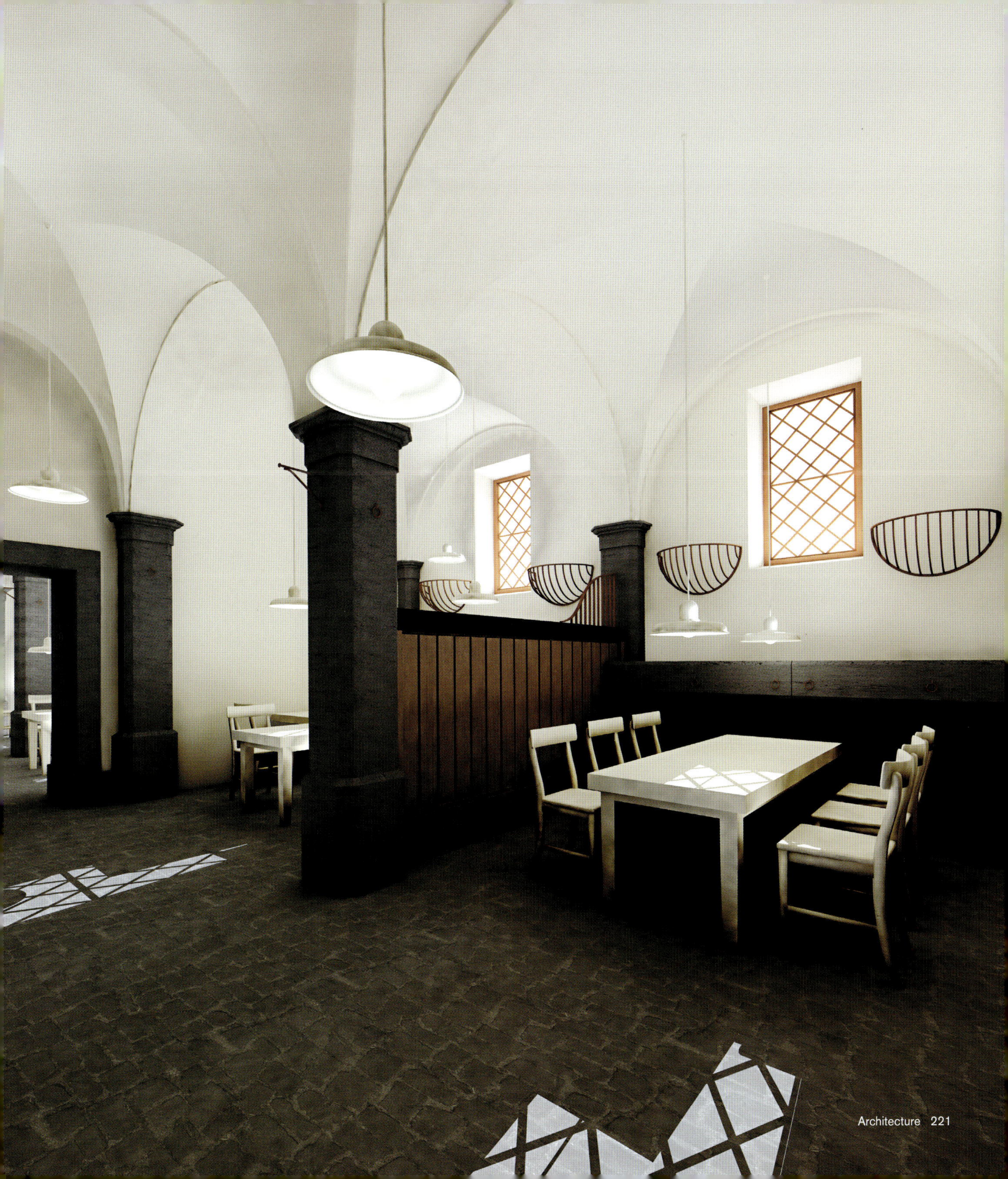

Ansichten und Schnitte
Elevations and sections

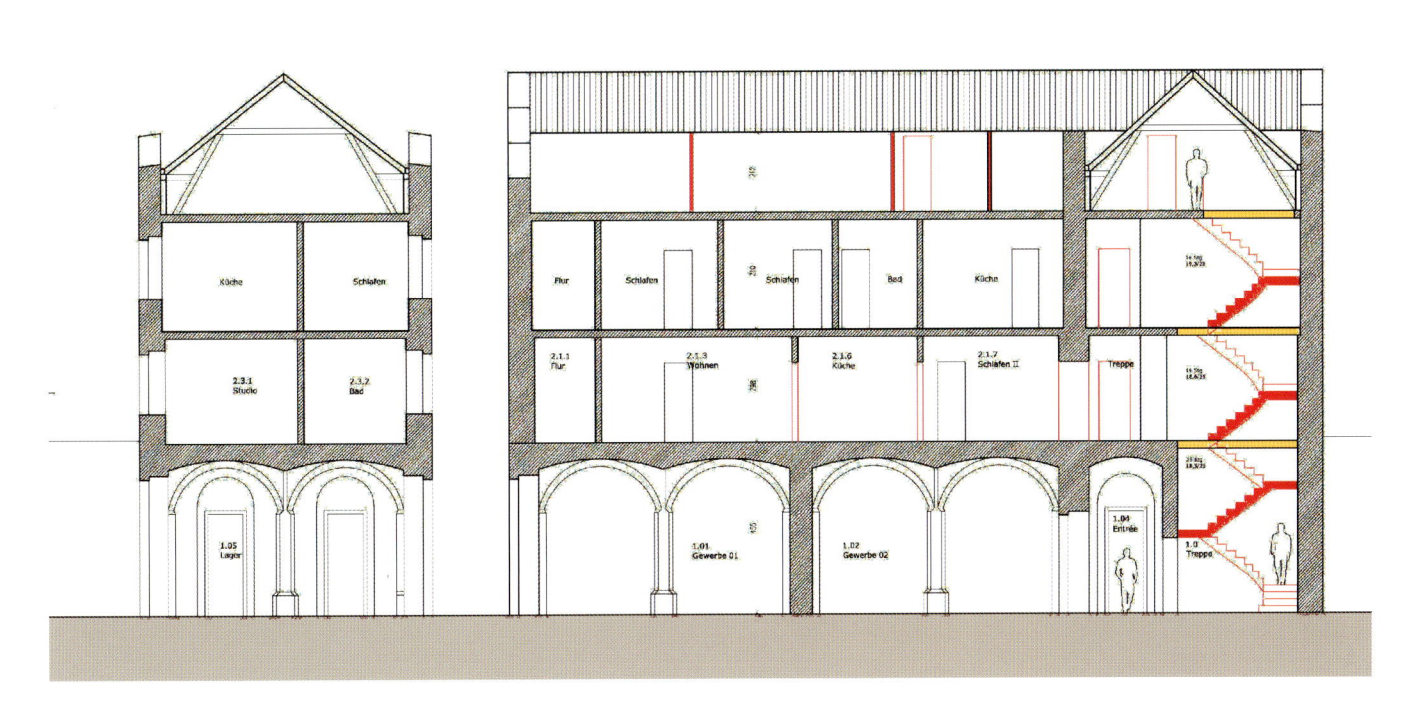

Architecture

Skizze
Sketch design

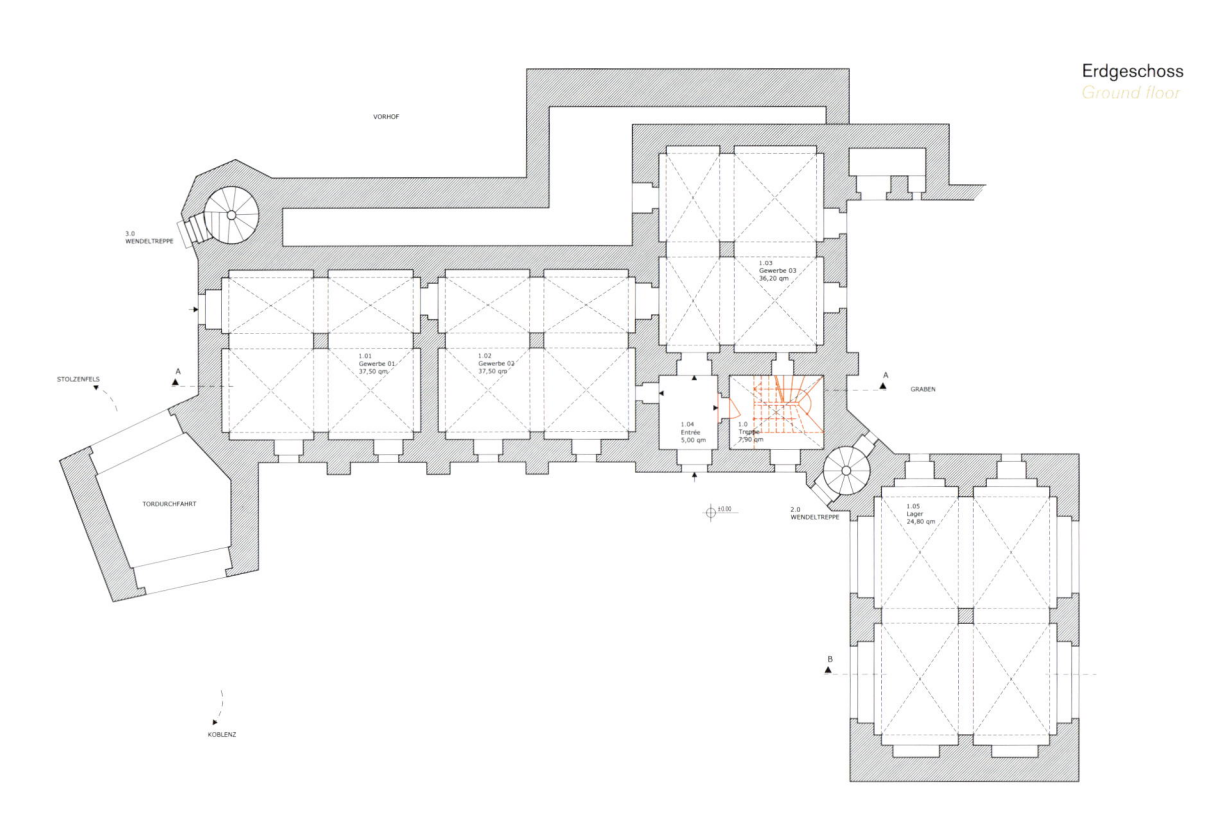

Erdgeschoss
Ground floor

224 Architecture

1. Obergeschoss
First floor

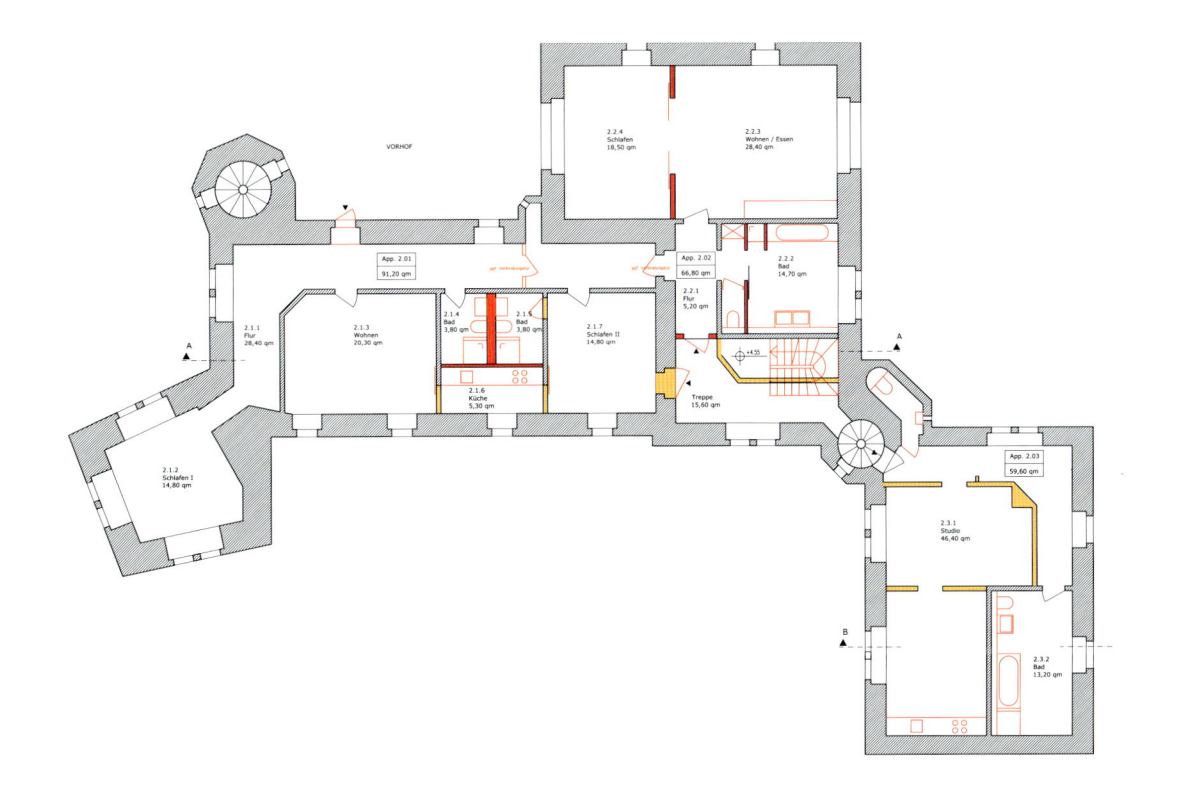

2. Obergeschoss
Second floor

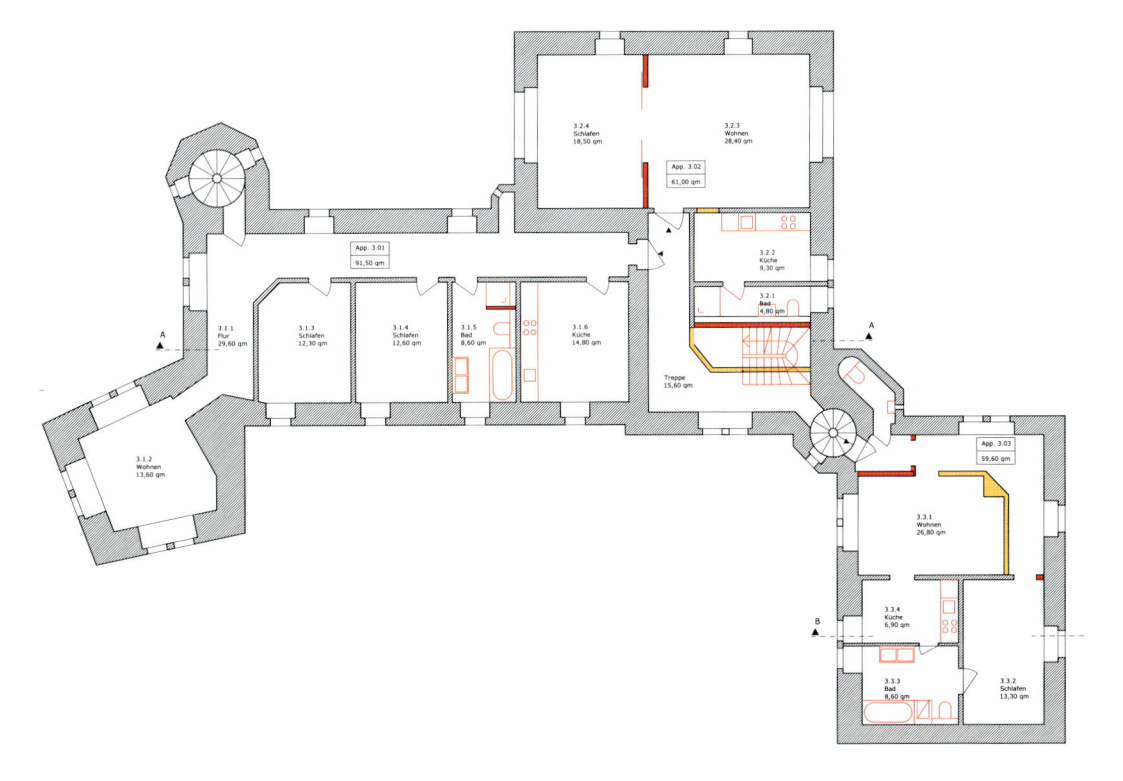

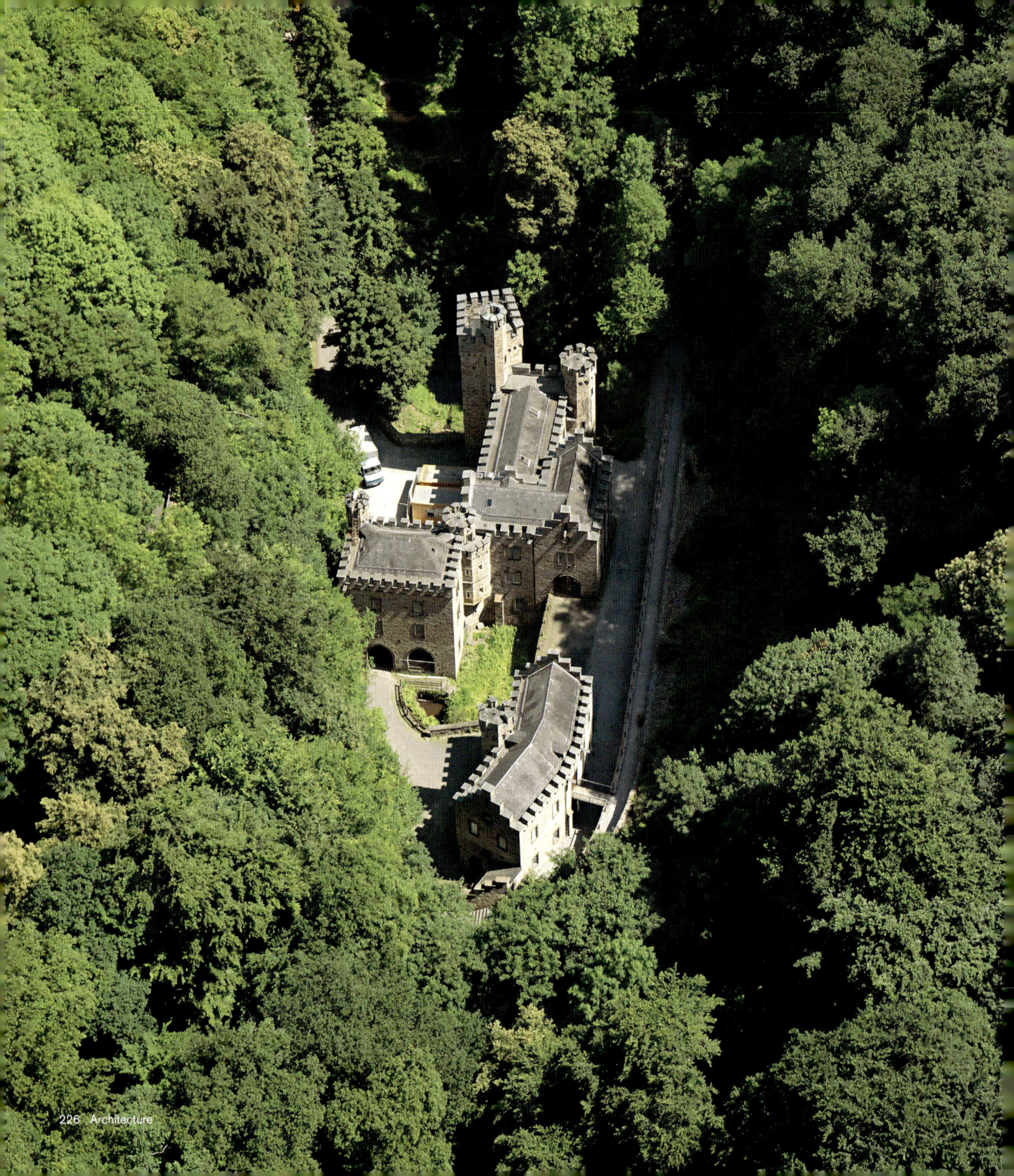

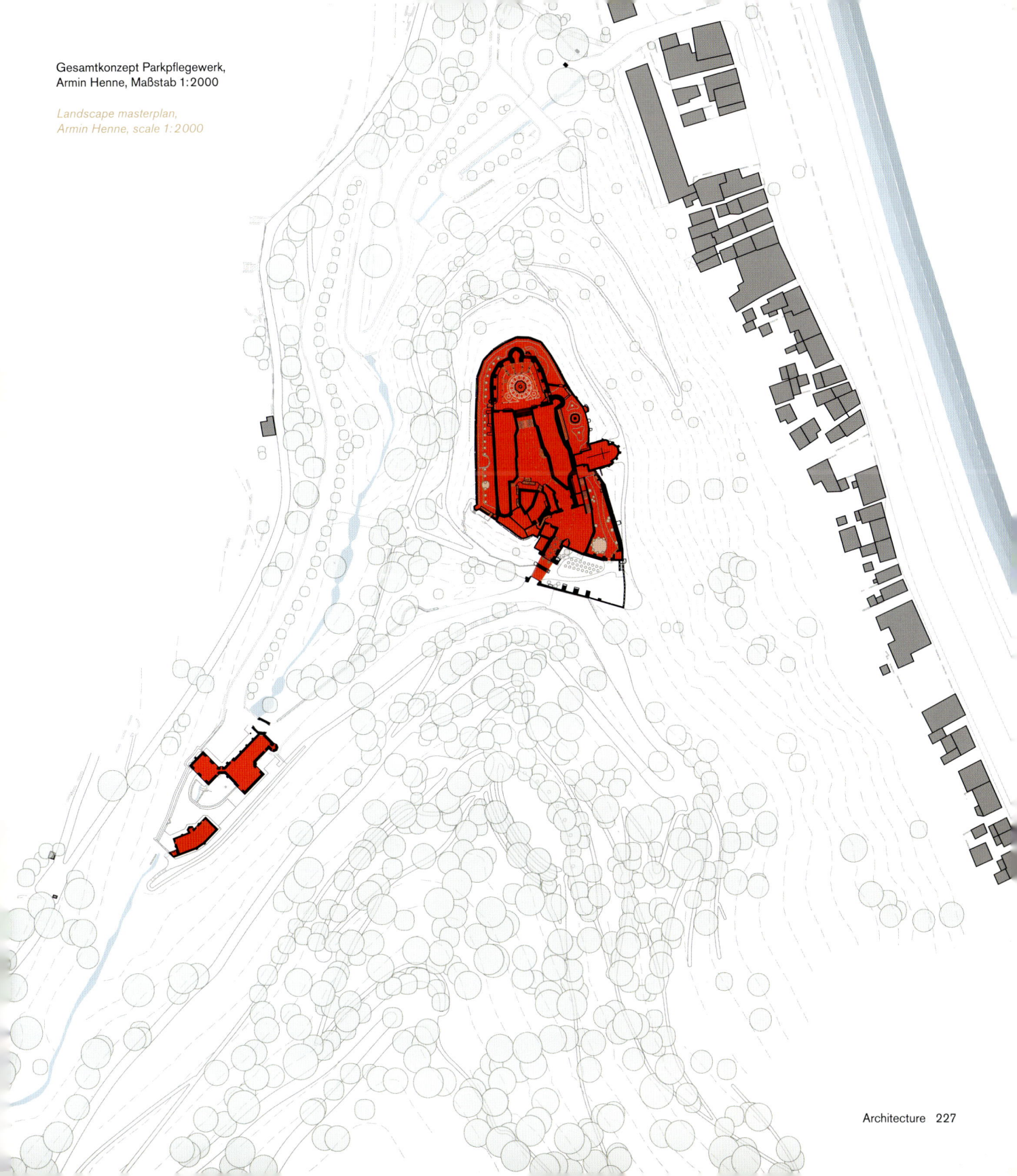

Gesamtkonzept Parkpflegewerk,
Armin Henne, Maßstab 1:2000

*Landscape masterplan,
Armin Henne, scale 1:2000*

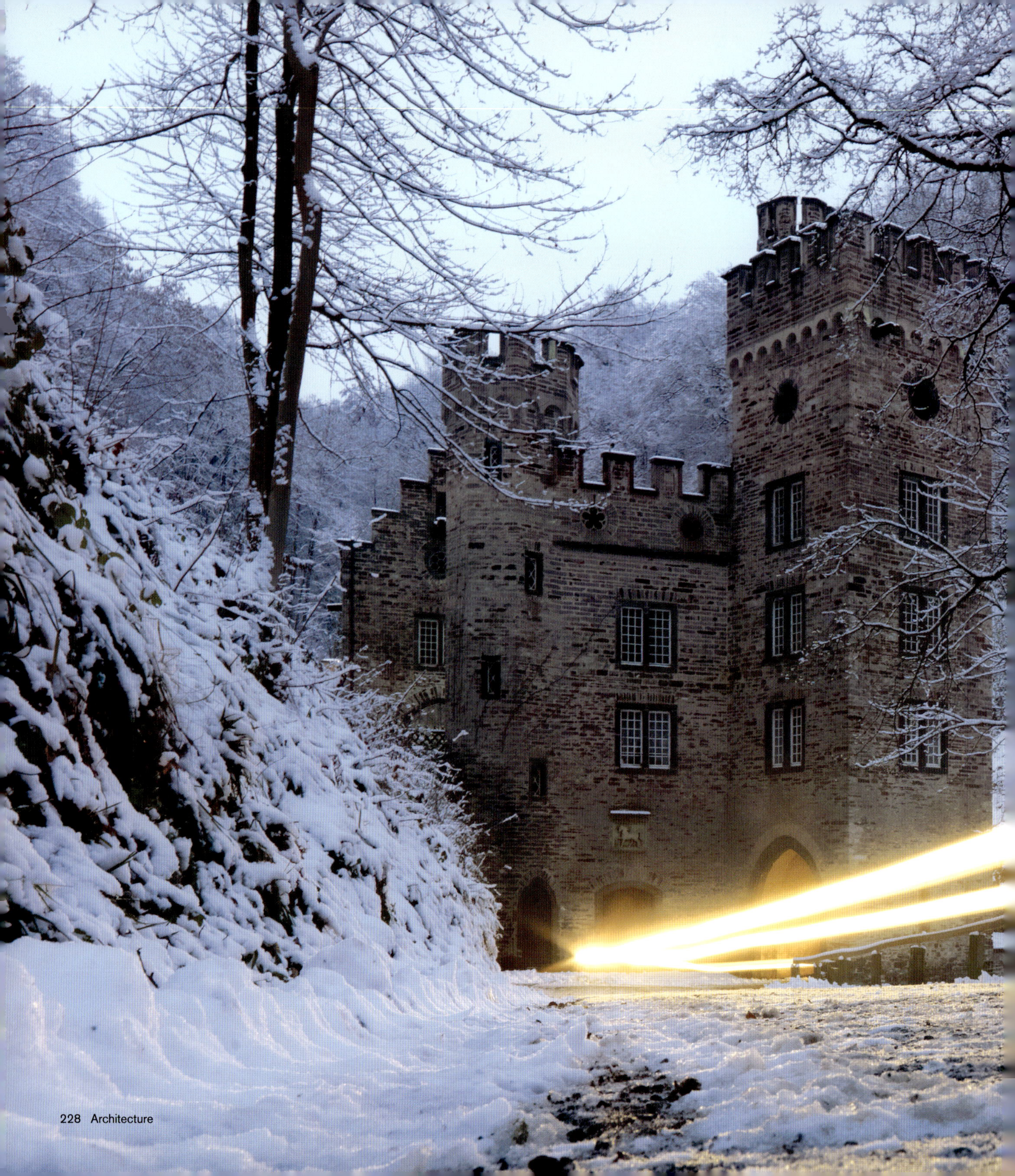

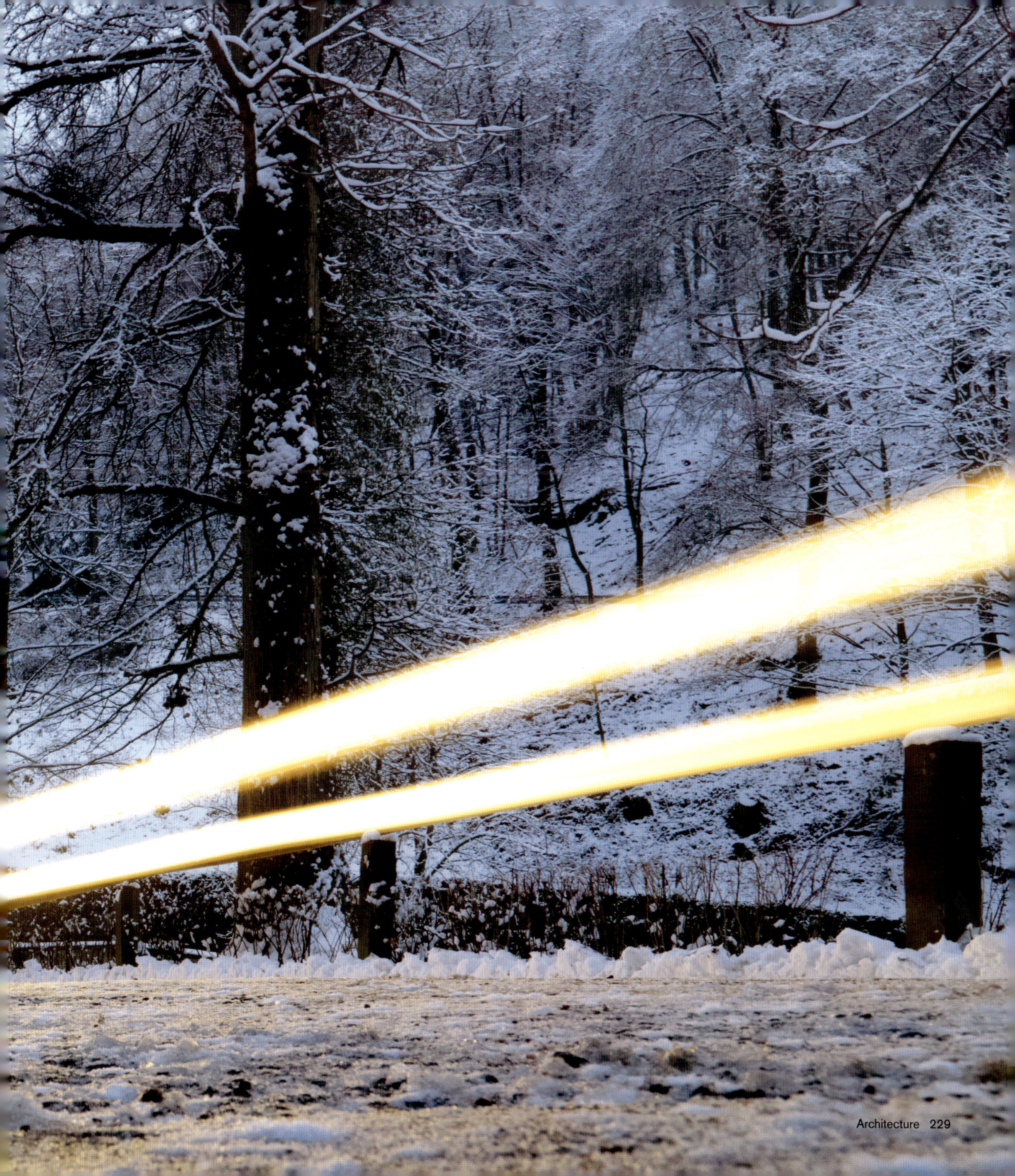

Außenstelle der Französischen Botschaft
Représentation de l'Ambassade de France
Almaty

Auftraggeber
Ambassade de France en Kazakhstan

Projektadresse
99, ul. Furmanowa
Almaty

Planung und Ausführung
2007–2009

Es gibt in Almaty nicht mehr viele bauliche Zeugnisse aus vorrevolutionärer Zeit. Das knapp 120 Jahre alte vorrevolutionäre Palais ist eines der wenigen erhaltenen Gebäude, die den mitunter dramatischen Wechsel der Regimes und Besitzer weitgehend unbeschadet überstanden haben. In der durch eine pragmatische, mitunter überhastete Bautätigkeit geprägten Umgebung stellt das Palais mit seiner Verbindung von zentralasiatischen Gestaltungselementen und westlicher Repräsentativität eine schützenswerte Rarität dar. Daher kam dem denkmalpflegerisch korrekten Umbau des Hauses, das von 1992 bis 2006 als Sitz der US-Botschaft diente und nun als Außenstelle der Vertretung Frankreichs genutzt wird, eine besondere Bedeutung zu. Zunächst galt es, die ursprüngliche Architektur von den zahlreichen entstellenden haustechnischen Einbauten und Ergänzungen zu befreien und ihre sublimen Qualitäten offenzulegen. Die Sicherheitsvorkehrungen wurden ebenso wie die moderne Haustechnik auf dezente und gestalterisch nicht kompromittierende Weise integriert.

Built some 120 years ago, this neoclassical mansion is a rare gem in Almaty. In a city that has seen many dramatic changes, where planning decisions are always pragmatic and sometimes rash, preserving such a unique combination of Central Asian style and Western elegance is a worthwhile task. First the ugly technical fittings were removed to restore the architecture's original beauty. The new, updated building services are discreetly integrated so as not to compromise the architecture, as is the security equipment required for this branch of the French Embassy.

Architecture 231

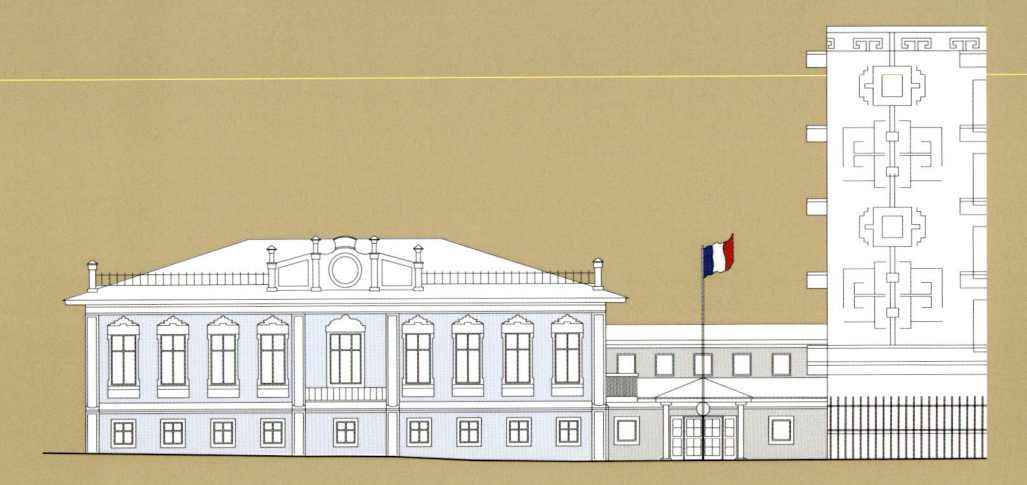

Ansicht ul. Furmanowa
Elevation ul. Furmanova

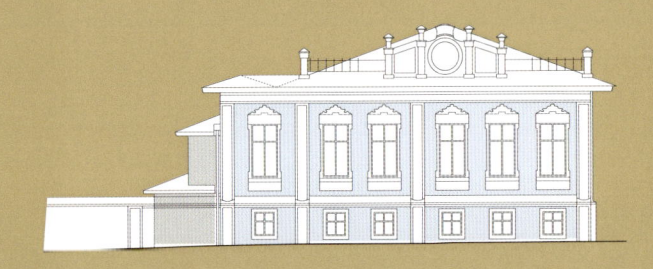

Ansicht ul. Aitike Bi
Elevation ul. Aitike Bi

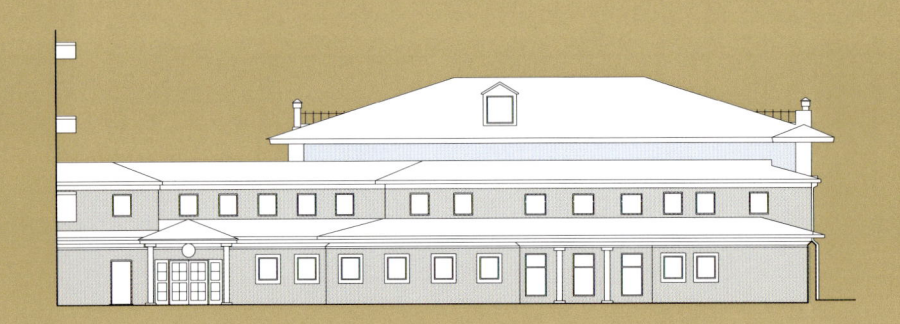

Ansicht Hof
Elevation courtyard

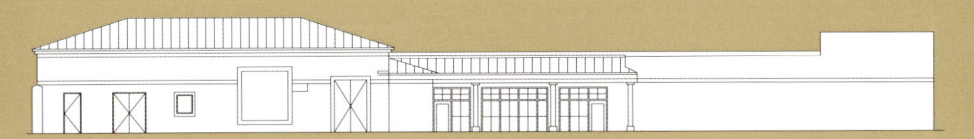

Ansicht Nebengebäude
Elevation service building

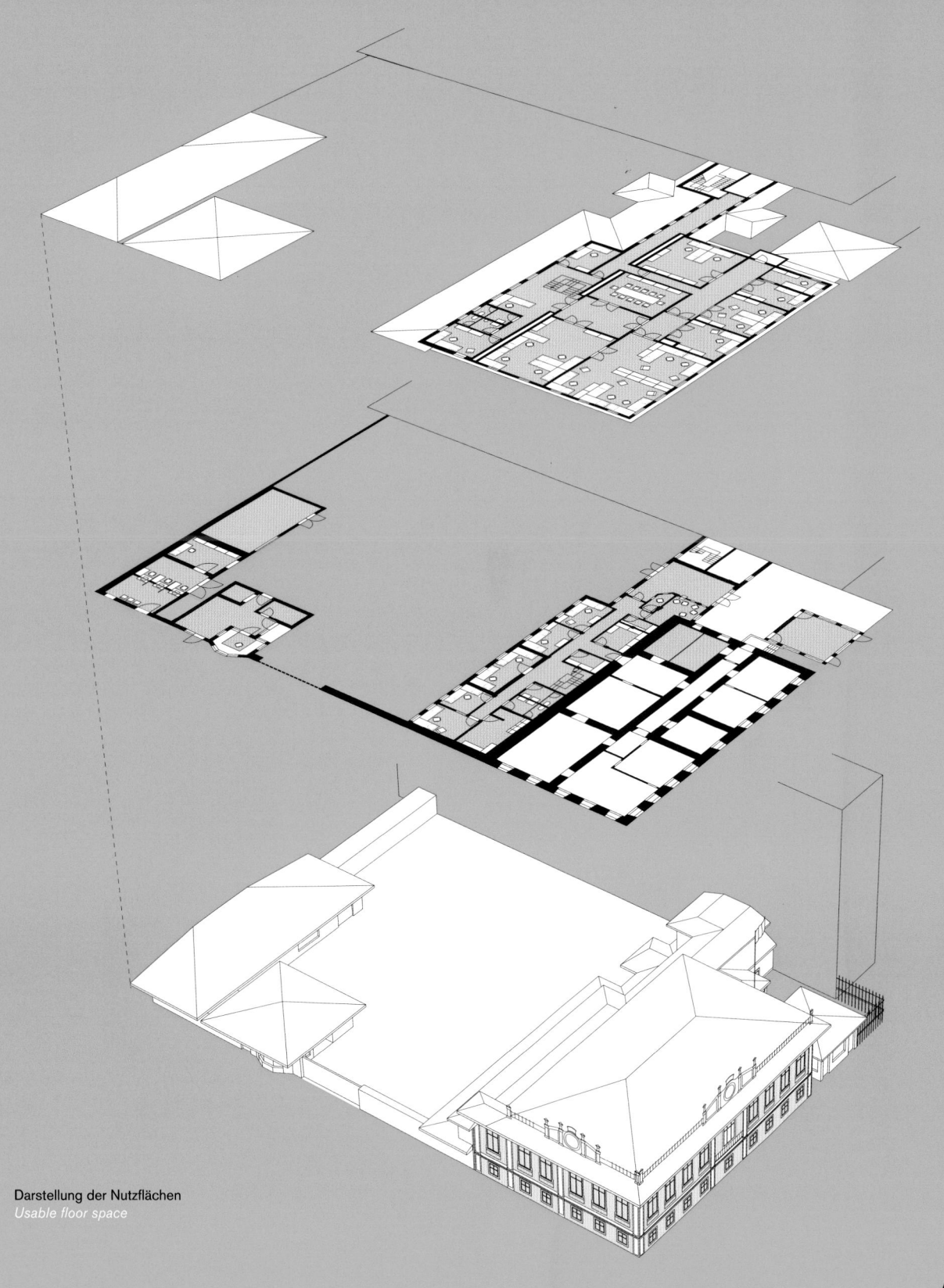

Darstellung der Nutzflächen
Usable floor space

Architecture

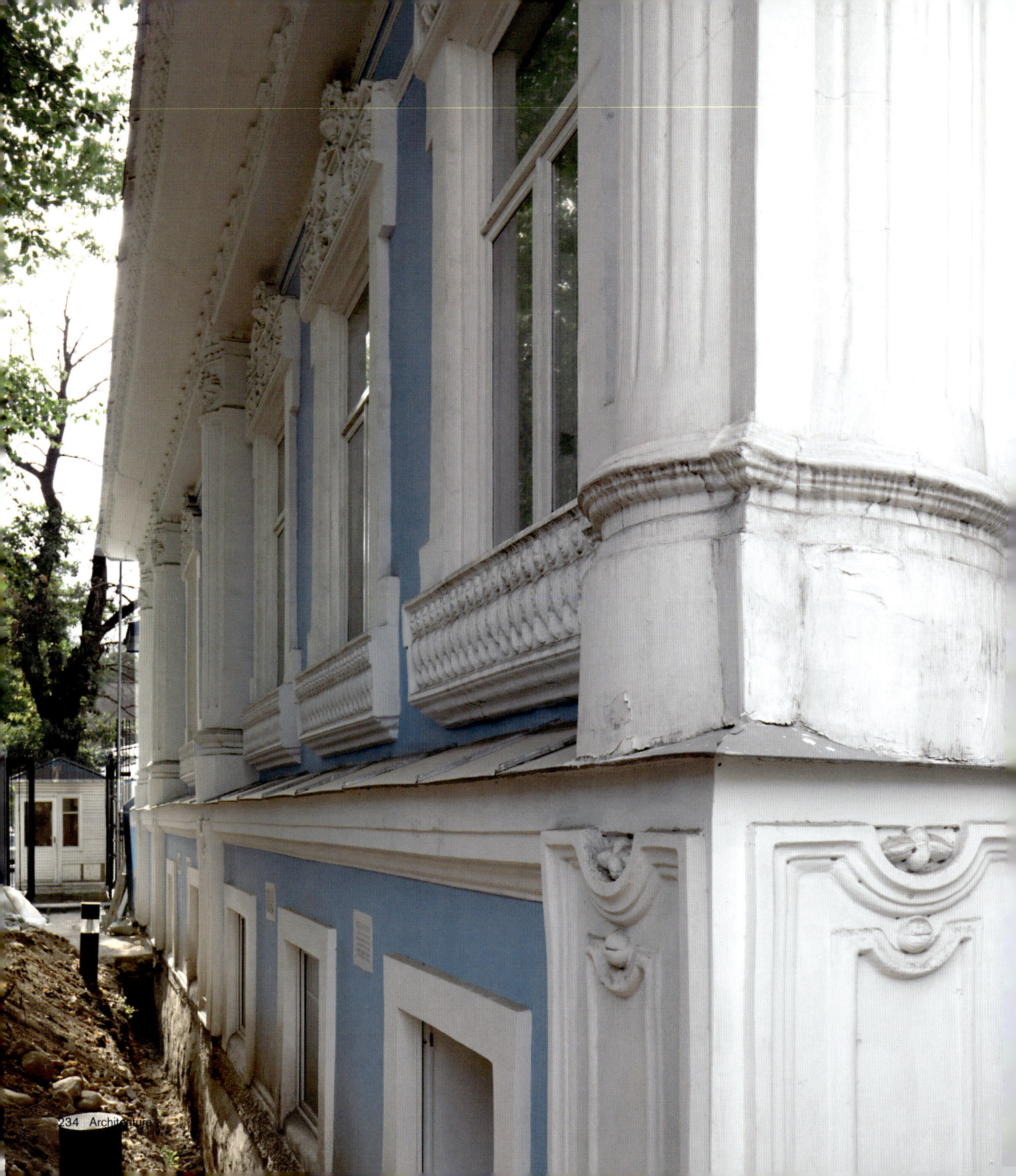

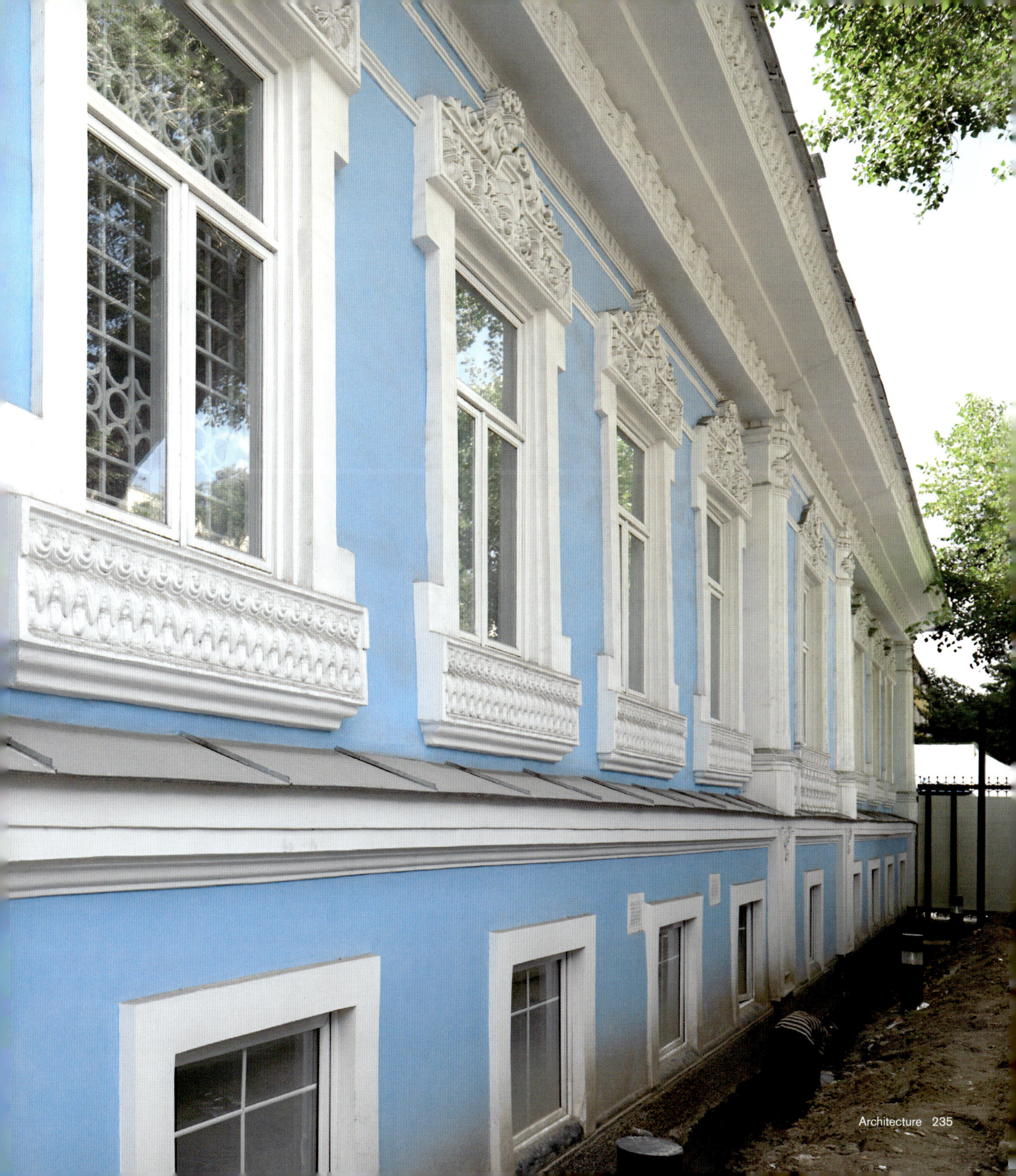

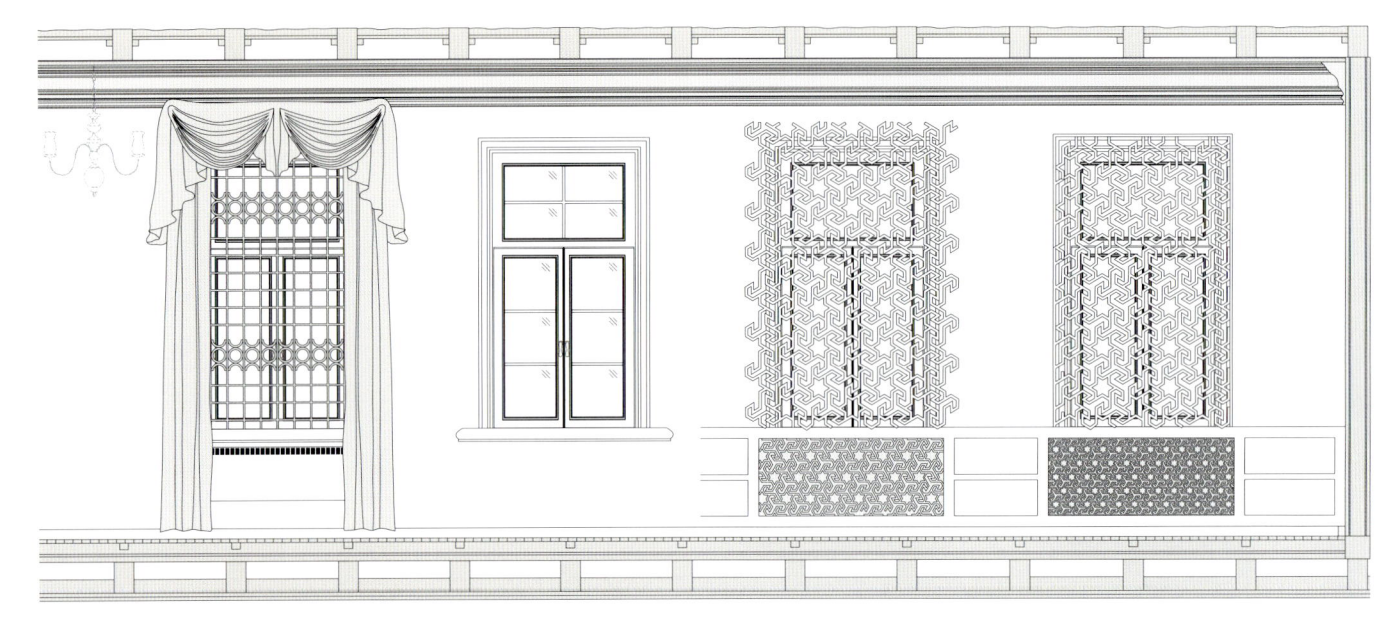

Fenster Bestand	Fenster Original	Fenster Variante A	Fenster Variante B
Window (present design)	*Window (original design)*	*Window version A*	*Window version B*

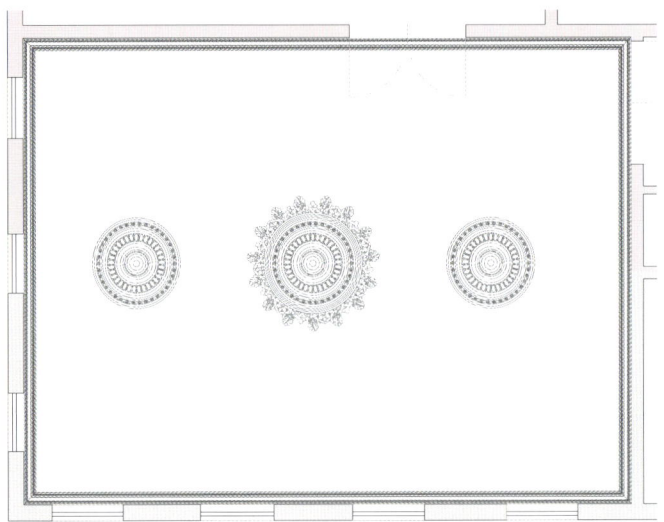

Deckenspiegel (links), Fensterschmuck Außenfassade (oben)
Reflected ceiling plan (left), exterior window mouldings (top)

Architecture

SOUTH ELEVATION
Preliminary variant

ОАО НИППТИПИЩЕПРОМ
Арх. Кубарева

Architecture 239

Anhang
Annex

Natascha Meuser
Curriculum

Jahrgang 1967, Dipl.-Ing. Architektin BDA (AK Berlin 08182). Geschäftsführerin der Meuser Architekten GmbH.

1987 bis 1991 Studium der Innenarchitektur an der Fachhochschule Rosenheim (Abschluss: Diplom). 1991 bis 1993 Studium der Architektur am Illinois Institute of Technology in Chicago (Abschluss: Master of Architecture). Studienbegleitende Arbeitsaufenthalte und Stipendien in Griechenland (Bühnenbild) und Italien (Malerei). 1993 Auszeichnung durch das Art Institute of Chicago mit dem Harold Schiff Fellowship. 1994 Umzug nach Berlin und bis 1996 Mitarbeit bei Krier/Kohl Architekten sowie Thomas Baumann.

Ab 1995 eigene Architekturprojekte. 1999 bis 2002 Autorin der Tageszeitung *Der Tagesspiegel* mit der eigenen Kolumne *Berliner Zimmer*. 2000 Berufung in den Bund Deutscher Architekten BDA.

2000 bis 2005 wissenschaftliche Mitarbeiterin an der Technischen Universität Berlin im Lehrgebiet Baurecht und Bauverwaltungslehre. Koordination und Durchführung internationaler Studentenworkshops im Rahmen des UIA 2002 in Berlin sowie an der American University of Sharjah (2004).

Seit 2004 internationale Planungs- und Bauprojekte mit Schwerpunkt Osteuropa und Asien. Realisierung von zahlreichen Botschaftsprojekten, u. a. für die deutsche, britische, französische, schweizerische und kanadische Botschaft in Astana/Kasachstan. 2005 bis 2006 Generalplaner für das Theater in der Spielbank Berlin. Planung und Realisierung von exklusiven Appartements und Villen in Deutschland und Russland. Seit 2008 verschiedene Bauvorhaben für den Spielzeughersteller Schleich, u. a. Erweiterung der Hauptverwaltung sowie die weltweite Umsetzung des Corporate Design in *Schleich Shops.*

2008 Beauftragung als Generalplaner für die Deutsche Botschaft Sarajewo/Bosnien und Herzegowina. 2009 Beauftragung als Generalplaner für die Deutsche Botschaft New Delhi/Indien, ein von der Bundesregierung ausgewähltes Pilotprojekt zur Kohlendioxid-Reduzierung bei Bundesbauten.

Regelmäßige Vorträge in Unternehmernetzwerken sowie zahlreiche Publikationen mit Schwerpunkt Innenarchitektur.

Born in 1967, Natascha holds a Dipl.-Ing. degree in architecture and is a member of the German architects' association BDA. She is co-manager of Meuser Architekten GmbH.

From 1987 to 1991 Natascha studied interior design at the Fachhochschule Rosenheim. After taking her degree in 1991 she moved to Chicago to study architecture at the Illinois Institute of Technology, where she took a Master of Architecture in 1993. Alongside her academic studies she held placements and scholarships in Greece (set design) and Italy (painting). In 1993 she won the Art Institute of Chicago's Harold Schiff Fellowship. In 1994 she moved to Berlin where until 1996 she worked with Krier/Kohl Architekten and Thomas Baumann.

Natascha has been managing her own architecture projects since 1995. From 1999 to 2002 she wrote the column *Berliner Zimmer* for *Der Tagesspiegel,* one of Berlin's major daily newspapers. In the year 2000 she was invited to join the German architects' association, Bund Deutscher Architekten BDA.

From 2000 to 2005 Natascha taught classes on Building Law and Building Administration at the Berlin University of Technology. She also organized and coordinated international student workshops at the UIA 2002 in Berlin and at the American University of Sharjah (2004).

Since 2004 her planning and building projects have increasingly been focussed in eastern Europe and Asia, where she was responsible for numerous embassy buildings, including the Swiss, German, British, French, and Canadian embassies in Astana/Kazakhstan. From 2005 to 2006 she held the position of general planner for the Theater in der Spielbank Berlin. Natascha has planned and realized exclusive apartments and villas in Germany and Russia. Since 2008 she has also realized a number of projects for toy manufacturer Schleich, including an annexe to the central administration and the implementation of the Schleich corporate design in Schleich shops around the world.

In 2008 Meuser Architekten won the contract for general planning for the German embassy in Sarajevo/Bosnia and Herzegovina, and in 2009, for the German embassy in New Delhi/India. This project is part of a pilot project for CO_2 reductions in German government buildings.

Philipp Meuser
Curriculum

Jahrgang 1969, Dipl.-Ing. Architekt BDA (AK Berlin 09110). Geschäftsführer der Meuser Architekten GmbH.

1991 bis 1995 Studium der Architektur an der Technischen Universität Berlin und Stipendiat der Konrad-Adenauer-Stiftung (Journalistische Nachwuchsförderung). Praktikum beim *Westdeutschen Rundfunk* in Köln und bei der *Bauwelt*. Von 1995 bis 1996 redaktionelle Tätigkeit im Feuilleton der *Neuen Zürcher Zeitung*, begleitendes Nachdiplomstudium Geschichte und Theorie der Architektur an der Eidgenössischen Technischen Hochschule Zürich (Abschluss 1997).

1996 bis 2001 Politikberater des Senators für Stadtentwicklung im Rahmen des *Stadtforums Berlin*. 2000 Berufung in den Bund Deutscher Architekten BDA. Seit 2001 verschiedene Projekte als Kurator für Goethe-Institute in der ehemaligen Sowjetunion, u. a. Begleitung einer Architekturausstellung im *Deutsch-Russischen Kulturjahr 2003/2004* entlang der transsibirischen Eisenbahn. 2002 bis 2005 Leitung von Meisterklassen in Russland, Kasachstan und Usbekistan. 2004 Lehrauftrag an der *Habitat Unit* der Technischen Universität Berlin.

Seit 2004 internationale Planungs- und Bauprojekte mit Schwerpunkt Osteuropa und Asien. Realisierung von zahlreichen Botschaftsprojekten, u. a. für die deutsche, britische, französische, schweizerische und kanadische Botschaft in Astana/Kasachstan. 2005 bis 2006 Generalplaner für das Theater in der Spielbank Berlin. Planung und Realisierung von exklusiven Appartements und Villen in Deutschland und Russland. Seit 2008 verschiedene Bauvorhaben für den Spielzeughersteller Schleich, u. a. Erweiterung der Hauptverwaltung sowie die weltweite Umsetzung des Corporate Design in *Schleich Shops.*

2008 Beauftragung als Generalplaner für die Deutsche Botschaft Sarajewo/Bosnien und Herzegowina. 2009 Beauftragung als Generalplaner für die Deutsche Botschaft New Delhi/Indien, ein von der Bundesregierung ausgewähltes Pilotprojekt zur Kohlendioxid-Reduzierung bei Bundesbauten. Kuratorentätigkeit für die Stadt Köln im Rahmen der *Regionale 2010*.

Regelmäßige Vorträge im In- und Ausland sowie zahlreiche Publikationen mit den Schwerpunkten *Gesundheitsbauten* und *Architekturgeschichte der Sowjetunion*.

Born in 1969, Philipp holds a Dipl.-Ing. degree in architecture and is a member of the German architects' association BDA. He is co-manager of Meuser Architekten GmbH.

From 1991 to 1995 Philipp studied architecture at the Berlin University of Technology. He won a scholarship for young journalists from the Konrad-Adenauer-Stiftung and held placements with Cologne-based broadcaster *Westdeutscher Rundfunk* and with the architectural journal *Bauwelt*. From 1995 to 1996 he worked in the editorial department of the major Swiss daily, *Neue Zürcher Zeitung,* while following a postgraduate course on History and Theory of Architecture at the Swiss Federal Institute of Technology in Zurich, which he completed in 1997.

From 1996 to 2001 Philipp held a consulting position within the *Stadtforum Berlin* as an advisor to the Senator of Urban Development. In the year 2000 Philipp was invited to join the German architects' association, Bund Deutscher Architekten BDA. Since 2001 he has curated various projects for Goethe Institutes in the former Soviet Union, including an architecture exhibition travelling along the route of the Trans-Siberian Railway in the German-Russian Year of Culture in 2003/04. From 2002 to 2005 he taught master classes in Russia, Kazakhstan, and Uzbekistan, and in 2004 he held a teaching appointment in the *Habitat Unit* of the Berlin University of Technology.

Since 2004 his planning and building projects have increasingly been focussed in eastern Europe and Asia, where he was responsible for numerous embassy buildings, including the German, British, French, Swiss, and Canadian embassies in Astana/Kazakhstan. From 2005 to 2006 he held the position of general planner for the *Theater in der Spielbank Berlin*. Philipp has planned and realized exclusive apartments and villas in Germany and Russia. Since 2008 he has also realized a number of projects for toy manufacturer Schleich, including an annexe to the central administration and the implementation of the Schleich corporate design in Schleich shops around the world.

In 2008 Meuser Architekten won the contract for general planning for the German embassy in Sarajevo/Bosnia and Herzegovina, and in 2009, for the German embassy in New Delhi/India. The project in New Delhi is part of a pilot project for CO_2 reductions in German government buildings.

Veröffentlichungen
Publications

Natascha Meuser (Auswahl)

Salons der Diplomatie. Zu Gast bei Berliner Exzellenzen.
Berlin 2008 (mit Kirsten Baumann)

Ambassadors' Residences.
Berlin 2008 (mit Kirsten Baumann)

Decorating Flowers.
Berlin 2008

Decorating Home.
Berlin 2008

Making of Belle et Fou. Das Theater der Sinne.
Berlin 2006

Monatliche Illustrationen für die Kolumne *Machträume* in der Zeitschrift *CICERO – Magazin für politische Kultur.*
Zeitraum: 2004–2007

Sechsteilige Serie *Berliner Residenzen* für die Tageszeitung *Der Tagesspiegel.* 2003

Berliner Residenzen. Zu Gast bei den Botschaftern der Welt.
Berlin 2002 (mit Kirsten Baumann)

Zehn Highlights der Museumsinsel. In: Carola Wedel (Hg.): *Die neue Museumsinsel. Der Mythos. Der Plan. Die Vision.*
Berlin 2002

Wöchentliche Kolumne *Berliner Zimmer* für die Tageszeitung *Der Tagesspiegel.* (100 Teile)
Zeitraum: 2000–2002

Philipp Meuser (Auswahl)

Zeitgenössische Architektur

Kasachstan – Architektonisches Versuchslabor in der Steppe.
In: *Simone Voigt: Contemporary Architecture in Eurasia. Bauten und Projekte in Russland und Kasachstan.* Berlin 2009

Russia Now. Modernes Russland. Architektur und Design der Gegenwart. Berlin 2008 (mit Bart Goldhoorn)

Lust auf Raum. Neue Innenarchitektur in Russland. Berlin 2007 (mit Bart Goldhoorn)

Stadt und Haus. Berlinische Architektur im 21. Jahrhundert. Berlin 2007 (mit Fried Nielsen)

Schlossplatz Eins. European School of Management and Technology. Berlin 2006[1]/2009[2]

Capitalist Realism. Neue Architektur in Russland. Berlin 2006 (mit Bart Goldhoorn)

Neue Krankenhausbauten in Deutschland. Berlin 2006 (mit Christoph Schirmer)

Raumzeichen. Architektur und Kommunikations-Design. Berlin 2005 (mit Daniela Pogade)

Pläne Projekte Bauten. Architektur und Städtebau in Leipzig 2000 bis 2015. Berlin 2005 (mit Engelbert Lütke-Daldrup und Daniela Pogade)

Berlin im Fluss. Ein Architekturführer entlang der Spree. Floating Berlin. New Architecture along the Waterfront. Berlin 2004

Projekte, Pläne, Bauten. Architektur und Städtebau in Köln 2000–2010. Berlin 2003 (mit Klaus Otto Fruhner und Andrea Platena)

Vom Plan zum Bauwerk. Bauten und Projekte in der Berliner Innenstadt seit 2000. Berlin 2002 (mit Hans Stimmann)

Neue Gartenkunst in Berlin. New Garden Design in Berlin. Berlin 2001 (mit Hans Stimmann und Erik-Jan Ouwerkerk)

Architekturgeschichte

Zwischen Stalin und Glasnost. Sowjetische Architektur 1960–1990. Berlin 2009 (mit Jörn Börner und Caroline Uhlig)

Experiments with Convention. European Urban Planning from Camillo Sitte to New Urbanism. In: Krier, Rob: *Town Spaces. Contemporary Interpretations in Traditional Urbanism.* Basel/Berlin/Boston 2003

Berlin. Der Architekturführer. Berlin 2001[1] (mit Markus S. Braun, Rainer Haubrich und Hans Wolfgang Hoffmann)

Vom Fliegerfeld zum Wiesenmeer. Flughafen Berlin-Tempelhof. Berlin 2000

Geschichte der Architektur des 20. Jahrhunderts. Köln 1998 (mit Hans Wolfgang Hoffmann und Jürgen Tietz)

Handbuch und Planungshilfe

Handbuch und Planungshilfe: Arztpraxen. Berlin 2010

Handbuch und Planungshilfe: Signaletik und Piktogramme. Berlin 2010 (mit Daniela Pogade)

Handbuch und Planungshilfe: Apotheken. Berlin 2009 (mit Dörte Becker †)

Handbuch und Planungshilfe: Barrierefreie Architektur. Berlin 2009 (mit Joachim Fischer)

Sonstige Themen

Sehnsucht nach Europa. Urbane Skizzen aus Afrika, Amerika und Asien. Berlin 2003

Rückkehr nach Kabul. Eine fotografische Zeitreise. Berlin 2003. (mit Gerd Ruge und Georg W. Gross)

Unsichtbarer Städtebau. Die Modernisierung der Berliner Stadttechnik. In: Berliner Festspiele/AK Berlin (Hg.): *Berlin: Offene Stadt. Die Erneueuerung seit 1989.* Berlin 1999

Zeitschriften und Tageszeitungen (Auswahl)

Der Tagesspiegel

Der Senkrechtstarter. Dominique Perrault, Architekt.
20. November 1993

Bauen nach Bildern. Christopher Alexander vertritt neue Entwurfsmethoden der Architektur. 16. Juli 1994

Statt Urlaub Stadturlaub. Spaßbäder überflügeln Stadtbäder.
14. August 1994

Das Eisenbahnkreuz und die Europolis. Die nordfranzösische Stadt Lille wird Verkehrsknotenpunkt der europäischen Hochgeschwindigkeitszüge. 21. September 1994

Marzahner Mischung. Die größte deutsche Plattenbausiedlung wird bislang nur kosmetisch behandelt. 29. Dezember 1994

Auf dem Weg zu neuen Ufern. Fünf Jahre nach der Unabhängigkeit sucht Lettland ein Profil für seine Hauptstadt Riga.
8. Februar 1995

Die bestellte Hauptstadt. Kasachstan ist ein junger Staat. Und der Präsident hat sich dafür ein neues Zentrum gewünscht.
13. Januar 2002

Nächster Halt: Kabul. Termez war eine verbotene Stadt an der Grenze zu Afghanistan. Kein Fremder durfte sie betreten.
24. Februar 2002

Zwischen Koran und Coca-Cola. Städtebauer und Architekten diskutieren über den Wiederaufbau von Kabul.
27. Dezember 2002

Frankfurter Rundschau

Verfall einer Idee. Das architektonische DDR-Erbe in Eisenhüttenstadt. 6. August 1994.

Ein ganzer Stadtteil für die Medien. Der Mediapark nahe des Kölner Hauptbahnhofs liegt im Trend neuer Gewerbesiedlungen.
25. August 1994

Marzahner Mischung. Die städtebaulichen Probleme in Deutschlands größter Retortensiedlung. 26. November 1994

Gestern Kohlerevier – morgen Europolis. Die Stadt der Zukunft: Lille als europäische Verkehrsmetropole. 3. Januar 1995

Abschied von Scharoun. Zur Entscheidung im Wettbewerb für das Berliner Kulturforum. 3. März 1998

Bilderflut und Farbenpracht. Eine postsozialistische Musterstadt: das Kirchsteigfeld in Potsdam. 6. März 1998

Das Ende der Utopie. Berliner Stadtbaukunst zwischen Erneuerung und Umbau. 9./10. April 1998

Unvollendete Utopien. Wie zukunftsfähig sind die Wohnmaschinen der Moderne? Ein deutsches Tabu. 5. August 1998

Der Müll der Stadt. Plädoyer für eine Ästhetik des öffentlichen Raums. 8. Dezember 1998

Vom Anwalt zum Manager. Berliner Beispiele für ein neues Selbstverständnis der Denkmalpflege. 29. Oktober 1999

Glaubensfragen. Lob der Platte: Das industrielle Bauen in Taschkent bietet Überraschungen. 24. April 2001

Neue Zürcher Zeitung

Funktionsmischung an der Peripherie. Integration der Plattenbausiedlungen in Berlins Osten. 4. Februar 1995

Der steinerne Koloss auf dem Eiland. Hans Kollhoffs Wohnungsüberbauung im Amsterdamer Hafen. 3. März 1995

Die Ästhetisierung des Unfertigen. Berliner Architektur zwischen Werden und Vergehen. 23. Mai 1995

Simulierte Architektur. Zum Werk des Japaners Toyo Ito.
7./8. Oktober 1995

Understatement und Visionen. Der niederländische Architekt Ben van Berkel. 2. Februar 1996

Stadt als Ressource. Zur Architektur von Matthias Sauerbruch und Louisa Hutton. 25. November 1996

Generatoren für theoretische Ideen. Ein Gespräch mit den New Yorker Architekten Williams & Tsien. 12. Januar 1998

Schauplatz Warschau. Distanz zur Stadt. Urbanistische Entwicklung im Schatten des Kulturpalastes. 17. März 1998

Mentale Mobilität. Alternativen zur autogerechten Planung der Moderne. 12. April 1999

Eine orientalische Burg. Das Parlamentsgebäude von Louis I. Kahn in Dhaka. 17./18. Februar 2001

Schauplatz Kasachstan: Öko-Stadt zwischen Steppe und Sumpf. Kisho Kurokawas Masterplan für die Hauptstadt Astana. 21. Dezember 2001

Der Wiederaufbau von Kabul. Ein neuer Masterplan für die afghanische Hauptstadt. 31. Januar 2003

Stars und Lokalmatadoren. Wettbewerb zur Erweiterung des Mariinsky-Theaters. 17. März 2003

Wo Lenin noch nach Moskau blickt. Neue Architektur in Kirgistans Hauptstadt Bischkek. 2. Mai 2003

Berliner Zeitung
Al-Capone-Time zwischen Tallinn und Sofia. Metropolen in Osteuropa entdecken ihre Zentren wieder. 28. April 1998

Revolution im Knast. Ein spektakulärer Gefängnis-Neubau in Gelsenkirchen. 3. Juni 1998

District Six lebt nicht mehr. Wie ein zerstörtes Quartier in Kapstadt zum Gradmesser einer neuen Politik wird. 27./28. Juni 1998

Untergang einer Utopie. Soziale Stadtentwicklung in den USA: Chicago reißt seine Armutsviertel ab. 15./16. Mai 1999

Von Greenpeace lernen. Wenn Konservatoren zu Managern werden, kann auch Denkmalschutz ein Geschäft sein. 11./12. September 1999

Manifeste für eine kleine Ewigkeit. Die eigensinnige Architektur des Schweizer Kantons Graubünden. 1./2. April 2000

Wo die Menschheit fliegen lernte. Verlassene innerstädtische Flughäfen, die neue Nutzungen brauchen. 6./7. Mai 2000

Archithese
Blechkisten im Versteck. Wettbewerb Regionaltheater Neuenburg. Heft 1/1996

Kunstform als Konstruktionsform. Steinerne Fassaden und schwerelose Kisten in der Mitte Berlins. Heft 5/1996

Wiener Vertikale. Architektonische Wolkenstürmerei an den Ufern der Donau. Heft 6/1999

Körper und Kleid. Von der Vorhangfassade zum Siedlungsteppich: Textile Architektur als semantisches und baukünstlerisches Phänomen. Heft 2/2000

Hybrid sucht Anschluss. Der Potsdamer Platz in Berlin: ein autarker, aber erfolgreicher Stadtbaustein. Heft 3/2000

Deutsches Architektenblatt
Mobile Immobilien. Was die Architektur mit dem Begriff der Bewegung verbindet. Heft 6/2000

Die Festung von Dhaka. Zum 100. Geburtstag von Louis I. Kahn (1901–1974). Heft 2/2001

Architekt ohne Grenzen. Deutsche Architekten im Ausland. Teil 8: Russland, Kasachstan und Usbekistan. Heft 6/2002

Jenseits von Kommunismus und Kapitalismus. Russische Architektur orientiert sich an historischen Vorbildern. Heft 8/2006

Architekt ohne Grenzen. Deutsche Architekten im Ausland. Teil 33: Russland. Heft 8/2006

Komfort für alle. Barrierefreies Bauen ist kein Randgruppenthema, sondern dient der ganzen Gesellschaft. Heft 9/2009

Projektverzeichnis
Chronology

1995
Fotografenwohnung in Berlin-Charlottenburg
(Umbau)

Mercedes Showroom in Berlin-Mitte
(Umbau, nicht realisiert)

1996
Stadtforum Berlin
(Koordination von ca. 25 Sitzungen bis 2001)

1997
Veranstaltungsreihe *StadtProjekte*
(Koordination von ca. 20 Veranstaltungen bis 1999)

Architektenwohnung in Berlin-Charlottenburg
(Umbau)

Fotostudio in den Hackeschen Höfen in Berlin-Mitte
(Umbau)

Haus des Deutschen Beamtenbundes in Berlin-Mitte
(Wettbewerb, 2. Preis)

1998
Schauspielerwohnung in Berlin-Charlottenburg
(Umbau)

Diplomaten-Villa in Berlin-Pankow
(Umbau)

Reihenhaus in Berlin-Westend
(Anbau)

Ausstellung im *Quartier Schützenstraße* in Berlin-Mitte
(Temporäre Installation)

Commerz- und Privat-Bank (Sparkassenhaus) in Berlin-Mitte
(Bauhistorische Dokumentation)

Haus des Deutschen Beamtenbundes in Berlin-Mitte
(Bauhistorische Dokumentation)

1999
ZDF Merchandising Shop in Berlin-Mitte
(Umbau)

Veranstaltungsreihe *Architekturgespräche*
(Koordination von ca. 20 Veranstaltungen bis 2001)

2000
Juweliergeschäft *Schmuckräume* in Berlin-Charlottenburg
(Bauleitung)

Stadthäuser am Fischerkiez in Berlin-Mitte
(Studie)

2001
Landhaus in Berlin-Friedrichshagen
(Umbau)

Penthouse in Berlin-Prenzlauer Berg
(Umbau)

Ausstellung in der Messehalle in Taschkent/Usbekistan
(Temporäre Installation)

Ausstellung in der *Otto-Nagel-Galerie* in Berlin-Wedding
(Temporäre Installation)

2002
Meisterklasse *Sanierung von Plattenbauten* in St. Petersburg
(Koordination)

Summer School im Rahmen des *UIA 2002 Berlin*
(Koordination)

Informations-, Leit- und Orientierungssystem für die staatlichen Schlösser, Burgen und Altertümer im Land Rheinland-Pfalz
(Wettbewerb, 1. Preis)

2003
Villa am Finnischen Meerbusen bei St. Petersburg/Russland
(Wettbewerb 1. Preis, nicht realisiert)

Penthouse an der Eremitage in St. Petersburg/Russland
(Neubau)

Ausstellung in der *ifa-Galerie* in Berlin und Stuttgart
(Temporäre Installation)

Ausstellung im *Zentralen Haus der Künstler* in Moskau/Russland
(Temporäre Installation)

Ausstellung in der American University in Sharjah/VAE
(Temporäre Installation)

Meisterklasse *Zukunft der Stadt Atyrau/Kasachstan*
(Koordination)

2004
Deutsche Botschaft in Astana/Kasachstan
(Herrichtung einer Büroetage)

Stadthaus am Friedrichswerder
(Neubau)

Touristisches Leitsystem für die Altstadt Naumburg/Saale
(Stadtmöblierung)

Maisonette in Dongguan/China
(Neubau, nicht realisiert)

Mini-Hotel in Berlin-Charlottenburg
(Umbau)

Wohnung *Sybelstraße* in Berlin-Carlottenburg
(Umbau)

Ausstellung im Architekturmuseum in Moskau/Russland
(Temporäre Installation)

Spring School an der American University in Sharjah/VAE
(Koordination)

Meisterklasse *Sanierung von Plattenbauten* in Taschkent/Usbekistan (Koordination)

2005

Schloss Stolzenfels bei Koblenz
(Denkmalgerechter Umbau zur Verbesserung der Barrierefreiheit)

Theater in der Spielbank Berlin
(Umbau)

Britische Botschaft in Astana/Kasachstan
(Herrichtung einer Büroetage)

Hachette Filipacchi Shkulev Media in Moskau/Russland
(Umbau der Lobby und der Vorstandsetage)

Konferenzzentrum in der Französischen Botschaft in Moskau
(Umbau, nicht realisiert)

Meisterklasse *Wohnen am Wasser* in Nischni Nowgorod
(Koordination)

2006

Deutsches Generalkonsulat in Kaliningrad/Russland
(Neubau der Visastelle)

Französische Botschaft in Astana/Kasachstan
(Herrichtung einer Büroetage)

Lufthansa Airport Office in Astana/Kasachstan
(Umbau)

Villa Zhailjau in Almaty/Kasachstan
(Neubau/Innenarchitektur)

Vorderes Klausengebäude in Koblenz
(Denkmalgerechter Umbau)

Produzentenwohnung in Berlin-Charlottenburg
(Umbau)

2007

Stadtvilla in Nürnberg-Erlenstegen
(Erweiterung)

Deutsches Generalkonsulat in Almaty/Kasachstan
(Herrichtung eines Bestandsgebäudes)

Hauptverwaltung Schleich in Schwäbisch Gmünd
(Erweiterung)

Schleich Shop Design
(Umsetzung des Corporate Branding an bislang 75 Standorten)

Lufthansa City Center in Kasachstan
(Umsetzung des Corporate Branding an sieben Standorten)

Lufthansa City Center in Kirgistan
(Umsetzung des Corporate Branding am Standort Bischkek)

ABN AMRO Bank Kazakhstan, Consumer Banking
(Umsetzung des Corporate Branding an vier Standorten)

Vorstandsetage im *Almaty Financial District* in Kasachstan
(Neubau/Innenarchitektur, nicht realisiert)

Außenstelle der Französischen Botschaft in Almaty/Kasachstan
(Denkmalgerechter Umbau)

Wohnung auf den Sperlingshügeln in Moskau/Russland
(Neubau/Innenarchitektur)

Feriensiedlung im Altai-Gebirge/Kasachstan
(Neubau, nicht realisiert)

Penthouse *Jägerstraße* in Berlin-Mitte
(Neubau, nicht realisiert)

Vertretung der Europäischen Kommission in Astana/Kasachstan
(Konzept zur Verbesserung der materiellen Sicherheit)

Ausstellung in der *ifa-Galerie* in Berlin und Stuttgart
(Temporäre Installation)

2008

Deutsche Botschaft Sarajewo/Bosnien-Herzegowina
(Generalsanierung)

Deutsche Botschaft in New Delhi/Indien
(Fassadengestaltung)

Kanadische Botschaft in Astana/Kasachstan
(Project Management)

Schweizerische Botschaft in Astana/Kasachstan
(Herrichtung einer Büroetage)

ABN AMRO Bank Kazakhstan, Preferred Banking Almaty
(Umbau)

Typenentwurf für eine Schule in Tscheboksary/Russland
(Neubau, nicht realisiert)

Typenentwurf für einen Kindergarten in Tscheboksary/Russland
(Neubau, nicht realisiert)

Villa an der Rubljowka in Moskau/Russland
(Umbau)

Maschinenhalle in Iggingen
(Neubau)

Park Residence Monbijou in Berlin-Mitte
(Konzeptstudie)

Landhaus in Neufundland/Kanada
(Neubau, nicht realisiert)

L'Institut Français d'Etudes sur l'Asie Centrale in Taschkent
(Neubau, nicht realisiert)

Ausstellung im Tuwaiq Palace in Riad/Saudi-Arabien
(Temporäre Installation)

Ausstellung in der Abflughalle des Flughafens Tempelhof
(Temporäre Installation)

2009
Deutsche Botschaft in New Delhi/Indien
(Generalsanierung)

Deutsche Botschaft Taschkent/Usbekistan
(Machbarkeitsstudie für einen Neubau)

Deutsche Botschaft Peking/China
(Umbau zur Verbesserung der Barrierefreiheit)

Deutsche Botschaft Tokio/Japan
(Umbau zur Verbesserung der materiellen Sicherheit)

Deutsches Generalkonsulat in Jekaterinburg/Russland
(Wettbewerb)

Ägyptische Residenz in Berlin-Mitte
(Gutachten)

Schweizerische Residenz in Astana/Kasachstan
(Quality Management)

Goethe-Institut in Almaty/Kasachstan
(Machbarkeitsstudie)

St. Petri-Kirche in Berlin-Mitte
(Neubau, nicht realisiert)

Evangelisches Johannesstift in Berlin-Spandau
(Neubau, Wettbewerb 2. Preis)

Ida-Simon-Haus in Berlin-Mitte
(Denkmalgerechtes Umbaukonzept)

Hotelresidenz und Spa in Kühlungsborn
(Neubau/Innenarchitektur)

Villa in Berlin-Grunewald
(Neubau/Innenarchitektur)

Ausstellung im Rahmen der Regionale 2010 in Köln
(Temporäre Installation)

2010
Theaterplatz Naumburg/Saale
(Freiraumgestaltung)

Quartier an den Kronprinzengärten in Berlin
(Neubau, Wettbewerb)

Schweizerische Botschaft in Warschau/Polen
(Bestandsanalyse)

Informations- und Orientierungssystem für die Staatlichen
Schlösser, Burgen und Gärten Sachsens
(Wettbewerb)

Die Zeitangaben beziehen sich auf den Projektbeginn.

Mitarbeiter seit 1995
Staff since 1995

Architekten
Bächter, Michael
Bagrikova, Inna
Bormann, Nicola
Boyko, Elena
Festag, Daniel
Heßler, Doreen
Jahn, Wera
Kurek, Monika
Meuser, Florian
Schillaci, Fabio
Schirmer, Christoph
Spielau, Martin
Tobolla, Jennifer
Tsubokura, Takashi
Weber, Miriam
Zhang, Choco Heng

Projektassistenz
Chernishova, Sofia
Jaikbayeva, Juma
Kim, Galina
Nurgaleyeva, Gulnara
Uralov, Bolatbek

Grafikdesigner
Brohl, Gitte
Dafova, Marina
Donadei, Daniela
Mattausch, Heiko
Stier, Yuko
Wolbergs, Benjamin
Wolf, Nicole

Verlag
Hofmann, Sabine
Kasek, Mandy
Keil, Uta
Petermann, Ralph
Ring, Martin
Scheublein, Walter

Redakteure
Becker, Dörte †
Dörries, Cornelia
Hahn-Melcher, Brigitta
Hartmann, Anja
Hoffmann, Hans Wolfgang
Maempel, Vivian
Oswald, Ansgar
Pogade, Daniela
Schöneberg, Gesa
Voigt, Simone

Volontariat
Deubel, Jette
Kukla, Juliane

Praktikanten
Chestakow, Lev
Egermann, Kristin
Esau, Xenia
Göse, Julia
Götzen, Christiane
Jeska, Simone
Klaus, Robert
Kim, Anja
Krusemark, Anne
Mitra, Mayukh
Mogensen, Sophia
Urscheler, Kathrin
Wegener, Gerrit

Anhang 255

Die Deutsche Bibliothek verzeichnet diesen Titel in der *Deutschen Nationalbibliografie*. Detaillierte bibliografische Daten sind im Internet über *http://dnd.ddb.de* abrufbar.
The Deutsche Bibliothek *lists this publication in the* Deutsche Nationalbibliografie; *detailed bibliographic data is available on the internet* http://dnb.ddb.de.

© 2011 by *DOM publishers*
www.dom-publishers.com

ISBN 978-3-86922-151-9 (Vol. 1)
ISBN 978-3-86922-150-2 (Gesamtausgabe)

A DOM publishers

Dieses Werk ist urheberrechtlich geschützt. Jede Verwertung außerhalb der Grenzen des Urheberrechtsgesetzes ist ohne Zustimmung des Verlags unzulässig und strafbar. Dies gilt insbesondere für Vervielfältigung, Übersetzungen, Mikroverfilmungen sowie die Einspeicherung und Verarbeitung in elektronischen Systemen. Die Nennung der Quellen und Urheber erfolgt nach bestem Wissen und Gewissen.
This work is subject to copyright. All rights are reserved, whether the whole or part of the material is concerned, specifically the rights of translation, reprinting, broadcasting, reproduction on microfilms or in other ways, and storage or processing in data bases. We have identified any third party copyright material to our best knowledge.

Projekttexte *Text Editor*
Cornelia Dörries

Endlektorat *Proofreading*
Uta Keil

Übersetzung *Translation*
Nina Hausmann

Titelgestaltung *Cover Design*
Gitte Brohl

Abbildungen *Photo Credits*
Archiv für Kunst und Geschichte/akg-images: 22/23; Bildarchiv Preußischer Kulturbesitz/bpk: 69 r (F. Albert Schwartz), 113/127 (Gerhard Kiesling); Boß, Gerhard: 83 ul; Breuning, Hans-Jürgen: 21; Cervo, Diego: 184/185; Doga, Yusuf: 25; Hoch, Eberhard: 243; Huthmacher, Werner: 40/41, 50-54, 99-107, 159 o, 160-167; iStockphoto: 26 l, 32 l; Khomulo, Anna: 150/151; Landesarchiv Berlin: 69 l, 83 o; LifePR: 196 r; Meuser, Natascha: 14/15, 17, 140, 153, 156 u, 157 u, 245; Meuser, Philipp: 27 m, 30, 32 m, 35, 43, 44/45, 60/61, 70/71, 78/79, 82, 96/97, 110/111, 116, 122/123, 128-131, 142/143, 146, 169, 170, 174 u, 178, 187, 188, 192, 197-199, 202, 203, 206/207, 210, 212, 226, 227/228, 234-237, 238; Müller, Stefan: 47-49, 55-57; Nikada, Alex: 196 l; Palmin, Juri: 38, 39; Rohitarora: 19; Sammlung Boris Hollender: 118/119; Savorelli, Pietro: 29 l; Scharski, Nikolai: 125; Steidl, James: 27 l; Stein, Sandra vom: 26 r; Taner, Murat: 32 r; Tobolla, Jennifer: 27 r, 239; Zurek, Peter: 29 r, 195